POWER CLUB

Hors-série
Sous la direction de Denis Guiot

ISBN : 978-2-74-852150-4

ALAIN GAGNOL

L'APPRENTISSAGE

SYROS

À Anna, évidemment.

PREMIÈRE PARTIE

En 2038, devenir un super-héros est un privilège de riches

Tous les parents ont leurs petites manies et des habitudes plus ou moins bizarres. Leurs réactions ne sont pas toujours logiques, mais bon, à force de les fréquenter, on finit par comprendre le système. Par exemple, on sait bien ce qu'il faut dire pour sortir le soir ou obtenir une rallonge d'argent de poche.

Mais depuis un moment, quelque chose ne tourne pas rond dans ma famille. Je veux dire par là que mes parents dépassent largement leur taux normal de bizarrerie.

Du coup, je passe mon temps à les surveiller du coin de l'œil. Ils chuchotent dès que j'ai le dos tourné, restent des heures au téléphone et s'arrêtent de discuter si j'entre dans la pièce. Ils ont peut-être suivi une formation intitulée : « Comment rendre parano votre fille adolescente. » Dans ce cas-là, ils vont avoir leur diplôme haut la main.

Alors, forcément, j'ai beaucoup de mal à me concentrer sur mes révisions pour le bac de français. Plus que deux semaines avant l'épreuve, je n'ai vraiment pas besoin de ça en ce moment. Normalement, c'est plutôt eux qui devraient s'inquiéter de leur fille ado, non ?

Quand je pose la question à Louis, mon petit frère, il ne voit pas de quoi je parle.

— Ben non, c'est les parents, quoi !

— Toi, tu trouves qu'ils sont comme d'habitude ?

— Ouais ! Maman m'a encore dit y a cinq minutes que je devais ranger ma chambre. En faisant les gros yeux, même.

— Et alors ? Tu l'as rangée ?

— Ben non. Tu vois, ajoute-t-il avec un grand sourire, tout est normal !

Bon d'accord, il n'a que six ans, des tas de choses lui échappent encore. Je ne peux pas le prendre comme référence.

J'en parlerai demain à Lisa. Ce qui, sur une échelle de un à dix en matière de mauvaise décision, se situe à peu près à douze.

*

Le lendemain matin, devant la grille du lycée, je m'en mords les doigts dès que Lisa me donne son avis.

— Tu sais, moi aussi je me rappelle que j'avais trouvé mes parents bizarres une fois. C'était juste avant qu'ils divorcent.

— Lisa !

— Quoi ? Tu me poses une question, je te réponds.

Grâce à ma meilleure copine, je suis passée de parano à désespérée. Mes jambes deviennent d'un coup toutes molles et je m'assois sur un muret. Consciente de sa bourde, elle s'installe à côté de moi en me donnant un petit coup d'épaule.

— Hé, Anna, déprime pas ! J'en sais rien, moi, de ce qu'ils ont, tes parents.

— Non, mais t'as peut-être raison. Ce serait même une très bonne explication. Les coups de fil en secret, les discussions entre deux portes. Ça se tient.

— Attends, Anna, t'affole pas, tu sais bien que je parle sans réfléchir. J'ai la langue qui fonctionne plus vite que le cerveau ! Si tu commences à faire attention à tout ce que je raconte, ma pauvre vieille, t'es pas sortie de l'auberge.

— Oui mais tu te rends compte, si c'est parce...

— Arrête ! m'ordonne Lisa en levant le doigt. Stop ! Arrête de cogiter, ou ça va te rendre dingue. Fais comme moi, pense à rien. Tu verras, la vie est beaucoup plus facile comme ça.

Elle parvient tout de même à m'arracher un sourire. Lisa assume jusqu'au bout son rôle de pompier pyromane. Elle met un point d'honneur à éteindre tous les incendies qu'elle a elle-même déclenchés.

— Bon, allez, dit-elle pour changer de sujet, raconte-moi plutôt ce que tu vas faire pour ton anniversaire.

— Rien. Je reste avec mes parents et mon petit frère.

— Non mais sans rire !

— Ben oui, sans rire, je passe la soirée chez moi, quoi !

— Mais c'est n'importe quoi ! Tu vas pas fêter ton anniversaire avec tes parents, quand même, c'est quoi ce plan débile ? Vous allez faire une soirée raclette, un truc délirant dans ce genre ? Il faut qu'on sorte toutes les deux, ma vieille, c'est carrément le minimum !

— Mais je ne peux pas, je te dis ! Mes parents tiennent absolument à ce que je fête mon anniversaire à la maison.

— Ils sont lourds, tes vieux ! Ils n'ont pas tilté que tu fêtais tes dix-sept ans ? Dix-sept ans, pas huit ! Ils ont invité un clown et un magicien aussi ?

— Ils m'ont même demandé de rentrer tout de suite après les cours, t'as qu'à voir.

Le visage de Lisa prend tout à coup un air suspicieux. Son regard se perd dans le lointain tandis qu'elle réfléchit.

— Ouais d'accord, ça c'est bizarre, concède-t-elle. Désolée, Anna, t'as raison sur ce coup-là. Ils sont pas nets, tes parents.

Voilà comment Lisa, après avoir éteint son incendie, le rallume aussitôt avec un lance-flammes.

*

À l'heure du déjeuner, en attendant le deuxième service du self, Lisa m'explique que Joris est revenu la voir hier après-midi. Elle lui a d'abord dit de ficher le camp pour, finalement, passer deux heures avec lui.

— Je croyais que tu ne voulais plus le voir.

— Oui mais non, me répond-elle avec son esprit de synthèse si particulier.

— Alors vous êtes à nouveau ensemble ?

— On peut dire ça mais... pas vraiment non plus.

Lisa me fixe comme si elle venait de livrer la pensée philosophique du siècle.

— En gros, c'est exactement comme avant, lui dis-je avec une pincée d'ironie qui, je l'espère, ne passera pas inaperçue.

Mais Lisa n'a pas le temps de répondre. Nadia surgit d'un coup à côté de nous en sautillant sur place.

— Vous avez vu ça ? nous demande-t-elle.

Nadia nous montre du doigt un attroupement derrière elle.

— Le Power Club vient de poster une nouvelle vidéo, c'est carrément dément ! Venez voir, ça déchire !

Je remarque à ce moment que, un peu partout dans la cour, les élèves ont le nez plongé dans leur tablette ou téléphone portable. Si les exploits d'un super-héros du Power Club viennent d'être mis en ligne, vous pouvez être sûrs que tout le monde fait la même chose, à cette même seconde, dans le monde entier. Beaucoup ont installé une alerte sur leurs appareils qui les prévient dès que le Power Club envoie de nouvelles images. J'imagine des millions de Chinois, réveillés au milieu de la nuit, leurs visages à peine éclairés par les lueurs bleues des téléphones portables.

Dans le sillage de Nadia, nous nous glissons entre les dos des élèves de notre classe de première, serrés les uns contre les autres. Christophe a déplié sa tablette à la taille maximum, celle d'un journal à l'époque où ils étaient encore en papier, pour que tout le monde puisse bien voir.

— C'est Bobby Mulligan ! dit quelqu'un avec excitation. Le mec a le quotient intellectuel d'une huître mais il sait défoncer des crânes ! Vas-y, Christophe, relance la vidéo depuis le début, les filles ne l'ont pas vue.

La plupart des super-héros du Power Club sont américains, comme Bobby Mulligan, mais pas tous. Parmi les huit membres, on trouve aussi un Anglais, un Russe et une Italienne. Tous les enfants des milliardaires du monde entier rêvent de faire partie du Power Club.

La vidéo du jour a été faite à partir d'un montage d'images de caméras de surveillance et de téléphones portables. Des bruitages ont été ajoutés pour rendre la scène encore plus spectaculaire. Cela commence avec un homme qui fait irruption dans une banque, un fusil à canon scié dans les mains. Il tire sans hésitation sur le vigile près de la porte, qui s'écroule, un trou sanglant au milieu de la poitrine. Les clients se jettent aussitôt à terre. Le braqueur semble très nerveux et prêt à tirer sur tout le monde.

Tout à coup, une silhouette ultrarapide défonce la baie vitrée de la banque qui explose en mille éclats étincelants. Bobby Mulligan vient de faire son entrée classique. Après avoir défoncé la vitre, il retombe sur le sol en prenant sa pose habituelle, sachant qu'il est filmé par les caméras de surveillance. Il arrive même à trouver celle qui lui donne le meilleur angle et sourit de toutes ses dents blanches dans sa direction. Avec ses lunettes de soleil et ses vêtements de marque, le mec a une allure d'enfer et il le sait. Ses contrats publicitaires lui rapportent des milliers de dollars chaque jour.

Le braqueur profite de cet instant d'arrêt pour ouvrir le feu sur Bobby. Le projectile atteint le garçon en pleine tête. Sous la violence du coup, Bobby effectue un vol plané et atterrit lourdement sur un bureau qui s'écroule sous son poids. Le super-héros se relève immédiatement, sans la moindre égratignure. Par contre, ses belles lunettes de soleil à cinq mille dollars la paire ont pris cher. Les verres ont disparu et la monture est entièrement déformée. Avec un geste exagérément outré, il les ôte et les jette par terre d'un air dégoûté.

L'équipe du Power Club a ajouté dans la bande-son la voix de Bobby qui balance le slogan devenu sa marque de fabrique : « Mon gars, c'est pas ton jour ! » Sa phrase est tellement connue qu'elle est imprimée sur des tee-shirts. Encore un peu plus d'argent qui tombe direct dans sa poche.

Bobby décolle du sol comme une fusée. Il va si vite que les caméras n'enregistrent qu'une traînée pixélisée. Il écrase le braqueur contre un mur, lui arrache son fusil des mains et pulvérise l'arme sous son pied.

Le criminel en sanglots supplie Bobby de ne pas lui faire de mal. Les clients se remettent debout les uns après les autres en dégainant leurs téléphones portables. Jusqu'à cette seconde, ils étaient des victimes. À partir de maintenant, ils sont au spectacle et ne veulent pas en perdre une miette. Certains encouragent leur sauveur, d'autres se précipitent pour récupérer des morceaux de la baie vitrée.

— Ils vont se faire un max de blé avec ça, commente Lisa en les voyant faire.

Tout ce qui provient du lieu d'intervention d'un membre du Power Club se vend aux enchères sur Internet.

Il existe un marché de collectionneurs, avec des cotes différentes selon la popularité du super-héros. Des types dépensent des fortunes pour acheter un morceau de bitume défoncé par une de leurs idoles.

Pendant ce temps, applaudi par la foule, Bobby Mulligan fracasse la mâchoire du type avec la paume de sa main. Il ne tape même pas fort, mais on peut distinguer des dents qui tombent de la bouche et rebondissent par terre comme des petits cailloux. Les clients se jettent dessus, les premiers arrivés les glissent dans leur poche. Ils pourront en tirer vingt fois plus d'argent que des simples éclats de verre.

Après avoir méticuleusement ramassé tout ce qu'il était possible de récupérer, les clients de la banque, sains et saufs, acclament Bobby. Le héros s'envole et reste en lévitation à trois mètres du sol pour leur en mettre plein la vue. Tous les téléphones portables sont braqués sur lui. Comme un spot publicitaire, Bobby conclut la vidéo en informant le public que l'établissement bancaire qu'il vient de sauver propose de nombreux contrats d'assurance-vie, et qu'il serait bien bête de ne pas en profiter.

Malgré son air suffisant et sa pose ridicule pour débiter son slogan, tout le monde garde les yeux rivés sur Bobby Mulligan. Quelques sifflements d'admiration saluent son départ tandis qu'il s'arrache du sol, file comme une flèche dans le ciel et disparaît derrière un immeuble. Si vous êtes capable de pareils exploits, personne ne se lassera jamais de vous regarder, même si vous sortez les pires âneries.

Je ne peux me retenir de dire :

— Franchement, moi je trouve ça limite, le Power Club.

Ma remarque m'attire quelques regards curieux.

— Vous êtes pas d'accord avec moi ? Ce mec est un super-héros et il passe plus de temps à faire de la pub qu'à sauver les gens ! Et puis il frime constamment, comme n'importe quelle star de télé débile. Je sais pas, mais un super-héros, c'est censé être plus que ça, non ?

— Tu dis ça parce que t'es jalouse, me balance Nadia en rigolant.

— Jalouse de ce type ? Je ne suis pas encore tombée aussi bas !

Plusieurs élèves de ma classe me lancent un regard moqueur.

— Pourquoi tu t'énerves, alors ? intervient Olivier en ricanant. Tu serais pas un peu amoureuse ?

De nombreux rires accompagnent sa vanne. Lisa intervient aussitôt pour me sortir de là.

— Arrêtez, les mecs, Anna a des problèmes personnels. C'est pour ça qu'elle a les boules.

Ma copine me saisit sous le bras et m'entraîne à l'écart en marchant rapidement. Le premier service terminé, les collégiens sortent de la cafétéria pour libérer la place. Christophe replie sa tablette et la range dans sa poche. Le groupe se disperse en commentant la façon de voler de Bobby, la puissance de ses coups de poing.

— Laisse tomber, me dit Lisa. Les super-héros, c'est l'opium du peuple. Tu ne fais pas le poids.

*

Mon chauffeur m'attend à la sortie du lycée. Il sourit en me voyant parce qu'il sait que je ne vais pas être contente. Lisa me le montre du doigt comme si je ne l'avais pas vu, comme s'il n'était pas à dix mètres de moi, posant dans son costume impeccable, devant sa bagnole aussi énorme qu'un tank.

— Mais c'est-y pas le beau Carl avec sa grosse, sa très grosse voiture ! dit Lisa en éclatant de rire.

— Bonjour, mademoiselle Anna.

— Mais j'ai dit à ma mère que je rentrais à pied !

— Ce n'est pas moi qui décide, mademoiselle, dit-il en ouvrant la portière arrière.

Je pousse un long soupir en montant dans la voiture. Lisa me regarde depuis le trottoir. En fait, elle continue de me parler, même une fois la portière fermée. Je mime un téléphone avec ma main.

— On s'appelle !

Je me cale sur le siège arrière et commence à ruminer mes idées noires. La voiture démarre, fait une trentaine de mètres, puis s'immobilise dans l'un de ces innombrables et insupportables embouteillages parisiens. Mon téléphone portable vibre dans ma poche. J'entends la voix de Lisa dans mon oreille :

— *C'est moi*, me dit-elle.

Au même moment, quelqu'un tape contre la vitre de la voiture immobilisée. C'est Lisa, qui va dix fois plus vite que nous en marchant. Le visage collé contre ma fenêtre, elle me fait un grand sourire et s'exclame, dans le téléphone :

— *Hé ! Joyeux anniversaire quand même !*

CHAPITRE 2

J'ai à peine ouvert la porte de la maison que Louis me saute dessus.

– J'peux pas te dire ce que c'est !

Il a l'air très content de lui.

– De quoi tu parles ?

– Ton cadeau, j'peux pas te dire ce que c'est !

– Eh ben ne le dis pas, je verrai bien.

– Mais je sais ce que c'est, insiste-t-il.

Pourtant, en le regardant plus attentivement, je me dis qu'il en rajoute.

– Je parie que non. Je parie que t'en sais rien du tout !

Outré, Louis hausse la voix en direction du salon.

– Maman ! Anna, elle dit que je sais pas ce qu'elle va avoir comme cadeau pour son anniversaire !

La voix de maman nous parvient, très calme :

– Mais Louis, tu ne sais pas ce que c'est.

Il se tourne vers moi, abasourdi par cette trahison sans nom. Moi, je me contente de hausser les épaules.

Je vais dans le salon et trouve mes parents, assis l'un à côté de l'autre sur le canapé. Ils me fixent tous les deux avec un grand sourire très bizarre qui me fait froid dans le dos. Ils ressemblent à deux mannequins en plastique censés représenter les parents idéaux.

— Qu'est-ce qu'il y a ? je leur demande. Tout va bien ? Y a un problème ? Vous êtes un peu flippants, là.

Ma mère me désigne le fauteuil en face d'eux, sans arrêter de sourire.

— Assieds-toi, Anna.

Pendant que je m'installe, Louis saute à pieds joints sur le canapé. Mes parents ne lui disent rien, ce qui rend la scène encore plus étrange.

Cette fois, j'ai vraiment la trouille. Je m'attends à chaque seconde à ce qu'ils m'annoncent leur divorce. En même temps, ils ne souriraient pas comme des idiots. Ils ont l'air de si bonne humeur que l'excitation de Louis ne les dérange pas.

Louis ne remarque pas mon inquiétude. Il bondit encore deux ou trois fois puis accroche ses bras autour des épaules de mon père.

— Papa, chuchote-t-il avec la discrétion d'un éléphant, c'est quoi le cadeau pour Anna ?

Papa murmure à son tour dans l'oreille de Louis, mais de façon tout aussi sonore :

— Je crois que c'est le moment de le découvrir !

Mon père prend un ton solennel pour s'adresser à moi. Malgré ses efforts, je vois bien qu'intérieurement il ne tient pas en place.

— Ta mère et moi avons pris une décision importante pour toute la famille, commence-t-il. On y pensait depuis longtemps. Nous nous sommes renseignés, on a rencontré des gens, on a même fait un voyage sur place pour voir tout ça par nous-mêmes.

— Ce que nous t'offrons coûte beaucoup d'argent, énormément même, continue ma mère. Mais nous avons les moyens de te l'offrir et nous pensons que cela va au-delà d'un simple cadeau. C'est une expérience unique de vie, très formatrice, qui peut changer ton existence.

Ils ne disent plus rien pendant un moment. J'ouvre les bras en grand en haussant les sourcils et je leur demande :

— Eh ben alors, c'est quoi ? Je ne comprends même pas de quoi vous parlez !

— Constance, dit mon père à ma mère, à toi l'honneur.

Elle saisit une enveloppe qu'elle tenait cachée derrière son dos. Tout le monde a les yeux fixés sur le rectangle blanc entre ses doigts. Elle me tend l'enveloppe sans rien dire. L'ambiance dans le salon est si tendue que je crois entendre un roulement de tambour quand je déchire le papier. Pendant une seconde, j'ai l'impression que l'enveloppe est vide et je me dis que mes parents, pour mes dix-sept ans, viennent de péter un câble.

Et puis j'aperçois un petit carton de la taille d'une carte de visite coincé tout au fond. Je l'extrais de l'enveloppe, et là, d'un coup, c'est comme si un éclair me tombait droit sur la tête. Je réalise brusquement l'énormité de ce que mes parents ont manigancé.

– C'est quoi ? demande Louis en criant presque d'impatience.

– C'est... C'est...

En fait, je n'arrive même pas à le dire.

– C'est un... C'est le...

– Fais voir, Anna !

Mon cerveau se débloque et réussit enfin à lire les lettres d'or imprimées sur le petit carton.

– C'est un bon pour une adhésion au Power Club.

Le silence qui tombe ensuite fait partie des choses les plus bruyantes que j'aie jamais entendues.

– Ouah ! Le Power Club ! s'extasie Louis. C'est génial !

Mes parents ne me quittent pas des yeux.

– Anna ? Tu ne dis rien ?

Louis reprend ses bonds sur le canapé, au comble de l'euphorie. Je ne peux plus détacher mes yeux des lettres dorées qui m'annoncent que ma vie vient de changer radicalement. Aucune chance pour que j'oublie un jour mon dix-septième anniversaire.

– Tu te sens bien, ma chérie ? s'inquiète maman.

– Oui, oui, ça va. C'est juste que... je comprends maintenant pourquoi vous étiez si bizarres. Vous avez tout organisé en cachette ?

– Hé oui ! s'exclame mon père. C'est la surprise de ta vie, ça, non ?

Je garde longuement les yeux fixés sur le carton d'adhésion du Power Club. Les images de Bobby repassent devant mes yeux. Sauf que cette fois-ci je m'imagine à sa place. C'est à mon tour de pulvériser les murs, de frapper des gangsters tout en annonçant le nouveau goût framboise-banane d'une nouvelle marque de yaourts. Leur cadeau est si énorme que je ne sais pas comment je dois réagir.

— Il faut que tu saches une chose, me dit maman quand elle sent mon hésitation, cette adhésion n'est pas une obligation. Nous ne te forçons pas à l'accepter, sinon ce ne serait pas un vrai cadeau. Tu peux en faire ce que tu veux.

Les yeux de mes parents restent fixés sur moi. Comme je ne dis rien, leur sourire devient de plus en plus crispé.

— Ma chérie, reprend ma mère, tu peux faire ce que tu veux, mais il faut que tu nous le dises, quand même.

Je relève lentement la tête vers eux. Même Louis s'est arrêté de faire du trampoline sur le canapé pour m'écouter.

— Ben... c'est quand même... c'est vraiment énorme comme cadeau, non ? Vous êtes sûrs... vous êtes sûrs que vous pouvez m'offrir... le Power Club ?

— Ne t'inquiète pas, ma puce, me dit mon père. Nous savons ce que nous faisons. Si ce n'était pas possible, tu ne tiendrais pas ce bout de carton dans tes mains.

Pendant un instant je ne sais plus quoi dire. Mon cœur bat à cent à l'heure. Des milliers de pensées font le tour de ma tête à chaque seconde. Comment peut-on autant désirer quelque chose tout en ayant peur de l'obtenir ?

Quand je pense à tout le mal que j'ai dit du Power Club, je suis maintenant bien embêtée. Je me retrouve dans la situation du militant écologiste à qui on offre une superbe voiture de course hyperpolluante. Cela va à l'encontre de ses principes, mais combien de temps tiendra-t-il avant d'aller faire un petit tour ? Il est toujours plus facile d'avoir de grandes idées quand la réalité ne vous oblige pas à les mettre en pratique.

– Alors ? demande maman avec une pointe d'inquiétude dans la voix.

– Eh ben… eh ben…

Voilà que je me mets à bégayer maintenant, c'est la totale. Mon père et ma mère écarquillent les yeux comme si cela pouvait aider les mots à sortir de ma bouche.

Je réussis enfin à m'exprimer en appliquant le conseil de Lisa : je me vide la tête pour dire simplement ce que je ressens.

– Merci ! Merci beaucoup ! C'est… c'est… Je vous adore !

Je me jette à leur cou pour les embrasser l'un après l'autre. Je distribue au passage une bise à Louis qui est aussi fier de la surprise que mes parents. Il me demande :

– Anna, tu vas devenir un super-héros ? Comme à la télé ?

– Une super-héroïne, tu veux dire, le reprend mon père.

– N'allons pas trop vite quand même, intervient maman, tu dois passer les tests d'entrée.

– Ah bon ? Et c'est quoi ces tests ?

– Le Power Club reste très discret à ce propos. Il y a une visite médicale, ça c'est certain. Rien que pour avoir le droit de proposer ta candidature, nous avons dû fournir un certain nombre de documents et d'attestations.

– Sur moi ? Mais qu'est-ce qu'ils voulaient savoir ?

— Si tu étais dépressive. Si tu avais déjà fait des tentatives de suicide. Ce genre de chose.

— Ils ont raison de s'en inquiéter, dit papa. Tu imagines un super-héros paranoïaque ou schizophrène ? Une seule crise d'angoisse et une ville entière pourrait être rasée !

Je reste muette un petit moment devant cette image qui me donne soudain une vision beaucoup plus inquiétante du Power Club. Vu de l'extérieur, le monde des super-héros semble merveilleux. Tout paraît réussir à ces jeunes gens beaux et riches. Cela vient peut-être du fait que les canards boiteux ont déjà été écartés.

— Alors, si je passe la visite médicale, ce sera bon ? Je serai acceptée ?

— Il faut d'abord que tu rencontres la directrice, m'explique maman. D'ailleurs, notre rendez-vous avec elle est déjà fixé depuis six mois. Tout est très organisé là-bas. Le Power Club ne peut comporter que dix membres au maximum. Deux places seulement sont libres en ce moment et je peux te dire que les candidats sont nombreux ! Si ton père n'avait pas fait jouer ses relations, ton nom serait en bas de la liste d'attente.

Louis a passé tout ce temps à contempler le carton d'adhésion avec des yeux brillants. Il est si fasciné qu'il n'a rien entendu de notre discussion. Sa chambre, comme celles de tous les gosses de la planète, est tapissée de posters de super-héros. Du haut de ses six ans, il trouve cette nouvelle fabuleuse mais, finalement, ce n'est pas si incroyable pour lui.

Toute la journée on lui demande de croire à plein de choses simplement parce qu'on lui dit qu'elles existent : la Terre est un point minuscule dans l'espace qui tourne autour du Soleil ; le père Noël t'apporte des cadeaux tous les vingt-cinq décembre ; si tu ne te laves pas les mains, tu vas avoir des milliers de petites bêtes invisibles qui vont te rendre malade.

Alors, sa sœur qui devient une super-héroïne, pourquoi pas ? Est-ce que c'est vraiment beaucoup plus étrange que le reste ?

*

Deux heures et demie plus tard, quand l'excitation est un peu retombée, Louis part se coucher. Même s'il ne risque pas de s'endormir tout de suite. Allongé dans son lit, il fixe sur moi des yeux brillants.

— Tu m'emmèneras quand tu t'envoleras, Anna ?

— Mais oui ! Évidemment !

— Tu vas rencontrer Adam pour de vrai ? Et puis Bobby ? Et puis...

— Oui, oui, oui, sûrement, mais...

— Et tu me feras voir comment tu casses un mur ? Et puis... et puis tu seras capable de battre tout le monde ! Si quelqu'un m'embête, tu pourras lui péter le nez et puis...

— Écoute, fais-moi plaisir, essaye de te calmer un peu, d'accord ? Il faut que tu dormes, y a école demain.

Il se tait, mais son regard se pose aussitôt sur ses posters de super-héros. Ils sont tous là, le regard droit et brillant, un sourire éclatant sur les lèvres.

Avec son attitude toujours très polie et respectueuse, Adam Linkford est, comme disent les journalistes, le fiancé préféré de l'Amérique. Toutes les mères rêvent de marier leur fille à ce jeune Afro-Américain au sourire charmeur. Il pose sur la photo avec le drapeau américain dans le dos.

Bobby Mulligan, surnommé Bulldozer pour des raisons évidentes liées à sa subtilité d'action et son allure de boxeur, porte un camion à bout de bras au-dessus de sa tête. Le logo d'une marque de chewing-gum orne son tee-shirt.

Jason Baker est réputé pour son allure athlétique. Il pratiquait le basket dans son lycée. Maintenant il est capable de marquer un panier en se positionnant à plus de cinquante kilomètres du terrain.

Kirsten Monroe est la seule fille américaine du club. Elle a gagné son nom de super-héroïne, « Rosy », le jour où elle a cassé la figure à un gang de voyous dans la boutique d'un fleuriste. Une photo célèbre la montre avec un bouquet dans une main et un gangster K-O dans l'autre.

Brian Pierce, le Californien de la bande, est connu pour ses problèmes de cœur. Il est constamment soit fou amoureux, soit désespéré parce qu'il vient de rompre. Cette instabilité sentimentale fait de lui le sujet préféré de l'émission de téléréalité du club : *Inside Power Club*.

Stanislav Nikonov, le Russe, est le plus âgé. Il ne lui reste plus qu'un an à passer au Power Club. Au-delà de vingt-cinq ans, l'organisme humain ne supporte plus la pression engendrée par la technologie qui donne des superpouvoirs. De nombreux essais ont été effectués en laboratoire pour tester les limites. Si le cœur ne lâche pas en premier, les boosters déclencheront des centaines de tumeurs. Les résultats atroces observés sur des animaux foudroyés par des cancers mutants font vite passer à tout le monde l'envie d'essayer.

À tout le monde, sauf à Matthew Banks, le seul ancien super-héros à avoir refusé de rendre ses pouvoirs. Le Power Club l'a immédiatement exclu en se dégageant de toute responsabilité pour les conséquences futures sur sa santé. Banks a aujourd'hui une trentaine d'années. Pour l'instant, il est toujours vivant et en pleine forme, mais le monde entier guette avec avidité sa mort annoncée.

Dominic Stewart est anglais. Les magazines people l'ont surnommé « Prince ». Ce qui n'est même pas une boutade car il est réellement lié à la famille royale britannique.

La dernière venue dans le Power Club est italienne. Elle s'appelle Francesca Rossi, surnommée « Goldie » en raison de son amour des bijoux en général et de l'or en particulier. Son allure de mannequin et ses grands yeux noirs ont fait vendre des millions de posters à tous les ados du monde entier. Même à ceux qui n'aiment pas les super-héros.

En examinant leurs visages familiers, encore plus célèbres et reconnaissables que ceux des stars de cinéma, j'ai du mal à croire que je pourrais un jour les rejoindre. Pourtant il s'agit exactement de cela. Mes parents viennent de m'offrir la possibilité de passer de l'autre côté du miroir. Là où vivent les super-héros.

– Papa va venir me border ? me demande Louis avec sa petite voix.

– Il va venir tout de suite.

– Maman va me faire un bisou ?

– Tu t'es déjà endormi sans ton bisou ?

Il fait non de la tête, avec un grand sourire. Quand je sors de sa chambre, il a encore le regard fixé sur les posters autour de lui.

Je croise mes parents dans le couloir. Ils sont déjà chacun à leur poste, prêts à border le lit ou à faire le bisou. Ma curiosité est la plus forte et je ne peux m'empêcher de leur demander :

– Vous pouvez me dire combien ça vous a coûté, mon inscription au Power Club ?

– C'est un cadeau, Anna, ça ne se fait pas de demander le prix.

– Je sais bien, mais il paraît que c'est carrément délirant.

– Vois cela comme un investissement, ma chérie, continue papa. Nous voulons t'offrir le meilleur pour ton avenir, et ça, ça n'a pas de prix.

– Et puis, me rappelle maman, tu n'es pas encore acceptée. Nous n'avons versé qu'un acompte remboursable en cas de refus. Tu n'as pas à te soucier des questions financières. Ton père et moi nous en occupons.

Elle conclut sa phrase par un petit sourire énigmatique qui veut dire que je n'en saurai pas plus. Ils entrent dans la chambre de Louis et me laissent seule dans le couloir, avec toutes mes questions en suspens.

Ce qui m'arrive est si extraordinaire que j'ai du mal à le croire. Bientôt je vais pouvoir décoller du sol comme un oiseau. Je serai superforte, invulnérable. Aucune maladie ne me fera souffrir pendant la durée de mes superpouvoirs. Rien, du rhume jusqu'au cancer, ne pourra m'atteindre.

Dès que je suis assise sur mon lit, j'appelle Lisa.

— C'est moi.

— *Tu fais quoi ?*

— Ben rien, je t'appelle. Et toi ?

— *Je fais rien non plus.*

— J'ai un truc à te dire, Lisa, mais il faut que tu me promettes de ne le répéter à personne.

— *Un secret ? Génial, j'adore ça !*

— Arrête de déconner, c'est du sérieux.

— *Un secret sérieux ? J'adore encore plus !*

Je soupire en me demandant si c'est vraiment une bonne idée d'en parler à Lisa. Mais ça me démange trop. À quoi ça sert d'avoir une nouvelle aussi géniale si on ne peut la partager avec personne ?

— Tu peux être sérieuse ou pas ? C'est important.

— *OK, je me mets en mode confidences, juré.*

Je reste un moment silencieuse pour prendre mon élan, ce qui inquiète Lisa.

— *Anna, t'as un problème ? C'est tes parents ? Ils divorcent, alors ? C'est ça ?*

— Oui. Enfin non, ils ne divorcent pas, ce n'est pas ça le problème.

— *Eh ben ?*

– Eh ben ils m'ont offert une adhésion au Power Club. Cette fois-ci, c'est Lisa qui ne dit plus rien.

– Lisa ? T'es là ?

– *LE POWER CLUB ?*

Elle crie si fort que mon tympan droit ressort direct par mon autre oreille.

– Lisa, arrête de gueuler !

– *LE POWER CLUB ? TES PARENTS T'ONT OFFERT LE POWER CLUB ?*

– Arrête de crier ou tu vas me rendre sourde !

J'éloigne le téléphone de mon oreille, ce qui ne m'empêche pas de continuer à entendre parfaitement ce qu'elle me dit :

– *ANNA, TU DÉCONNES ? LE POWER CLUB ? LE POWER CLUB ??*

Je suis obligée de hausser la voix moi aussi pour qu'elle m'entende alors que je tiens le téléphone à bout de bras :

– LISA, JE NE PEUX PAS DISCUTER AVEC UNE HYSTÉRIQUE. ALORS TU TE CALMES, D'ACCORD ?

– *MAIS TU TE RENDS COMPTE DE CE QUE TU DIS ? NON MAIS J'HALLUCINE !*

Ma mère frappe à la porte et passe la tête dans l'embrasure.

– Qu'est-ce qu'il se passe, ma chérie ? Tu te disputes avec qui ?

– Avec personne, maman, c'est Lisa qui pète un câble !

– *BONJOUR MADAME GRANVILLE !*

– Bonjour Lisa ? Pourquoi tu cries comme ça ?

Je couvre le téléphone avec ma main et je lance un regard noir à ma mère.

— Maman, tout va bien, tu peux... ?

Je complète les trois petits points avec un mouvement du menton pour désigner la porte. Une fois seule, je recolle le téléphone contre mon oreille.

— C'est bon ? T'es calmée ?

— *C'est pas une blague alors ? Tu vas vraiment entrer dans le Power Club ?*

— Attends, je dois passer tout un tas d'examens. C'est pas fait encore !

— *Ouais mais quand même ! Le Power Club, Anna ! Le Power Club !*

— Ben ouais, c'est hallucinant, non ? Tu te rends compte ?

Lisa reste silencieuse pendant un instant, peut-être pour prendre le temps de réaliser tout ce qu'implique cette nouvelle. Ce silence m'inquiète car cela ne lui ressemble pas du tout.

— Lisa, tu ne dis plus rien ?

— *La vache, je crois que je viens de faire un microcoma...*

CHAPITRE 3

Roland Blanchard, l'actionnaire principal du cabinet d'avocats qui s'occupe des affaires de ma famille, nous reçoit dans son grand bureau blanc. Et quand je dis blanc, ça suffit pour décrire la pièce. Les murs sont blancs, les meubles sont blancs, la moquette est blanche. On dirait que l'abominable homme des neiges a vomi partout. Cet homme prend son patronyme très au sérieux.

— Il paraît que tu vas devenir une super-héroïne ! Félicitations, Anna !

Il me serre la main comme les hommes serrent la main des enfants, avec condescendance. Comme pour dire : « Tu vois, ma petite, je t'accorde une poignée de main, mais c'est pour de rire. »

Bon d'accord, j'en rajoute un peu, mais pas tant que ça. Mon père m'a souvent emmenée en voyage d'affaires avec lui, il m'a appris à décoder les gens. Selon lui, dans les discussions où l'argent est en jeu, les êtres humains ont tendance à laisser voir leur vrai visage. Et, présentement, notre avocat en chef gagne beaucoup d'argent à chaque seconde qui passe.

Il nous désigne ensuite les trois fauteuils en cuir blanc où nous devons poser nos fesses. Mon père prend celui de droite, ma mère celui de gauche, et moi je m'installe au milieu.

— Vous voulez boire quelque chose ? demande-t-il, le doigt en suspension au-dessus de l'interphone.

À l'autre bout, sa secrétaire est prête à aller nous chercher un café, un thé, une coupe de champagne, enfin bref, tout ce qu'on veut. Mais comme nous faisons tous les trois non de la tête en même temps, le doigt suspendu de Roland s'éloigne de l'interphone et rejoint ses neuf autres semblables qui se croisent en se posant sur la table. Les choses sérieuses peuvent commencer. Avec cette seule question qui retarde le début de la séance d'une dizaine de secondes, notre ami Roland vient d'empocher plusieurs milliers d'euros sans se fatiguer.

— J'ai bien reçu le règlement intérieur du Power Club, commence-t-il. C'est du sérieux. Enfin, ce n'est pas comme si nous n'avions pas l'habitude de traiter avec les Américains.

Il sort un classeur d'un tiroir du bureau et le pose en évidence sur la table. Le classeur est épais, sa couverture d'un rouge profond détonne au milieu de la blancheur environnante.

— La plupart des articles concernent des questions pointues de législation américaine, notamment tout ce qui concerne le droit d'auteur, les produits dérivés et la marchandisation du nom Power Club©.

Il chuchote aussitôt avec un sourire malicieux :

– Vous ne vous en êtes pas rendu compte, mais j'ai prononcé le mot Power Club en ajoutant le petit © de copyright. Sinon je risque un procès !

Mes parents et moi échangeons un regard interloqué.

– Laissez tomber, c'est une blague d'avocats.

Quand il ouvre le classeur par le milieu, la masse de feuilles s'abat sur le bureau avec un bruit sourd.

– Bon, Anna, commence-t-il, tes parents ont voulu faire le point avec toi sur les nombreuses et importantes conséquences de ton entrée dans le monde des super-héros. Je vais tout de suite aborder les éléments essentiels. Le Power Club est une entreprise privée. Sa technologie est hautement stratégique, comme vous pouvez vous en douter. Pour cette raison, le gouvernement américain a créé toute une série de lois exceptionnelles et autre jurisprudence, afin de s'assurer que le savoir-faire du Power Club ne parte pas à l'étranger. Les ramifications politiques, voire militaires, sont immenses. Les traités internationaux interdisent l'usage des superpouvoirs dans un conflit armé, mais le Power Club fait implicite-ment partie de la stratégie de dissuasion des États-Unis, au même titre que la bombe atomique. Cela explique que l'armée américaine garde un œil très attentif sur ces ques-tions. Toujours est-il que, si tu deviens une super-héroïne, tu vas devoir prendre la nationalité américaine.

– Quoi ?

Mon père éclate de rire.

— Il n'y a pas de quoi s'affoler ! Tu resteras tout à fait française, tu auras simplement la double nationalité. Tous les membres du club nés ailleurs que sur le sol américain sont passés par là.

— Il faut quand même prendre le temps d'y réfléchir, intervient ma mère. Je suis plus hésitante que ton père sur ce point.

— Mais enfin... mais pourquoi est-ce qu'ils demandent une chose pareille ?

— C'est simple, reprend Roland, dans le cas où tu utiliserais tes superpouvoirs contre les intérêts américains, aux États-Unis ou ailleurs dans le monde, ils veulent pouvoir te faire payer ça au prix fort et donc avoir toute liberté pour appliquer la législation américaine.

— Tu comprends pourquoi je n'aime pas cette idée ? dit ma mère en glissant un regard appuyé vers mon père.

— Mais, Constance, notre fille n'a pas l'intention de détruire la Maison-Blanche !

Roland patiente un instant, le temps que la tension retombe.

— Le deuxième point que je voudrais aborder avec vous est celui de la domiciliation. Anna compte-t-elle résider à Paris ?

Cette fois-ci c'est moi qui interviens :

— Ben évidemment ! Mon lycée est à Paris, mes copines aussi, ma famille ! Tout, quoi !

Roland fait une grimace de désapprobation.

— Je ne suis pas sûr que ce soit une bonne idée.

— Pour quelle raison ? demande mon père.

— Parce que les États-Unis sont l'habitat naturel des super-héros. Et New York en particulier.

— Mais, continue papa, Anna peut faire ce qu'elle veut, non ?

— Laisse-moi finir, Daniel. (Papa et Roland sont de vieux copains, d'où le tutoiement.) Ce que je veux dire, c'est qu'Anna sera mieux protégée sur le territoire américain que nulle part ailleurs dans le monde. La jurisprudence dont je vous ai parlé tout à l'heure encadre de façon très avantageuse l'activité super-héroïque. Elle fournit un cadre légal à l'usage de la force, mais aussi aux liens entre le Power Club et les forces de police. Sauf s'ils sont les témoins directs d'un crime, les super-héros n'ont qu'un devoir moral d'intervention. Rien ne les oblige à prêter main-forte aux policiers. Mais s'ils décident de le faire, ils ont quasiment carte blanche, sans aucune obligation de résultats. Pour faire simple, les lois ont été remodelées autour du Power Club. Cela concerne aussi les éventuels dommages collatéraux provoqués par l'usage de superpouvoirs en milieu urbain. Je parle ici de destructions de biens mais aussi de pertes humaines.

Cette dernière phrase refroidit encore un peu plus l'ambiance. À travers les précisions de Roland, la réalité nous tombe dessus comme une douche glacée. Mes parents sont aussi troublés que moi. Apparemment, ils ont plongé dans cette histoire sans réfléchir à toutes les conséquences. Ils n'ont pensé qu'à leur fille adorée qui allait bientôt pouvoir s'envoler comme un oiseau. Dans leur tête, ils étaient déjà avec moi au-dessus des nuages. Je me demande comment je n'ai pas moi-même réalisé plus tôt que j'allais devoir quitter la France.

Roland, en bon avocat, a toujours été très doué pour ramener les gens sur Terre.

*

Le lundi matin, devant la grille du lycée, Lisa n'est pas à son poste habituel. Je croise Sophie qui me lance un regard bizarre sans me dire bonjour. Un groupe d'élèves de ma classe chuchotent dans mon dos au moment où je passe à côté d'eux. Voilà une journée qui commence d'une façon qui ne me plaît pas trop.

Dans la cour, j'aperçois Lisa appuyée contre un mur. Elle a sa tête de chiot qui vient de pisser sur le tapis du salon. Plus je m'approche d'elle et plus son regard devient pitoyable, entre le cocker dépressif et le caniche suicidaire. Ce n'est vraiment pas bon signe.

— Bon d'accord, Lisa, vas-y, crache le morceau. Qu'est-ce que tu as fait comme connerie ?

— J'te jure, j'suis vraiment trop trop désolée !

— Oui ça je vois bien, mais pourquoi ?

— Tu vas me détester ?

— Ça dépend.

— J'ose pas te le dire parce que j'suis sûre que tu vas me détester !

— Ne te fais pas d'illusions, je commence déjà à te détester.

– Oui mais après ce sera encore pire !

– Allez, Lisa ! Ça ne peut pas être aussi horrible que ça, quand même ?

– Mais c'est Anna la super-héroïne ! me lance Étienne en passant rapidement à côté de nous.

– LISA !

– Je suis désolée ! J'suis carrément trop désolée, Anna, j'te jure, j'ai pas fait exprès ! On parlait du Power Club avec les autres et c'est sorti tout seul ! Je suis trop contente pour toi et ça m'a échappé ! J'te jure !

Je pousse un long soupir en fixant mes chaussures. Après tout, je ne peux m'en prendre qu'à moi-même. Il faut vraiment être idiot pour confier un secret à quelqu'un qui parle même en dormant.

– Tu me détestes, alors ? me demande-t-elle avec sa petite voix.

Je hausse les épaules.

– Non, tant pis, te prends pas la tête, c'est pas grave. Et puis tu as gardé le secret pendant trois jours, quand même. Pour toi, c'est carrément un exploit.

Comme Lisa continue de m'observer avec son air de chien battu, je la console un peu en lui disant :

– De toute façon, si ça marche pour moi, ils finiront bien par l'apprendre un jour ou l'autre, non ?

Toute ma classe m'observe pendant le cours de maths. Lisa est la seule à garder la tête baissée, honteuse. De temps en temps, elle me lance un regard consterné. « Désolée », articule-t-elle en silence.

Je peux lire toutes sortes de commentaires dans les yeux qui me fixent. Amélie par exemple se moque ouvertement de moi. Elle sourit avec une tonne de mépris qui lui dégouline du visage. Autrement que par des mots, elle me dit : « Pour qui tu te prends ? Tu crois que tu vas être une super-héroïne ? Toi ? »

Julien m'observe du coin de l'œil, avec une colère qu'il n'ose pas laisser sortir franchement. Son discours à lui, c'est plutôt : « Je n'arrive pas à croire que cette gourde d'Anna va devenir membre du Power Club ! Qu'est-ce qu'elle a de plus que moi ? C'est moi qui devrais être à sa place ! »

Élise me détaille de la tête aux pieds. Elle est la mieux sapée de la classe et je sais bien ce qu'elle pense : « Anna, une star du Power Club ? Jamais de la vie ! Elle ne sait pas s'habiller, elle n'a aucun goût. Ce n'est pas avec elle qu'ils pourront faire des posters et des couvertures de magazine ! »

Je tente un instant de m'isoler de toutes les pensées qui me tombent dessus comme une avalanche. Un petit bout de papier atterrit tout à coup sur mon bureau. Je relève la tête, mais tout le monde fait comme si de rien n'était, je ne peux pas savoir qui l'a lancé.

Je le déplie et découvre une caricature de moi, en train de voler au-dessus de la tour Eiffel dans un bikini hypermoulant. Le dessin a déjà dû faire le tour de la classe car ils me fixent tous en rigolant. J'ai tout à coup l'impression d'être toute nue devant eux et je me mets à rougir. Ma réaction les amuse tellement que beaucoup se mettent à rire fort.

— Qu'est-ce qui se passe ici ? demande monsieur Verzani en se détournant du tableau.

— C'est Anna, m'sieur, elle décolle de sa chaise quand vous avez le dos tourné.

Éclat de rire général. Cette remarque provient de Mathieu, le clown de la classe. Tout le monde profite de l'occasion pour relâcher la pression et rire un bon coup. L'hystérie générale finit par énerver le prof pour de bon.

— Monsieur Coupet, s'emporte Verzani, je ne tolérerai pas une insolence de plus de votre part !

— Mais c'est pas moi, m'sieur ! C'est Anna qui a pris le contrôle de mon cerveau avec ses superpouvoirs.

Le prof me fusille du regard comme si j'avais réellement un rôle dans cette histoire. Mais il est vrai que, d'une certaine façon, tout ceci arrive à cause de moi.

— Mathieu Coupet, vous venez avec moi chez le proviseur et je vous garantis que ça va chauffer ! Exécution !

Mathieu enfourne ses affaires dans son sac sous les rires étouffés de tous les élèves. Verzani me désigne du doigt en disant :

— Granville, vous prenez ma place et vous surveillez la classe pendant mon absence !

Je me fige sur place. Il ne pouvait vraiment rien m'arriver de pire.

— Allez, Granville ! crie le prof en voyant que je reste immobile. Au tableau ! Tout de suite !

Je me lève et avance vers le tableau avec l'enthousiasme d'une condamnée à mort montant sur l'échafaud. Mathieu sort de la classe avec son sac sous le bras et sa casquette posée de travers sur le crâne. Il fait un signe de victoire, ce qui lui vaut quelques applaudissements. Verzani ajoute avant de sortir à son tour :

– Je vous préviens qu'il va falloir changer votre attitude, mes petits amis ! À mon retour vous avez intérêt à avoir retrouvé votre calme, c'est compris ?

Il sort de la pièce en claquant la porte derrière lui. Je me retrouve sur l'estrade, face à toute la classe. Les premières secondes se passent dans un silence de mort. Effondrée sur sa chaise, Lisa est la seule à ne pas me dévisager ouvertement.

– Alors c'est vrai, Anna ? demande Émilie en rompant le silence.

Je rougis encore une fois. Le premier superpouvoir que j'aimerais avoir, c'est celui de ne pas rougir. Je réponds sèchement :

– Non.

Loin de les calmer, ma réponse déclenche un tir de barrage de questions :

– Allez ! Arrête de nous prendre pour des cons !

– C'est Lisa qui l'a dit !

– Ton père a autant de fric à claquer ?

– Combien ça coûte en vrai ?

– Anna, tu reviendras nous voir quand tu auras tes superpouvoirs ?

– Tu veux vraiment faire partie de cette bande de débiles mentaux ?

– Tu vas passer à la télé, comme les autres ?

Lisa bondit de sa chaise en hurlant :

– ARRÊTEZ!!!

L'effet de surprise fait taire toute la classe qui se retourne vers elle.

– Foutez-lui la paix! Vous êtes devenus débiles ou quoi? En quoi ça vous regarde? Vous êtes une bande de jaloux, c'est pour ça que vous lui en voulez! Vous êtes minables!

Je comprends soudainement que Lisa a raison. Tous les élèves de mon lycée sont issus de familles riches. Les frais de scolarité de ma classe suffiraient à faire tourner une entreprise. Nous sommes habitués à bénéficier du meilleur: intervenants de marque, voyages scolaires dans des cadres prestigieux, stages dans les plus grandes boîtes de France.

Et puis un jour je leur balance à la figure un truc que même eux ne peuvent pas se payer. Pour la première fois de leur vie, ils ressentent l'humiliation de se croire moins bien parce que quelqu'un est plus riche qu'eux. Voilà bien une blessure à laquelle ils ne s'attendaient pas.

CHAPITRE 4

Malgré la distraction de mon esprit, je parviens à rester concentrée assez longtemps pour passer le bac de français. Les vacances arrivent rapidement et puis, finalement, le grand jour est là.

La première mais néanmoins décisive étape, c'est donc l'entretien en face à face avec la directrice du Power Club. Ils attaquent fort.

Si au moins j'avais des révisions à faire, comme pour n'importe quel examen, cela me rassurerait. Mais là non, aucune leçon apprise par cœur ne pourra me venir en aide. Il n'y a que moi qui compte, pour le meilleur et pour le pire.

La veille du rendez-vous, je ne dors presque pas de la nuit. Différents scénarios défilent dans ma tête, tout ce qui pourrait me faire rater mon entrée chez les super-héros. Si la directrice a la migraine depuis plusieurs jours, si elle a mal digéré son petit déjeuner ou si tout simplement elle n'aime pas les Français, c'est fichu pour moi.

J'angoisse tellement que je me lève d'un bond au milieu de la nuit. Je cours vérifier qu'aucun bouton d'acné n'est apparu sur mon menton ou mon front. À trois heures du mat', les cheveux ébouriffés et le regard ahuri, je ressemble à une folle furieuse dans le miroir de la salle de bains. Si la directrice me voyait maintenant, elle se barricaderait avec un fusil dans son bureau pour m'empêcher de l'approcher.

Dès l'aube, nous partons à New York dans le jet privé de mes parents, direction le siège du club, en plein cœur de Manhattan.

Jamais je n'ai été aussi stressée. Pour faire passer le temps plus vite, j'essaye de dormir mais sans succès. Papa est aussi énervé que moi et je le vois se tourner et se retourner dans son siège inclinable. Seul Louis est profondément endormi.

En soulevant le volet du hublot, j'aperçois le soleil éblouissant qui illumine le ciel au-dessus des nuages.

– À quoi tu penses, Anna ?

Je me tourne du côté de maman qui, elle non plus, ne dort pas.

– Je me dis que bientôt je pourrai voir tout ça en direct, sans avoir besoin d'être enfermée dans un avion.

– Il faut que tu me promettes une chose, mon bébé, me dit-elle. Vivre une expérience pareille, ça doit forcément faire tourner la tête. Alors, quand tu voleras tout là-haut dans le ciel, essaye quand même de garder les pieds sur terre. Tu crois que tu pourras y arriver ?

– Bien sûr qu'elle le pourra, intervient papa depuis son siège. Anna est une fille solide et courageuse.

– Je vais faire de mon mieux, dis-je à mes parents.

Maman semble satisfaite.

– D'accord, dit-elle, c'est tout ce que je te demande.

*

Nous avons à peine le temps de déposer nos affaires dans l'appartement près de Central Park qu'il est déjà l'heure de partir au rendez-vous. Carl nous emmène en voiture dans les rues new-yorkaises. Il s'infiltre en souplesse au cœur de la circulation. Je l'ai vu conduire avec la même aisance sur pratiquement toutes les routes du monde. Personne ne parle pendant le trajet.

– Arrête de te ronger les ongles, me dit ma mère, ça va se voir.

Je me demande si, une fois mon corps devenu invulnérable, mes ongles seront trop durs pour que je puisse les casser avec mes dents.

– Regardez, c'est ici ! s'exclame papa.

Nous tendons tous les quatre le cou pour apercevoir le célèbre immeuble du Power Club. Le bâtiment ultra-moderne est noir avec des reflets bleus. De nombreux gratte-ciel le dépassent en taille mais aucun n'est aussi impressionnant que lui. Des lettres géantes inscrivent POWER CLUB sur toute sa hauteur.

– Quand il fait nuit, précise mon père, les lettres sont éclairées.

Louis se met à faire des bonds sur le siège en criant :

– C'est le Power Club ! Le Power Club !

— Calme-toi, s'il te plaît, lui dit maman en posant une main sur son épaule.

Mais le sourire de ma mère et sa voix crispée indiquent qu'elle est largement aussi tendue que lui.

Notre voiture s'arrête près d'un guichet de surveillance. Le garde nous salue, scanne le badge que lui tend Carl, puis nous demande d'avancer jusqu'au second poste dix mètres plus loin. Trois nouveaux gardes viennent vers nous. Ils scannent une nouvelle fois le badge. L'homme de droite fait glisser un miroir sous la voiture pour repérer une éventuelle bombe.

L'un d'eux communique à Carl le numéro de la place qui nous est attribuée, puis il désigne une entrée donnant sur un parking souterrain. Carl fait avancer la voiture jusqu'à un portail qui s'ouvre pour nous laisser passer. Nous prenons un long virage qui se termine sur une vaste salle très lumineuse. Toutes les voitures garées à l'intérieur paraissent neuves et incroyablement modernes. Certains modèles ne ressemblent à aucune marque connue. J'en désigne une à mon père en lui demandant :

— C'est quoi comme bagnole, ça ?

— Ce sont des prototypes, me dit-il, pas les voitures de demain mais celles d'après-demain. Tu ne peux pas imaginer les relations qu'il faut avoir pour être autorisé à conduire ces petits bijoux sur une route normale.

Carl gare la voiture sur l'emplacement prévu. Il nous ouvre la portière et nous descendons. Deux autres gardes se tiennent près d'un ascenseur.

— Tu es prête ? me demande maman.

— Je ne vais pas faire demi-tour maintenant.

L'ascenseur ne fait aucun bruit pendant la montée. Il est aussi large que dans un hôpital.

— Cette fois nous y sommes, dit mon père en me souriant.

Louis acquiesce et murmure tout doucement, comme s'il était dans une église :

— Oui, on est dans le Power Club.

Les portes s'ouvrent sur un hall tout aussi lumineux que le parking souterrain. Nous avançons jusqu'à un comptoir derrière lequel se trouve une jeune femme. Mon père s'adresse à elle en anglais.

— Bonjour, mademoiselle, je suis Daniel Granville.

— Et vous êtes Anna ? me demande-t-elle.

Je fais oui de la tête. La secrétaire me regarde d'un air bizarre. Elle doit se dire qu'elle a devant les yeux une future super-héroïne.

— Madame la directrice vous attend.

Elle sort de derrière son comptoir et nous fait signe de la suivre. Nous empruntons un couloir qui donne sur deux grandes portes en bois. La secrétaire ouvre l'une des portes et nous fait entrer. Une petite femme blonde d'une cinquantaine d'années vient nous recevoir.

— Madame et monsieur Granville, je suis enchantée !

Elle serre la main de mes parents en se présentant.

— Je suis Elizabeth Foster, la directrice du Power Club.

Puis elle se penche vers Louis pour lui serrer la main en disant :

— Bonjour, monsieur Granville, c'est également un plaisir de vous rencontrer.

L'attention que lui accorde cette femme si importante provoque un large sourire sur le visage de mon petit frère.

— Vous êtes la chef des super-héros ? lui demande-t-il.

— Oui, répond Elizabeth Foster avec un rire amusé.

Son regard se tourne ensuite vers moi.

— Et voici Anna, je suppose.

Elle me serre la main en plongeant son regard dans le mien. Elle a beau m'arriver seulement au menton, cette femme a une présence très forte. J'ai l'impression qu'elle est déjà en train de me jauger.

— Asseyez-vous, s'il vous plaît.

Nous nous installons dans des fauteuils disposés en rond. Sur la table basse, des coupes de champagne nous attendent déjà.

— Est-ce que tu parles couramment anglais, Anna ? me demande-t-elle.

— Oui.

Trouvant ma réponse un peu courte, papa ajoute :

— Nous avons un appartement ici à New York. Anna vient y passer toutes ses vacances ou presque depuis qu'elle est née.

Pour faire la démonstration de mes capacités, j'ajoute rapidement :

— Et puis on a eu une jeune fille au pair américaine, quand j'étais petite. Elle me lisait des histoires en anglais tous les jours.

– C'est parfait.

– En tout cas, je suis heureuse de vous rencontrer, dit ma mère. Je suis obligée d'avouer que je suis tout de même un peu nerveuse.

– Je vous comprends, le Power Club est un endroit tout à fait à part, explique Elizabeth Foster. Nous ne sommes pas une simple entreprise, plutôt une famille. En conséquence, je tiens à rencontrer personnellement tous les nouveaux candidats.

Le mot « candidat » semble flotter dans l'air devant nos yeux. La directrice l'a prononcé à ce moment précis pour nous rappeler que, pour l'instant, je ne suis rien de plus qu'une jeune fille qui rêve, parmi des millions d'autres, de devenir une super-héroïne.

Le visage d'Elizabeth Foster change d'expression. Le temps qu'elle estime nécessaire pour les mondanités est terminé. Elle me fixe sans rien dire. Je vois bien quel est son jeu. Elle attend que je prenne la parole et que je révèle ce que j'ai dans le crâne. Ne poser aucune question puis attendre ostensiblement que votre interlocuteur se justifie. C'est la méthode préférée des policiers pour faire parler un suspect. Mon père mord à l'hameçon :

– Anna doit encore passer des examens de routine, mais je suis sûr que son entrée dans le club n'est qu'une formalité. Cela fait partie de notre arrangement financier, il me semble.

– Les choses ne se passent pas tout à fait ainsi, monsieur Granville. Comme vous le savez, nous ne sommes pas de simples prestataires de services. Ce que nous offrons à nos membres nous oblige à la plus grande prudence. Votre fille est assise en face de moi, dans mon bureau. Voilà très précisément le droit que vous lui avez acheté. Croyez-moi, très peu de gens arrivent jusqu'ici.

— Votre réticence me déçoit beaucoup, continue mon père, visiblement vexé. Je pensais qu'Anna serait reçue avec plus d'enthousiasme de votre part. Mais j'ai peut-être mal compris votre mode de fonctionnement.

— Vous allez vite découvrir que le Power Club instaure ses propres règles, monsieur Granville.

Elizabeth Foster m'impressionne. En quelques secondes, elle a réussi à tous nous déstabiliser. Pourtant mon père a l'habitude des négociations difficiles, il ne se laisse pas manipuler facilement. Mais là, parce que le futur de sa fille adorée est en jeu, il est plus vulnérable que d'habitude.

Je comprends très vite en observant la directrice qu'elle adore cette lutte de pouvoir. Cette femme dirige une entreprise plus fortunée que plusieurs pays de la planète. Elle doit imposer son autorité à un groupe de jeunes gens invulnérables, superforts et capables de voler.

Pour y parvenir, elle dispose d'un moyen de pression imparable : elle seule a le pouvoir de choisir ou d'exclure un super-héros. Elle est donc la seule personne que craignent ces individus capables de déchirer l'acier à main nue. Et quand vous avez l'habitude de voir des super-héros trembler devant vous, plus rien ne vous impressionne. Voilà pourquoi mon père, aujourd'hui, est face à quelqu'un de plus fort que lui.

– Je n'aime pas beaucoup ça, reprend-il, à court d'arguments.

– Quelque chose me dit que vous n'allez pas non plus apprécier la suite, lui répond-elle, impassible. Je vais vous demander, à vous et à votre épouse, de me laisser seule en compagnie d'Anna, s'il vous plaît.

– Mais pourquoi ? s'inquiète aussitôt maman. Nous sommes ses parents et je ne vois pas pourquoi...

J'arrête tout de suite ma mère en disant :

– Non mais c'est bon, vous pouvez sortir, ça va aller.

Papa se lève de son fauteuil.

– Viens, Constance, on doit la laisser maintenant. Louis, tu viens aussi ?

Louis, qui a senti la brusque tension dans l'air, ne semble pas mécontent de quitter la pièce. Pour se rassurer, il prend la main de mon père.

Ma mère se met debout à son tour puis se tourne vers la directrice et la fixe d'un air mécontent. Pour finalement se résigner et suivre mon père et mon frère dans le hall. Quand nous sommes seules, Elizabeth Foster reprend la parole.

– Ce sont des parents très aimants.

– Et vous, vous êtes une directrice qui adore son boulot.

– Pourquoi dis-tu ça ?

– Parce que ça vous plaît de montrer votre pouvoir et de l'utiliser.

Elle me sourit avec dans les yeux la même lueur de plaisir qu'on pourrait lire dans ceux d'un chat découvrant une souris bien dodue. Il faut que je me méfie de cette femme. Si je l'affronte en face à face, je ne ferai pas le poids.

— Très bien, Anna, moi aussi je préfère aller à l'essentiel. Je crois que tu n'es pas prête pour le Power Club. Je vais refuser ton adhésion.

Même en étant sur mes gardes, le coup est rude. Je ne suis pas différente des autres élèves de ma classe. Je n'ai pas l'habitude qu'on dise non à l'argent de mes parents. Le sourire d'Elizabeth Foster s'élargit encore un peu plus. Le chat vient de poser ses griffes sur la queue de la souris. Il va maintenant s'amuser à la regarder lutter pour se libérer.

— Je peux savoir pourquoi vous pensez ça, madame Foster ?

— Tu es une très jolie jeune fille, très bien élevée, très intelligente. Mais mon instinct me dit que tu es trop naïve pour devenir une super-héroïne. Que connais-tu de la noirceur de la vie ? Les membres du club sont confrontés au crime sous toutes ses formes. Ils poursuivent des voleurs, des brutes sanguinaires, des assassins. Ce n'est pas la place pour une demoiselle qui fond en larmes à la première goutte de sang.

Mon cœur commence à s'emballer. J'encaisse en essayant de cacher les émotions qui m'assaillent. La directrice me teste, j'en suis sûre. Si mon adhésion ne l'intéressait pas du tout, elle n'aurait jamais accepté de prendre rendez-vous avec moi. Elizabeth Foster gère l'entreprise la plus riche et puissante d'Amérique, elle n'est pas du genre à perdre son temps.

Elle me donne le coup de grâce en concluant avec ces mots :

— Le Power Club n'a pas besoin d'une petite fille fragile parmi ses membres. La dépression et les superpouvoirs ne font pas bon ménage.

Ses yeux ne me lâchent pas. Elle veut me faire craquer et parvient presque à y réussir. Mes jambes meurent d'envie de courir loin d'ici le plus vite possible. Je laisse passer quelques secondes, le temps de m'assurer intérieurement que ma voix ne tremble pas.

— Sincèrement, madame Foster, je dois avouer que je suis très étonnée. Si vos critères d'entrée sont si exigeants, comment se fait-il qu'on trouve surtout dans le Power Club des adolescents attardés qui passent leur temps à se pavaner à la télévision ?

Son sourire change une nouvelle fois de nature. Le chat découvre que la souris a des ressources. Je m'en veux terriblement parce que ma voix a fini par trembler. Je continue malgré tout sur ma lancée :

— Bien sûr, de temps en temps, ils arrêtent des braqueurs ou des cambrioleurs, mais quelles sont leurs motivations réelles ? Vendre des tee-shirts, des jeans et des lunettes de luxe ? Mais bon, c'est peut-être ma naïveté ou ma fragilité qui me font voir les choses sous cet angle. Apparemment, le conformisme, l'égoïsme et les superpouvoirs s'accommodent bien ensemble. Parce que, jusqu'à présent, c'est principalement ça que vous avez apporté au monde.

Sans se départir de son sourire, Elizabeth Foster change de position sur son fauteuil, comme s'il n'était plus aussi confortable qu'avant. Elle m'examine avec curiosité, prise de court. La souris vient de mettre une raclée au chat.

*

La directrice du Power Club ouvre la porte de son bureau en grand. Mes parents se lèvent aussitôt du canapé où ils patientaient en buvant du thé. Ils posent sur moi un regard interrogatif. Nous les rejoignons en silence. Elizabeth Foster met une main sur mon épaule.

— Votre fille a beaucoup de ressources, vous pouvez être fiers d'elle. Elle doit passer la visite médicale de contrôle et s'entretenir avec l'un de nos psychologues, mais elle a mon approbation personnelle. S'il n'y a pas de contre-indication médicale, Anna pourra faire partie du Power Club.

Elle se tourne vers moi pour m'adresser un sourire.

— Je dois même dire que j'ai hâte de la voir à l'œuvre.

Puis elle reprend en direction de mes parents :

— La visite médicale aura lieu demain après-midi.

— Quoi ? s'étonne maman. Déjà ?

— Pourquoi attendre ?

Madame Foster donne une poignée de main à mes parents.

— Je suis désolée mais je dois vous laisser. Allison va vous raccompagner. Au revoir, monsieur Granville. Au revoir, madame Granville. Au plaisir, jeune homme.

Ses petites jambes la conduisent en trottinant jusqu'aux imposantes portes de son bureau. Elle disparaît aussitôt à l'intérieur.

Mes parents sont sidérés. Ils me dévisagent en ouvrant de grands yeux.

– Alors ? demande mon père. Qu'est-ce qui s'est passé ?

– On a discuté.

– Et ?

– Et c'est tout. On a parlé, quoi.

Quand nous reprenons place dans la voiture, mon père adresse un grand sourire à notre chauffeur.

– Carl, lui annonce-t-il avec fierté, notre petite fille vient de faire son entrée dans le grand monde. Elle va devenir une super-héroïne !

– Félicitations, me dit Carl en croisant mon regard dans le rétroviseur.

Le trajet de retour en voiture jusqu'à l'appartement est beaucoup plus animé que l'aller. Mes parents m'assaillent de questions. Ils veulent savoir exactement ce que m'a dit Elizabeth Foster. Papa reconnaît qu'il l'avait peut-être mal jugée.

– Au début je ne l'aimais pas trop, mais elle a su voir qui tu étais réellement. Je crois que cette femme est quelqu'un de bien. C'est rassurant de savoir que le Power Club est dirigé par une personne forte et intelligente.

– En tout cas, leur immeuble est absolument magnifique ! ajoute maman. Et tu as vu ces lumières ? L'atmosphère à l'intérieur est presque magique.

Le bavardage excité de mes parents me berce. La fatigue et le décalage horaire m'assomment d'un coup maintenant que la tension est retombée. Mes yeux se ferment tout seuls. Le visage appuyé contre la vitre, je m'endors pendant quelques secondes puis me réveille aussitôt, plusieurs fois de suite. J'entends maman qui dit à papa :

– Regarde-la, elle est épuisée.

Pendant mes microsommeils, je rêve d'Elizabeth Foster. Contrairement à la réalité, elle est très grande. Son fauteuil est trop petit pour elle. Ses jambes dépassent du bureau. Elle doit se tenir voûtée, les coudes posés sur les genoux.

– Moi aussi je suis crevé, dit mon père. Je n'ai pas fermé l'œil dans l'avion.

L'Elizabeth Foster de mon rêve colle son visage tout près du mien.

– J'ai hâte de te voir à l'œuvre, me dit-elle.

Je lui demande pourquoi elle sourit. Elle me répond qu'elle ne sourit pas, que c'est sa bouche qui est faite comme ça.

CHAPITRE 5

Le lendemain après-midi à quatorze heures, Carl me ramène au Power Club. Ma convocation précise que je dois venir seule. Mes parents restent à l'appartement, ce qui les rend à moitié fous.

— Tu m'appelles dès que tu as fini, d'accord ? insiste mon père au moment où je pars. Je veux tout savoir !

— Oui, papa.

— Tu ne signes rien tant que Roland n'a pas lu, tu m'écoutes ? Il se tient prêt à Paris, il est très réactif.

— Oui, papa.

Comme la veille, Carl attend dans la voiture. Je m'avance seule vers l'ascenseur. L'un des deux gardes en faction examine ma convocation.

— Vous allez au vingtième étage, me dit-il.

Dans la cabine, j'appuie sur le bouton *20*. Le stress fait battre rapidement mon cœur. Je me dis que je dois me calmer, sinon je risque de donner l'impression que je ne suis pas en bonne santé. Les portes de l'ascenseur s'ouvrent sur un couloir d'hôpital. Une infirmière très souriante m'attend. Derrière elle, une dizaine d'hommes et de femmes en blouse blanche forment comme une haie d'honneur.

— Bonjour, mademoiselle Granville, me dit l'infirmière.

— Bonjour.

Je suis très intimidée par tous ces gens qui me scrutent avec curiosité. J'avais presque oublié que je n'étais pas une simple malade rendant visite à son médecin. À travers moi, ils voient une future super-héroïne. Je vais entrer dans la légende tandis qu'eux resteront là, à regarder mes exploits sur Internet.

Je passe au milieu de leurs sourires et de leurs saluts chaleureux. Au bout de la file, un homme d'une cinquantaine d'années en blouse verte, le sommet du crâne chauve, un balai à la main, me tend un papier et un stylo.

— Est-ce que je pourrais avoir un autographe, Anna ? S'il vous plaît.

Son geste et sa familiarité provoquent un petit remous de désapprobation parmi les infirmiers.

— Laisse-la tranquille, lui ordonne son voisin de droite, c'est interdit de solliciter les membres du club !

— C'est très rare, les autographes de super-héros avant qu'ils aient leurs pouvoirs, m'explique-t-il sans se laisser perturber. Ce sera la pièce la plus précieuse de ma collection !

Un infirmier pose la main sur son bras pour l'écarter.

— Qu'est-ce que tu fais ici, d'abord ? Va passer ton balai dans les chambres.

— Je te préviens, tu vas avoir droit à un rapport, menace un autre.

— Non, ça va, leur dis-je, ça ne me dérange pas.

J'inscris rapidement mon prénom sur la feuille.

— Merci, dit l'homme en rangeant précipitamment son papier dans sa poche.

— Ne vous laissez pas faire, me conseille une infirmière au visage sévère. Maintenant tout le monde voudra quelque chose de vous.

— Il faut y aller, le médecin vous attend, intervient la femme souriante qui m'a accueillie.

Elle me conduit dans un grand bureau qui sert également de salle de consultation.

— Je vous présente le docteur George Lucas, me dit-elle, il va s'occuper de vous.

Un grand homme noir s'avance vers moi en souriant. Tandis que nous échangeons une poignée de main, il me dit :

— Je sais que nous nous ressemblons beaucoup mais je n'ai aucun lien de parenté avec lui.

Après un instant de confusion, je comprends qu'il fait allusion au George Lucas créateur de *La guerre des étoiles*. Physiquement, le réalisateur est à peu près l'exact opposé de l'homme face à moi, qu'il s'agisse de la couleur de peau, de la barbe ou de la corpulence. George Lucas le chirurgien a l'air si content de sa blague que je suis persuadée qu'il la sort chaque fois qu'il rencontre quelqu'un de nouveau.

— Asseyez-vous donc, Anna.

Il reprend place derrière son bureau et commence son interrogatoire.

– Parlez-moi tout d'abord de vos antécédents médicaux. Avez-vous déjà subi une intervention chirurgicale ?

– Oui, deux fois. Pour l'appendicite et les dents de sagesse.

– Deux choses dont on peut facilement se passer, effectivement. Avez-vous des allergies, médicamenteuses ou autres ?

Une demi-heure passe ainsi. Au fur et à mesure, le docteur Lucas épluche la vie de tous mes organes, un par un. Au bout d'un moment il me dit :

– Voulez-vous me suivre, s'il vous plaît ?

Nous passons dans l'autre partie de la pièce. Un grand écran d'auscultation blanc relié à des moniteurs de contrôle occupe une bonne partie du mur.

– Je vais vous demander de vous déshabiller complètement dans le petit salon à côté, me dit-il. Ensuite vous ressortirez par cette porte et vous vous trouverez directement derrière cette machine.

J'entre dans la petite pièce qu'il me désigne. Une fois toute nue, je me sens très vulnérable. J'ai du mal à croire que bientôt ma peau sera si dure qu'aucune lame n'aura la capacité de la couper.

J'ouvre la deuxième porte et passe derrière l'écran blanc qui est maintenant éblouissant de lumière.

– Vous serez aveuglée pendant quelques secondes, me dit le docteur Lucas, mais ça ne va pas durer. Gardez les yeux ouverts, je vous prie.

Je maintiens de force mes paupières ouvertes tandis que la machine se met à ronronner. J'ai déjà vu un de ces écrans d'auscultation à Paris. De l'autre côté, le médecin a une vision très détaillée de mon corps, décomposé en plusieurs couches, de la surface de la peau jusqu'aux organes les plus internes. Des écouteurs permettent d'écouter les battements du cœur ou le bruit de la respiration. De cette façon, il n'a pas besoin de me voir ni même de me toucher, ce qui m'arrange.

— C'est parfait comme ça. Ne bougez pas, Anna, je n'en ai plus pour longtemps.

Deux minutes passent.

— C'est très bien, vous pouvez aller vous rhabiller.

Une minute plus tard, je reviens dans son bureau.

— Vous êtes une jeune fille en parfaite santé, me dit-il avec son grand sourire amical. Installez-vous ici, s'il vous plaît.

Je m'assois sur une table d'auscultation à l'ancienne.

— Relevez votre manche.

Le docteur Lucas dévisse un minuscule flacon contenant une toute petite quantité de liquide transparent.

— Je vais maintenant déposer quelques boosters sur la peau de votre avant-bras, m'explique-t-il. Je suppose que vous savez de quoi je parle.

Je fais oui de la tête. « Boosters » est le nom populaire donné aux microscopiques machines biotechnologiques qui produisent des superpouvoirs. Leur appellation scientifique est si compliquée que tout le monde en oublie toujours un bout. Les scientifiques eux-mêmes ont adopté le surnom.

— Cette opération est absolument indolore, continue le docteur Lucas. J'ai besoin de tester si vous faites une réaction allergique. Cela n'arrive que dans 0,5 pour cent des cas mais, vous en conviendrez, il est préférable de le savoir avant d'en envoyer plusieurs millions à l'intérieur de votre organisme. On y va ?

Je fais une nouvelle fois oui de la tête, avec appréhension. Tout se joue maintenant. Soit mon corps est d'accord pour accepter ces intrus, soit tout est fini pour moi.

Le docteur Lucas penche le flacon, et une goutte atterrit sur mon poignet.

— Vous allez sentir un petit vertige, Anna. Les boosters sont extrêmement puissants, même à l'extérieur du corps.

À peine a-t-il dit ces mots que je me sens partir en arrière. Le médecin me rattrape par l'épaule.

— Ça va, Anna ?

La violence de la réaction m'inquiète. Cela signifie-t-il que je suis allergique ?

— Alors docteur ? Ça donne quoi ?

— Un peu de patience.

Mon impression d'étourdissement diminue. Le médecin relâche son appui quand il sent que mon corps retrouve son équilibre.

— Eh bien... commence-t-il.

— Eh bien quoi ?

– Ma foi, tout va très bien. Je ne constate aucune réaction allergique. Vous êtes bonne pour le service, ma petite demoiselle.

Il essuie la goutte avec une serviette-éponge. Je pousse un soupir de soulagement.

– Vous étiez inquiète, me dit-il avec le même sourire paternel.

– Oui, un peu.

– Venez avec moi.

Il retourne derrière son bureau et je regagne mon fauteuil. Une pensée me traverse brusquement l'esprit :

– C'est vous qui vous occupez des visites médicales ? Ça veut dire que tous les membres du Power Club sont venus ici ?

– Hé oui ! Ils sont tous passés entre mes mains ! Et je peux vous dire qu'ils étaient aussi anxieux que vous en arrivant.

Je détaille la pièce autour de moi avec un regard neuf. L'espace d'un instant, la groupie qui sommeille en moi s'emballe. Je me dis que Bobby Mulligan s'est assis exactement dans le même fauteuil que moi. Et Brian Pierce. Et Jason Baker. Et tous les autres ! Ce qui m'arrive est juste trop énorme pour que mon esprit puisse l'assimiler.

– Voici mon moment préféré, déclare le docteur Lucas avec une lueur amusée dans les yeux.

Il sort une paire de gants en latex d'un de ses tiroirs. Après les avoir enfilés, il contourne son bureau et vient près de moi.

— Vous permettez ? me demande-t-il en désignant mes cheveux.

— Qu'est-ce que vous voulez ?

Sans en dire plus, il pince un de mes cheveux entre deux doigts et tire d'un coup sec. Je pousse un petit cri de douleur et de surprise.

— Vos futurs boosters ont besoin de votre ADN, dit le docteur George Lucas en contemplant mon cheveu arraché, l'air ravi par le mauvais tour qu'il m'a joué.

Je me frotte le crâne tandis que mon cheveu est enfermé dans une petite éprouvette transparente.

*

Je dois rejoindre le psychologue à la fin de ma visite médicale. Son bureau, moins grand que celui du docteur Lucas, m'intimide davantage car, contrairement au reste de l'immeuble, la pièce est plutôt sombre. C'est probablement volontaire. Maintenant qu'il s'agit de sonder ce que les postulants ont dans la tête, un peu de mise en scène ne peut pas faire de mal.

Le docteur Scott est une femme, ce qui me perturbe légèrement à cause de mon entrevue tendue avec la directrice. J'ai peur de revivre une nouvelle mise à l'épreuve.

— Comment vas-tu, Anna ? me demande-t-elle en guise de bienvenue.

Je lui réponds que je vais bien et nous nous installons face à face dans des fauteuils. Depuis que je suis dans cet immeuble, mes fesses passent sans arrêt de fauteuil en fauteuil.

– Mon rôle est d'établir ton profil psychologique, m'explique-t-elle. Je suis persuadée que tu comprends notre prudence. Il ne faudrait pas confier des super-pouvoirs à une personne souffrant d'instabilité mentale.

Je fais oui de la tête sans rien dire. Il faudra bien qu'ils se rendent compte que la technique de la question non posée ne marche pas avec moi. La psy se plonge dans ses notes.

– Si tu devais te définir en trois adjectifs, lesquels choisirais-tu ?

Je reste interloquée pendant une seconde. C'est ça leur test psychologique ? Ils l'ont piqué dans un magazine féminin ou quoi ?

– Ben je sais pas trop... C'est dur de savoir ce qu'on est, non ? Les autres sont mieux placés pour dire nos qualités.

– Tu ressens le besoin d'être approuvée par les autres pour te définir ?

– Non, je dis ça comme ça ! Vous voyez ce que je veux dire, hein ?

Elle me fixe du regard et, après un moment de silence, me balance :

– Ce que je vois parfaitement bien, Anna, c'est que tu n'as pas répondu à ma question.

Je soutiens son regard avec défi. Le silence s'éternise entre nous, jusqu'à ce que je dise avec un petit sourire narquois :

– Intelligente, sensible, susceptible.

Elle note les trois adjectifs qui me définissent.

– Susceptible, répète-t-elle.

– Je vous ai donné deux qualités et un défaut. C'est plus honnête, non ? Je pensais que vous vouliez que je sois le plus franche possible.

– En somme, tu m'as donné ce que tu pensais que je voulais. Plutôt que susceptible, tu aurais peut-être mieux fait de choisir influençable, non ?

Ce dernier échange refroidit un peu l'ambiance qui n'était déjà pas au top. Je sens que le docteur Scott m'apprécie moyennement. Est-ce qu'un compte rendu négatif de sa part peut me faire rater mon admission ? Quand je pense à ces gamins écervelés qui traversent le ciel en ce moment, je me demande ce qu'elle a bien pu leur trouver pour les juger compétents.

Brian Pierce, par exemple, le beau mec bronzé typique californien, c'est franchement flippant qu'il fasse partie du Power Club. Ce type est incapable d'avoir une relation normale avec une fille pendant plus de cinq minutes. Et chaque fois qu'il a le cœur brisé, il va léviter à vingt mètres au-dessus de la plage de Santa Monica. Les fans s'attroupent en bas et lui crient leur amour. Il choisit une fille dans le tas et c'est reparti pour un tour. Qu'est-ce qu'il a bien pu raconter au docteur Nora Scott pour qu'elle se dise : « C'est bon, Brian, tu peux y aller, tu as ma bénédiction, tu es un vrai modèle d'équilibre mental » ?

Et là, tout à coup, les choses me paraissent évidentes. Je suis convaincue que le docteur Scott n'a donné son agrément pour aucun des membres du club. Elle les a tous recalés. J'imagine d'ici ses commentaires. Pas assez mûrs. Pas assez responsables. Dangereux pour eux-mêmes et leur entourage.

Mais Elizabeth Foster a une entreprise à faire tourner. Elle ne peut pas refuser l'argent qu'on lui apporte en attendant de trouver un être humain entre quinze et vingt-cinq ans qui soit digne de recevoir de tels dons. Parce que, si on réfléchit bien, qui peut réellement se vanter d'être à la hauteur d'une aussi grande responsabilité ?

Dans les *comics*, les super-héros obtiennent leurs pouvoirs par hasard. Ça leur tombe dessus comme la foudre. Ensuite ils se débrouillent tant bien que mal. Mais les membres du Power Club, eux, ont acheté leurs pouvoirs. La différence est énorme puisqu'ils ont eux-mêmes considéré qu'ils pouvaient légitimement se placer au-dessus des autres êtres humains. En leur âme et conscience, ils ont pensé : « Je mérite de posséder de tels pouvoirs. »

Aux yeux de la psychologue, je ne suis pas différente. Seul le compte en banque de mes parents me donne le droit d'être ici. Nora Scott m'observe et ne voit qu'une gamine de plus persuadée de valoir mieux que les autres.

CHAPITRE 6

La dernière épreuve de la journée se passe au vingt-septième étage qui abrite le département juridique du Power Club. Trois avocats me reçoivent dans leur bureau. Ils me disent bonjour tous les trois en même temps.

— Asseyez-vous, s'il vous plaît, mademoiselle.

Mes fesses ajoutent un fauteuil de plus à leur collection.

— J'ai entendu dire que tout se passait bien pour vous, me dit le premier avocat, celui dont la cravate est ornée du sigle de Superman.

Pour le centenaire de la création du super-héros kryptonien, les produits dérivés ont envahi tous les magasins. Cela va du classique tee-shirt au sachet de chips aux crevettes. Tout le monde sait que si Superman était inventé aujourd'hui, il passerait complètement inaperçu. Aucun lecteur ne reste le nez plongé dans un *comic book* de nos jours, alors qu'il suffit de lever les yeux au ciel pour voir passer un super-héros réel.

Le deuxième avocat, celui avec un costume un peu brillant, joint ses mains devant lui.

— Mademoiselle Granville, nous sommes ici pour vous expliquer le fonctionnement du Power Club. En tant que membre, vous aurez des droits et des devoirs, il est très important que vous le compreniez tout de suite.

Son attitude doucereuse me fait immédiatement penser à l'une des vannes préférées de mon père. Un jour que je l'accompagnais pour la signature d'un contrat à Los Angeles, il m'avait glissé à l'oreille : « Anna, quand tu as affaire à un avocat qui ne travaille pas pour toi, le mot-clé qui doit immédiatement te mettre sur tes gardes, c'est bonjour. À partir de là, il va essayer de t'avoir. »

— Je vais tout d'abord vous remettre le règlement intérieur du club, dit-il en me tendant un épais document relié en cuir. Je vous conseille de le lire attentivement. Si vous avez des problèmes de compréhension avec certains termes, nous pouvons vous faire parvenir une version française.

— Non merci, ça ira très bien comme ça.

Je saisis le document et le pose sur mes genoux.

— Avant toute chose, nous devons vous faire signer ceci.

Il fait glisser sur la table une feuille imprimée. En la lisant rapidement, je comprends qu'il s'agit d'un engagement de ma part à subir une nouvelle opération chirurgicale, au plus tard le jour de mes vingt-cinq ans, afin qu'on me retire mes superpouvoirs.

— Heu… mon père m'a demandé de ne rien signer sans l'accord de mon avocat.

– C'est très ennuyeux, me dit la cravate Superman. Nous sommes contraints de bloquer la suite de la procédure si vous refusez de signer ce document. Il s'agit du contrat d'adhésion au Power Club, vous comprenez donc qu'il est indispensable pour enclencher la suite des événements.

– Je ne refuse pas ! Je vais le signer ! C'est juste que je préfère que mon avocat le lise avant.

Les visages des trois hommes se ferment en face de moi. Le troisième, celui qui n'a encore rien dit, prend la parole :

– Mademoiselle Granville, il s'agit d'une condition non négociable. Si vous persistez dans votre attitude, je serai dans l'obligation de prévenir tout de suite madame la directrice.

Pour appuyer ses propos, il décroche aussitôt le téléphone. Paniquée à l'idée de décevoir Elizabeth Foster, je décide de prendre le risque.

– Bon d'accord, je vais le faire.

Je prends néanmoins le temps de lire le contrat.

– Il n'y a pas de piège, me dit le costume brillant. Vous connaissez sans aucun doute le litige qui oppose le club à monsieur Matthew Banks. À l'époque, il existait un vide juridique concernant ce point dans les obligations légales des membres.

Le monde entier connaît l'histoire de Matthew Banks, le super-héros qui a refusé de rendre ses boosters. Il nargue la mort et le club depuis cinq ans maintenant, ce qui doit rendre Elizabeth Foster folle de rage.

– Tout ceci est pour votre bien, reprend le numéro trois. Les superpouvoirs chirurgicalement implantés soumettent le corps humain à rude épreuve. Tous les tests en laboratoire ont déterminé que l'âge idéal pour supporter le traitement se situe entre quinze et vingt-cinq ans. Passé ce délai, le Power Club décline toute responsabilité. Vous trouverez en annexe du règlement intérieur un descriptif complet des dommages physiques et mentaux que peut causer le dépassement de la limite des vingt-cinq ans. La liste est longue et particulièrement rebutante. Visiblement, l'usage prolongé des superpouvoirs ne permet plus au cerveau de monsieur Banks de faire preuve de discernement.

Il me tend un stylo plume plaqué or.

– Signez donc votre premier autographe, mademoiselle Granville.

Je prends le stylo et marque mon nom sur la feuille en leur disant :

– En fait ce sera déjà le deuxième. Un homme en blouse verte m'en a réclamé un quand je suis arrivée.

Je sens d'un coup les trois avocats se raidir sur leur chaise.

– Que dites-vous ? demande l'un d'eux d'un ton glacial.

– Mais il n'y a pas de quoi s'inquiéter, dis-je pour le rassurer. C'est juste un homme de ménage qui fait une collection d'autographes de super-héros.

La cravate décroche nerveusement le téléphone, tandis que le costume brillant se penche vers moi avec un air anxieux.

– Vous vous rappelez le nom de cet homme ?

– Non ! Il était là, dans le couloir, avec les autres. Ils étaient tous en rang quand je suis sortie de l'ascenseur.

La cravate dit dans le téléphone :

– La sécurité, deux hommes au juridique, tout de suite. Fermez toutes les portes, personne ne doit sortir.

– Mais qu'est-ce qui se passe ?

Leur nervosité est contagieuse et je commence à croire que j'ai fait une énorme bêtise.

– Cet individu n'a pas le droit de vous demander quoi que ce soit. C'est une faute grave entraînant un licenciement immédiat. Le marché noir autour du Power Club est une activité très lucrative que nous réprimons avec force.

– Mais il n'a rien fait de grave !

– Mademoiselle Granville, votre naïveté s'explique par votre méconnaissance totale du monde dans lequel vous venez d'arriver. Plus une lumière est puissante, plus son ombre est profonde.

Deux vigiles impressionnants entrent d'un pas vif dans la pièce. La cravate les met au courant. L'agent de sécurité le plus proche de moi me demande une description physique de l'homme. Ensuite il fait défiler une série de photos sur une tablette numérique, prises dans le fichier du personnel.

– C'est lui ?

– Heu... oui, c'est lui. Mais ce n'est pas la peine d'en faire toute une histoire. C'est moi qui lui ai dit oui. J'étais d'accord pour signer son papier.

Personne ne m'écoute et les deux vigiles sortent en trombe du bureau. Je me retourne vers les trois avocats pour leur demander :

— Franchement, c'est vraiment la peine, tout ça ?

— Vous comprendrez plus tard.

Le troisième avocat ouvre un classeur.

— Nous allons aborder maintenant la question des droits d'auteur, des droits à l'image et des droits dérivés. Nous avons fait parvenir un exemplaire de ces contrats types à votre avocat. Il a donné son accord. Comme vous pouvez le voir, il a déjà paraphé les documents.

S'ils ont eu le temps de montrer ces contrats à Roland, pourquoi n'ont-ils pas fait la même chose avec mon engagement à rendre mes superpouvoirs ? Mon père avait raison, je me suis fait avoir. Je gribouille ma signature à côté de celle de Roland. Le costume brillant sort une feuille de son porte-documents et la pose devant mes yeux.

— Voici un accord de principe avec les responsables de la firme qui voudrait vous avoir pour égérie afin de représenter son parfum vedette dans le monde. Comme vous êtes française, dès qu'ils ont appris votre arrivée au club, ils ont tenu à vous offrir cette chance !

Sachant que ma candidature a été validée il y a une poignée d'heures seulement, je me demande comment ils peuvent être au courant. Mais les choses vont si vite que je n'ose pas poser toutes les questions qui tournent dans ma tête.

– Ils sont très excités, ajoute-t-il. Ils envisagent des photos de vous survolant la tour Eiffel, ou bien passant en vol plané sous l'Arc de triomphe.

Sa main pousse encore un peu plus le papier sous le stylo, mais je le pose en travers de la feuille.

– Je veux réfléchir avant de signer.

Le costume brillant ne s'attendait pas à cette douche froide.

– Faire de la pub pour un parfum ne fait pas partie des conditions non négociables, n'est-ce pas ?

Son regard contrarié me fait plaisir.

À cet instant, les deux vigiles reviennent dans la pièce, l'air sombre.

– L'individu a disparu, dit l'un des deux.

– Comment ça ?

– Son badge signale sa sortie du bâtiment treize minutes après l'arrivée de mademoiselle Granville. Il a fait signer le papier et il est parti immédiatement.

– Vous avez envoyé une équipe à son domicile ? demande fébrilement la cravate.

– Ils sont en route, mais à mon avis il aura donné une fausse adresse. Je pense qu'il s'agit d'une nouvelle intrusion hostile. Il aura profité de la faille que nous avons connue il y a quelques semaines dans le système de sécurité informatique. Il doit faire partie d'une bande organisée.

– Pourquoi ? Ça vous arrive souvent ? je demande.

Le costume brillant perd patience devant le vigile trop bavard.

– Bon, ce n'est pas le lieu pour en discuter. Retrouvez-le le plus vite possible !

Les deux hommes repartent en vitesse, accompagnés par le son grésillant de leurs talkies-walkies.

– Nous en étions où ? demande la cravate pour changer de sujet.

Je lui réponds en repoussant le contrat vers lui :

– Nous en étions à « Je vais réfléchir ».

– Ah oui...

Le costume brillant me donne une petite carte de visite.

– Mademoiselle Granville, apprenez ce numéro de téléphone par cœur. En cas de problème, appelez immédiatement, l'un de nous trois vous répondra vingt-quatre heures sur vingt-quatre, sept jours sur sept.

– Quel genre de problème ?

– N'importe lequel, du plus anodin au plus grave. Ne répondez à aucune question de la police ni de personne d'autre.

– Mais pourquoi la police me poserait-elle des questions ?

– Vous allez rapidement découvrir que la vie d'un super-héros est très agitée. Au-delà de tout ce que vous pouvez imaginer. Nous sommes là pour protéger le Power Club et tous ses membres. Est-ce que vous avez d'autres questions ?

– Je suis fatiguée. Il y en a encore pour longtemps ?

– Il reste juste une dernière chose. Mais c'est la plus agréable.

*

Mes parents surgissent dès que je fais mon entrée dans l'appartement. À croire qu'ils sont restés tout ce temps-là derrière la porte. Louis sautille à côté d'eux, comme si on lui avait greffé des ressorts sous les pieds.

— T'es devenue une super-héroïne ? me demande Louis. Tu sais voler ? Tu peux m'emmener faire un tour ?

— Mais non, Louis, pas encore !

— Alors c'est bon ? m'interroge papa.

— Comment ça s'est passé, ma chérie ?

— Bien, ça va.

Mes parents me fixent d'un air interrogatif.

— Oui, mais ça va comment ? s'inquiète mon père. Ça va, ça va ? Ou ça va, ça va ?

— Je vous dis que ça s'est bien passé, j'ai réussi les tests. Je suis prise.

Mon père m'attrape dans ses bras et ma mère pousse un petit cri aigu. On dirait que je viens de réussir mon entrée dans la plus grande université du pays. Louis s'accroche à nos jambes et manque de tous nous faire tomber. Je m'accroupis pour le serrer contre moi.

— C'est trop génial ! me crie-t-il dans les oreilles. Tu vas devenir superforte et tout !

— Je suis si fier de toi, mon poussin, me dit mon père.

— Viens là, ma chérie.

Maman m'embrasse puis me prend dans ses bras à son tour.

— Il faut fêter cette bonne nouvelle, dit mon père. Je vous emmène au restaurant !

– Ah non, papa, c'est gentil, mais moi je suis crevée. Ils n'ont pas arrêté de me poser des questions et de m'examiner sous tous les angles, j'en ai ras le bol. Je ne veux plus voir personne pour l'instant.

– Bon d'accord, pas grave. Je vais appeler un traiteur et on va se faire un dîner en famille.

– Qu'est-ce que tu as dans ton sac ? me demande maman.

Le sac très élégant en tissu que je tiens à la main contient le certificat que les trois avocats m'ont remis un peu plus tôt avec fierté et solennité.

Il atteste que j'ai passé et réussi tous les tests autorisant mon inscription au Power Club. Lorsque je l'ai pris en main, mes yeux se sont immédiatement fixés sur un minuscule moucheron écrasé dans le coin droit en haut de la feuille. Il était tellement aplati qu'il semblait pris dans les fibres du papier. L'immeuble du Power Club paraît si propre et si moderne que j'ai du mal à croire que des moucherons se promènent dans les couloirs. Est-ce que la bestiole avait été écrabouillée dans l'usine de papier ? Elle était peut-être passée sous une presse en même temps que la feuille qui me tenait maintenant lieu de certificat.

– Oh ! s'extasie maman. J'aimerais tellement le garder ! Tu me le donnes, ma chérie ? Mais tu veux peut-être l'accrocher dans ta chambre ?

– Mais non, je te l'offre ! Bon, je vais me reposer. Vous m'appelez quand c'est l'heure de manger ?

Quand je me retrouve seule dans ma chambre, je me jette sur mon téléphone.

– Qu'est-ce que tu fais, Lisa ?

– *Il est presque minuit, qu'est-ce que tu crois ? J'étais en train de dormir !*

– Oh, j'suis désolée ! Mais je ne pouvais pas attendre pour te le dire. J'ai réussi les tests.

– *J'en étais sûre. Je le savais que tu y arriverais.*

– Tu viens me voir à New York pour les vacances ?

Mon invitation lancée avec enthousiasme retombe à plat au milieu de l'océan Atlantique.

– *J'en sais rien, Anna,* me répond-elle. *Même toi tu ne peux pas savoir ce que tu feras pendant les deux mois qui viennent.*

– Mais j'ai envie de te voir, moi.

– *Tu n'avais qu'à rester à Paris, alors.*

Son reproche fait mal. D'autant plus qu'il a été dit avec tendresse.

– *Excuse-moi,* se reprend Lisa, *je ne voulais pas dire ça. En fait, je ne m'attendais pas à ce que tu m'appelles, ça me fait tout drôle.*

– Hé, je suis la même qu'avant. Y a rien de changé.

– *On verra ça quand tu pourras t'envoler et casser des rochers à main nue.*

Le petit silence qui s'installe entre nous rebondit d'un bout à l'autre de l'océan, hésitant sur le côté à prendre pour être brisé. Finalement je le romps la première :

– Tu m'en veux, Lisa ?

– *Oui je t'en veux ! Évidemment que je t'en veux ! Mets-toi à ma place deux secondes. Imagine que c'est moi qui suis à New York. C'est moi qui vais entrer dans le Power*

Club et devenir une super-héroïne mondialement connue.
Je ne suis pas une sainte, Anna, je t'en veux et je suis
jalouse ! Il faut juste que tu me laisses un peu de temps.

— D'accord, je comprends.

Ensuite la conversation se termine rapidement.
On promet de se rappeler dans les prochains jours.

— *Tu me diras tout, hein ?* me demande Lisa.

— Tu sauras tous les secrets du Power Club, je te le
promets. Toi aussi tu me donneras de tes nouvelles,
je peux compter sur toi ?

— *Évidemment ! Comment Anna Granville pourrait-elle*
survivre sans connaître la suite des trépidantes aventures
de Lisa ?

Je sens dans sa voix que sa propre blague ne l'amuse
pas du tout. Elle pense que, à côté de mon expérience
au-delà du commun, le récit de sa vie d'adolescente ne
fera pas le poids.

CHAPITRE 7

Tout s'accélère à une vitesse folle. Aujourd'hui est mon dernier jour de vie normale. L'opération est fixée pour le lendemain. Un jour pour la visite médicale, un jour de battement pour laisser aux experts du Power Club le temps de préparer mes boosters, et c'est déjà le grand saut.

Dès mon réveil, le matin, je vais voir sur Internet ce qui se dit à propos de ces machines microscopiques qu'ils vont bientôt injecter dans mon corps, et ce n'est pas une bonne idée. Afin d'être pleinement acceptés par le receveur, les boosters reçoivent une injection de son ADN. Les chercheurs du Power Club ont utilisé des animaux de laboratoire pour mettre au point cette technique très complexe. Je tombe sur des photos atroces et l'histoire d'un chien dont le corps a rejeté les boosters. La pauvre bête s'est envolée et a tourné en rond au niveau du plafond en se vidant de son sang par tous ses orifices.

En lisant ces mots, je déglutis péniblement mon petit déjeuner et pose mon bol de thé sur le bureau. Plus faim du tout.

Le site suivant est consacré au docteur Howard Klein, l'inventeur des boosters et le fondateur du Power Club. Après avoir travaillé pour le club pendant de nombreuses années, il s'est retiré en Angleterre où il vit dans un manoir. Il peaufine sa réputation de génie ombrageux en refusant de rencontrer des journalistes et d'apparaître en public. Sa dernière interview date d'il y a huit ans. Le Power Club n'existait que depuis deux ans et comptait seulement deux membres. Klein venait de refuser le prix Nobel de biotechnologie. Le journaliste lui a demandé ce qu'il pensait avoir laissé comme héritage à l'humanité. Comme Oppenheimer avec sa bombe atomique, le docteur Klein était très sceptique sur l'usage que les hommes feraient à l'avenir de son invention.

« Toute action produit une réaction de sens opposé et d'intensité équivalente. C'est une loi universelle, a-t-il déclaré. Mais avec cette nouvelle technologie, nous dépassons les limites imposées par la nature. Si le battement d'ailes d'un papillon peut provoquer un ouragan, que peut-on attendre d'un être humain qui se libère de la gravité de son monde natal ? »

Je referme mon ordinateur avec le cœur serré. Le docteur Klein est peut-être simplement devenu un vieil homme gâteux. Quel intérêt de consacrer sa vie à un but, puis de se lamenter une fois cet objectif atteint ? Il n'aurait pas pu y penser avant ? Maintenant c'est nous qui sommes obligés de vivre dans le monde qu'il nous laisse.

*

Nous recevons dans la journée un mail d'Elizabeth Foster. Maintenant que je suis devenue officiellement apte à faire partie du Power Club, la question du retour à la vie normale doit être abordée.

Depuis la création du club, plusieurs super-héros ont rendu leurs pouvoirs en atteignant la limite des vingt-cinq ans. La directrice ne cache pas dans son message que cette perte est une épreuve à la fois physique et psychologique.

Afin de mieux me préparer à ce qui m'attend, un lien vidéo donne accès au témoignage de Lee Charles, un ancien super-héros âgé aujourd'hui de trente ans. Mes parents s'installent à côté de moi, face à l'écran. Louis grimpe sur les genoux de papa en se tortillant d'impatience. Je lance la vidéo et Lee apparaît face à la caméra. Il s'adresse directement à nous.

– Bonjour à tous, dit-il en souriant de toutes ses dents, je suis Lee Charles. C'est moi qu'on a chargé de jouer les rabat-joie ! Désolé ! Vous vous apprêtez à devenir un ou une super-héroïne, mais je dois vous rappeler que cela ne va pas durer toute votre vie. Tout d'abord, j'espère que vous ne m'avez pas oublié.

Des images d'archives défilent sur l'écran. Lee Charles en train de survoler New York. Saluant la foule à la sortie d'une boîte en compagnie d'une nuée de top models. Puis prenant la pose avec des policiers, deux gangsters ensanglantés pendant lamentablement au bout de ses poings fermés.

— Quand tout cela s'arrête, reprend-il, le choc est violent. Le Power Club assure un suivi psychologique pour chacun de ses anciens membres.

Apparaissent alors à l'écran des images filmées dans les très confortables salons des thérapeutes du club. Une jeune fille parle à un homme qui l'écoute attentivement dans une ambiance détendue qui évoque plus celle d'un club de jazz que d'un cabinet de médecin. Vu comme ça, la psychothérapie paraît être une agréable façon de passer le temps. Lee Charles commente les images avec sa voix forte et dynamique :

— Les meilleurs équipements sont à votre disposition. Une équipe est à votre écoute vingt-quatre heures sur vingt-quatre. Elle est là pour prendre en charge toutes les difficultés auxquelles vous devrez faire face. Parce que, ne vous faites pas d'illusions, ce sera difficile. Quand on est invulnérable, on oublie très vite ce que cela fait de se tordre la cheville ou de s'enfoncer une écharde sous l'ongle. Dans mon cas précis, j'ai saisi à pleine main un plat sortant du four.

Revenu à l'écran, il montre l'intérieur de sa main à la caméra. Des plis de peau mal cicatrisée sillonnent sa paume.

— La vie se charge de vous rappeler que vous êtes redevenu normal. Mais je ne veux pas vous décourager.

Devenir un super-héros, même pour un temps limité, est une expérience incroyable ! Extraordinaire ! Fantastique ! Et, comme je vous le disais, vous ne serez pas seul. Je suis la preuve vivante qu'on peut très bien s'en sortir. Je dirige aujourd'hui avec succès une entreprise internationale de marketing. Vous voyez, la vie de super-héros mène à tout ! Alors bonne chance à tous ! Et n'oubliez pas qu'il ne faut jamais attraper à main nue un plat qui sort du four !

Lee Charles disparaît, aussitôt remplacé par le logo du Power Club. Mes parents et moi restons silencieux pendant un instant, le temps de digérer ce que nous venons de voir. Louis brise d'un coup le silence en s'exclamant :

— Pouah, c'est vraiment dégoûtant, sa main bousillée ! T'as entendu, Anna ? Tu feras attention, hein ?

Papa se tourne vers moi avec un regard inquiet. Maman me regarde à son tour, pas plus rassurée.

— C'est vrai, ça, ma chérie, me dit-elle. Tu feras attention ?

*

J'accompagne mes parents dans un magasin de vêtements de luxe sur Park Avenue. Maman veut m'acheter des vêtements neufs pour mon entrée au Power Club. Papa, qui pourtant n'apprécie pas le shopping, suit le mouvement. De temps en temps, je le surprends qui jette sur moi un regard un peu triste. Il doit se dire que sa fille s'éloignera bientôt de lui.

Maman me précède dans le rayon pour me montrer deux jupes.

– Qu'est-ce que tu en penses ?

– Ouais, elles sont pas mal...

– Tu n'es pas plus enthousiaste que ça ?

– On n'a pas les mêmes goûts, tu sais bien.

J'aperçois tout à coup au bout du rayon le visage d'un homme qui me fige sur place. Quand il se rend compte que je l'ai vu, l'individu recule vivement pour se cacher. Je suis quasiment sûre qu'il s'agit de l'homme en blouse verte qui m'a demandé un autographe.

– Qu'est-ce que tu regardes ? me demande maman en voyant mon air attentif.

– Attends, je vais vérifier un truc.

En me haussant sur la pointe des pieds, j'aperçois le crâne de l'homme qui s'esquive en vitesse du côté de la sortie.

Je cours le long de l'allée principale pour lui couper la route. Il a un hoquet de surprise en me découvrant d'un coup devant lui. L'homme est petit, le crâne dégarni, il porte une veste légère qui n'a sûrement jamais été repassée.

– Qu'est-ce que vous faites ici ? je lui demande.

– Vous courez drôlement vite, ma p'tite dame, vous êtes sûre qu'ils vous les ont pas déjà mis dans le corps, les superpouvoirs ?

– Ils vous ont retrouvé ?

– Qui ça ?

— Les vigiles du Power Club.

— Non, non, vous inquiétez pas pour ça.

— Je ne m'inquiète pas du tout, je me renseigne. Alors vous me voulez quoi ? Un autre autographe ?

Son regard s'allume à cette idée.

— C'est vrai ? Vous êtes d'accord pour m'en donner un autre ?

Un deuxième type, à la silhouette maigre et élancée, arrive soudainement. Il pose sa main sur l'épaule du petit homme.

— Ça suffit, Max, lui dit-il. À partir d'ici, je prends le relais.

Il est beaucoup plus jeune, je lui donne une trentaine d'années, et le regard perçant qu'il me jette de derrière ses lunettes me rend immédiatement plus méfiante. Je cherche des yeux mon père et ma mère sans les trouver.

— Bonjour, mademoiselle Granville, je m'appelle Aaron Freeman. Je suis journaliste. Je travaille actuellement sur une enquête de fond concernant le Power Club.

Il me tend la main, mais je garde la mienne dans ma poche. Il remballe aussitôt sa poignée de main avortée.

— Comment avez-vous su que je venais ici ?

— Je vous ai suivie, dit Max, apparemment très content de lui.

— Quoi ?

— Ne vous énervez pas, s'il vous plaît, reprend le journaliste, je n'avais pas d'autre solution pour vous rencontrer. Je ne vais pas vous déranger longtemps, mademoiselle Granville, je vous le promets !

— Je n'aime pas qu'on m'espionne. Mes parents sont là, je vais les rejoindre tout de suite.

Je me détourne d'eux, mais le journaliste bloque mon mouvement en me saisissant le bras.

— Attendez ! S'il vous plaît !

Voyant mon regard furieux, il me lâche aussitôt et lève la main droite devant lui en signe d'excuse.

— Écoutez, nous sommes partis sur de mauvaises bases, j'en suis vraiment désolé. Laissez-moi m'expliquer, je vous en prie !

— Je sais très bien qui vous êtes ! Vous faites partie d'une bande qui s'est infiltrée illégalement dans les locaux du Power Club. Je ne sais pas ce que vous voulez mais je vais prévenir la sécurité.

— Une bande ! s'exclame-t-il en riant. C'est ce qu'ils vous ont dit ? Mais c'est carrément n'importe quoi ! Je suis tout seul avec Max, c'est ça que vous appelez une bande ?

— Et la faille dans le système de sécurité des ordinateurs ? Ce n'est pas vous non plus ?

— Ils parlent d'attaque informatique dès qu'ils sont incompétents ! J'ai fait embaucher Max dans l'équipe de nettoyage par l'intermédiaire d'une boîte d'intérim, c'est tout !

Je croise les bras et, les sourcils froncés, je lui fais signe de continuer.

— Comme je vous l'ai dit, je suis journaliste. J'écris un reportage sur les coulisses du Power Club. Enfin, je voudrais l'écrire. Toutes mes demandes ont été rejetées. Les dirigeants du Power Club n'acceptent de laisser entrer dans leurs locaux que les personnes qu'ils ont eux-mêmes accréditées. De cette manière ils sont sûrs qu'on ne dira que du bien d'eux.

— Et vous, vous voulez en dire du mal, si je comprends bien ?

— Je cherche la vérité, rien que ça. Ni bien ni mal, juste la vérité.

Je montre du doigt le petit homme à la veste froissée.

— Et lui ? Qu'est-ce qu'il vient faire là-dedans ?

— Max travaille pour moi, me répond le journaliste. J'espérais avoir des infos grâce à lui, mais cet imbécile s'est déjà grillé en vous demandant un autographe. Ça m'a coûté une fortune en pots-de-vin pour le faire entrer là-dedans !

Aaron Freeman se tourne vers Max pour le fusiller du regard. Le Max en question hausse les épaules avec l'air du chat surpris en train de boulotter le canari, comme s'il ne pouvait pas faire autrement et qu'il ne fallût pas lui en vouloir.

— Mais pourquoi moi, monsieur Freeman ? Je ne connais rien au Power Club. Vous avez demandé aux membres du club ? Aux super-héros ?

— Personne ne veut me rencontrer ! Ils ont pour consigne de ne répondre à aucune question qui n'est pas validée par la direction. Cela fait des mois que je guette l'arrivée d'un nouveau membre, quelqu'un qui ne soit pas encore embrigadé.

— Je ne fais pas encore partie du club. Même si je le voulais, je n'aurais rien à vous raconter.

– Mais vous y serez très bientôt, et alors vous pourrez me décrire l'envers du décor ! La presse libre et indépendante devrait pouvoir enquêter sur le Power Club. Vous devez être d'accord avec moi, non ? Vous êtes française ! La liberté, les droits de l'homme, ça doit vous parler !

Il veut tellement me convaincre que je m'attends à ce qu'il se mette à chanter *La Marseillaise*. Au moment de lui répondre, je vois Carl qui se dirige vers nous à grands pas, le visage fermé, en mode Terminator. Ça va chauffer pour Max et Aaron.

– Éloignez-vous immédiatement de mademoiselle Granville, ordonne notre chauffeur avec une voix dure.

– Nous nous trouvons dans un espace public, s'offense le journaliste. J'ai rencontré mademoiselle Granville par hasard et nous ne faisons rien de mal.

– Tu dégages, dit Carl en le poussant brutalement en arrière.

Max réagit en sortant une bombe de gaz lacrymogène. Il n'a pas le temps de s'en servir. Carl lui attrape le poignet et la lui retourne en plein visage. Il appuie un petit coup et une bouffée de gaz aveugle Max qui se met à crier en plaquant les mains sur ses yeux.

– Vous n'avez pas le droit ! s'indigne Aaron. C'est une agression totalement gratuite ! Nous allons porter plainte !

Mon père se trouve près de la sortie. Il nous désigne du doigt aux vigiles du magasin, qui se précipitent aussitôt vers nous. Carl secoue Aaron par le col de son blouson.

– Si je te revois t'approcher de mademoiselle Granville, je t'expédie à l'hôpital pour six mois.

Les vigiles évacuent le journaliste et son complice sans ménagement.

— Réfléchissez à ce que je vous ai dit ! me lance Aaron alors que ses pieds ne touchent presque plus le sol. Appelez-moi !

D'un geste rapide, il envoie une carte de visite dans ma direction. Le petit bout de carton plane un instant avant de glisser sous un rayonnage. Maman arrive rapidement à mes côtés.

— Ça va, ma chérie ? Ces hommes t'ont fait du mal ?

— Mais non, ils ne m'ont rien fait. Je vais bien.

— Qu'est-ce qu'ils voulaient ? demande mon père en nous rejoignant.

— C'est une saleté de journaliste, répond Carl. Je crois qu'on ferait mieux de rentrer, il y en a peut-être d'autres.

Je reste un peu en arrière tandis que les autres se dirigent rapidement vers la sortie. Le discours passionné du journaliste a réussi à piquer ma curiosité. Je n'ai pas l'intention de l'appeler pour l'instant, mais je récupère tout de même sa carte de visite sous le rayon et la glisse discrètement dans ma poche.

CHAPITRE 8

Le matin de l'opération, j'ouvre les yeux deux minutes avant que mon réveil ne sonne. Je vais à la salle de bains pour me préparer. Il faut que je reste à jeun pour l'opération. Louis est debout dans le couloir, les yeux encore pleins de sommeil.

— T'es déjà réveillé ?

— C'est aujourd'hui que tu vas devenir une super-héroïne ?

— Ouais.

— T'as peur, Anna ?

— J'ai carrément la trouille, tu veux dire !

— Ça fait pas mal, me rassure-t-il.

Pendant une seconde, la vision du chien se vidant de ses tripes en volant en rond s'impose dans mon esprit. Je chasse vite l'image en pensant au poster de Jason Baker dans la chambre de mon frère. Je visualise la couleur dorée des nuages qu'il surplombe, assis en tailleur dans le vide.

– J'ai rendez-vous à neuf heures, Louis, je dois me préparer.

Comme deux joueurs de basket, nous tapons nos paumes l'une contre l'autre. Ce geste très familier me fait du bien et j'emporte avec moi la sensation de la petite main de mon frère.

*

Je monte dans l'ascenseur avec mes parents jusqu'au vingtième étage de l'immeuble du Power Club. Louis est resté à l'appartement avec la nounou. Une opération chirurgicale comporte toujours des risques. Un gamin surexcité qui court partout n'a vraiment pas sa place ici.

Quand les portes de l'ascenseur s'ouvrent, il n'y a plus de haie d'honneur pour m'accueillir. Après l'incident de l'autographe volé par Max, les consignes de sécurité ont dû être renforcées. Toutefois la même infirmière est là.

– Bonjour, madame et monsieur Granville. Comment allez-vous ce matin, Anna ?

– Ça va.

– Un peu anxieuse ?

Mon air peu rassuré lui fait poser la main sur mon épaule pour la frotter doucement.

– Tout va bien se passer.

Le médecin nous reçoit avec un grand sourire.

– Madame Granville, monsieur Granville, je suis enchanté de vous rencontrer. Je suis le chirurgien qui va opérer votre fille. Je m'appelle George Lucas.

Comme je m'y attendais, le nom du médecin provoque un sourire chez mon père.

— Je sais que je lui ressemble beaucoup, mais nous n'avons aucun lien de parenté.

Mon père rit, ma mère passe complètement à côté de la blague.

— Asseyez-vous donc, nous propose le médecin. Comment vous sentez-vous ce matin, Anna ?

— Je vais bien.

— Tant mieux. Parce que, aujourd'hui, vous allez acquérir des superpouvoirs.

Une puissante montée d'adrénaline envahit mon corps. Je me sens prête.

— Avant l'intervention chirurgicale, je vais vous expliquer rapidement et en termes simples comment les choses vont se passer. D'ici quelques minutes, Anna rejoindra sa chambre. Nous lui donnerons un cachet pour calmer son stress et préparer son corps à l'anesthésie générale. L'anesthésie est un acte médical important, c'est toujours une épreuve pour l'organisme. Je vais vous demander de signer ces autorisations pour le cas où nous devrions effectuer des interventions d'urgence.

Il tend à mes parents deux feuilles qu'ils commencent à lire attentivement.

— Il y a également une attestation certifiant que vous êtes au courant des risques encourus par votre fille en acceptant l'opération.

Le docteur Lucas se tourne vers moi et me gratifie d'un nouveau clin d'œil.

– Entre nous, Anna, vous courez moins de risques ici qu'en traversant la rue.

Mes parents s'échangent les documents en les signant chacun son tour.

– Bien ! dit le docteur Lucas en récupérant les feuilles. Maintenant que nous avons fini les corvées administratives, nous pouvons entrer dans le vif du sujet. Venez avec moi, s'il vous plaît.

Nous passons dans l'autre partie de son cabinet, celle où s'est déroulé mon examen médical. Le médecin nous fait asseoir tandis qu'il allume un écran mural.

– Les images étant plus parlantes que n'importe quel discours, je vais vous montrer ce qui va se passer durant l'intervention.

Pendant une seconde, je serre les dents en craignant de voir l'image d'un patient avec le ventre ouvert sur une table d'opération. Il s'agit en réalité d'un dessin animé fait par ordinateur.

– Ceci est un booster, nous explique le docteur Lucas au moment où l'image apparaît sur l'écran. Vous le voyez à un taux d'agrandissement très élevé. En effet, ces merveilles sont invisibles à l'œil nu.

Je ne suis pas surprise par ce que je vois. Les boosters sont devenus une image très courante de nos jours. Ils ressemblent à des spermatozoïdes futuristes, ce qui provoque la colère des associations féministes. Elles prétendent que cette forme est un choix conscient et délibéré afin de donner un caractère masculin à l'acquisition de superpouvoirs. Je n'avais pas fait attention à ce détail jusqu'ici mais, maintenant que les boosters s'apprêtent à pénétrer en masse à l'intérieur de mon corps, je commence à comprendre ce qu'elles veulent dire.

— Comme vous le voyez sur cette animation, les boosters sont injectés au niveau du cœur. Ils pénètrent dans le sang et sont propulsés à travers tout le corps. Dans le même temps, nous injectons un condensé cellulaire génétiquement modifié à partir de l'ADN d'Anna. Je ne peux évidemment pas vous en dire plus, puisque je suis tenu au secret par contrat avec le Power Club. Si je parle, ils seront obligés de me tuer! ajoute-t-il en riant.

Voyant que nous sommes trop nerveux et trop concentrés pour rire avec lui, il reprend aussitôt son explication avec le ton d'un conférencier.

— Pour faire simple, tout cela va conférer à votre fille les superpouvoirs suivants : capacité à voler, superforce et invulnérabilité. Vous ajoutez à cela l'accroissement spectaculaire des cinq sens : la vision, l'ouïe, le toucher, le goût, l'odorat. Ce sont les prestations de base fournies par le club.

— Pourquoi de base ? s'étonne mon père. Il en existe d'autres ?

— Nous travaillons actuellement sur la suppression totale de l'activité respiratoire.

— Qu'est-ce que vous voulez dire par là ?

— À ce jour, les garçons et les filles superdotés ont la capacité de retenir leur respiration bien au-delà de la normale. Mais ils doivent tout de même reprendre leur souffle de temps en temps. Avec cette nouvelle technologie, ils entameraient une apnée qui commence-rait le jour de l'opération et s'achèverait des années plus tard, au moment où ils rendraient leurs pouvoirs.

— Mais ça servirait à quoi ? s'interroge ma mère.

— À aller sur la Lune, par exemple. Actuellement, les membres du club ont la capacité théorique de traverser l'atmosphère, et de se libérer totalement de l'attraction terrestre pour atteindre le vide spatial. Mais la vitesse de vol étant pour l'instant limitée à mach deux, le voyage aller-retour prendrait trop de temps. Si l'un de nos membres se risquait à tenter l'expérience, il se trouverait en détresse respiratoire soit sur la surface lunaire, soit dans l'espace. Enfin bref, dans un endroit où il lui serait impossible de reprendre son souffle. Donc, Anna, pas de voyage sur la Lune, d'accord ?

Je fais oui de la tête. Cette conversation est complète-ment surréaliste.

— De toute façon, complète le docteur Lucas, il vaut mieux éviter l'espace en général. Les boosters sont de magnifiques machines, mais elles ont leurs limites. Les conditions extrêmes du vide spatial en font partie. Il ne faut pas tenter le diable et risquer une panne une fois que vous êtes là-haut, toute seule, sans espoir de secours, n'est-ce pas ?

J'approuve sans réserve, une fois de plus. Je n'ai aucune envie de flotter morte dans le vide, congelée à la lumière des étoiles.

— Pour ce qui est de la convalescence, continue-t-il, nous vous avons remis un document à ce sujet. Je vous expliquerai plus en détail le processus une fois que l'opération sera terminée. J'aime bien faire les choses dans l'ordre. Un pas après l'autre reste encore la meilleure façon de marcher.

— Et les boosters ? demande mon père. Vous les injectez avec une seringue ?

En réponse, le médecin appuie sur un bouton et l'image change. Une grosse machine installée près d'une table d'opération apparaît sur l'écran.

— Voici le dispositif qui inocule les boosters. Il est relié à la patiente par une dizaine de tubes. Paradoxalement, quand on connaît leurs pouvoirs, ces petites bestioles sont très fragiles. La température, l'ordre et la vitesse d'injection doivent être contrôlés de la façon la plus infime possible.

— Vous en parlez comme si les boosters étaient vivants, s'étonne maman.

— Ce serait abusif de les considérer ainsi, explique Lucas. Néanmoins, leur structure informatique a été mêlée à l'ADN de votre fille. C'est un composé à la fois mécanique et biologique. Ils sont à la fois vivants et non vivants.

Maman pose la question qui la tracasse :

— Et ce qu'on dit sur les risques de l'opération ? Qu'est-ce qu'il se passera si les boosters modifient l'ADN d'Anna ?

— Je vois que quelqu'un est allé faire un tour sur Internet ! répond le docteur Lucas en éclatant à nouveau de rire. Cette crainte ne repose sur aucune validation scientifique. Je m'occupe médicalement des membres du Power Club depuis sa création et aucun, entendez-moi bien, aucun d'entre eux n'a jamais montré le moindre signe de modification à ce jour. Après le retrait des boosters, le receveur retrouve sa totale intégrité.

— L'anesthésie générale est obligatoire ?

— L'organisme d'Anna va vivre l'arrivée massive des boosters comme une agression violente. C'est un peu comparable à ce que subissent les astronautes au décollage de la fusée. Leur corps passe de l'immobilité totale à une extrême vitesse en quelques secondes. Le corps de votre fille, lui, va passer d'un fonctionnement normal à un état suprahumain. C'est un changement positif, sans aucun doute, mais il aura besoin de plusieurs minutes pour l'assimiler. En fait, dans un premier temps, l'organisme va analyser ce qui lui arrive comme étant sa propre mort. Nous sommes là pour lui expliquer qu'il se trompe.

Avec une petite voix, je lui demande :

— Mais... ça veut dire que je vais mourir pendant un petit moment ?

— Non, non, Anna, ne vous affolez pas ! Votre corps va CROIRE qu'il est en train de mourir, ce n'est pas du tout la même chose.

— Mais, s'inquiète maman, si son corps croit qu'il va mourir, son esprit le pensera aussi. Elle va bien le sentir d'une façon ou d'une autre, non ?

— N'ayez aucune crainte ! Pour Anna, ce sera comme un profond sommeil. Ce qu'elle ressentira ne sera pas pire que... disons, un rêve un peu plus dense que d'habitude.

On frappe à la porte et l'infirmière de tout à l'heure fait son apparition.

— La chambre de mademoiselle Granville est prête.

— Vous avez encore des questions ? nous demande le médecin.

Je fais non de la tête. Maman fait non de la tête. Papa fait la même chose. Si un photographe nous tirait le portrait à cet instant, il pourrait intituler son image : *La famille qui dit non*.

*

La chambre qu'ils m'ont réservée au vingtième étage, à deux portes du cabinet du docteur Lucas, est en réalité un véritable appartement. Je dispose en plus d'un salon, d'une salle de bains en marbre, et mes fenêtres ont une vue panoramique sur Manhattan.

Après avoir revêtu l'inévitable blouse d'hôpital qui vous laisse les fesses à l'air, je m'allonge sur le lit. Mes parents sont assis près de moi. L'infirmière leur dit :

— Je vais vous demander de passer en salle d'attente, si vous le voulez bien.

Ils se lèvent en même temps. Maman vient me faire une bise sur le front. Papa s'approche à son tour pour m'embrasser sur la joue.

— À tout à l'heure.

En sortant, ma mère me fait un petit signe timide de la main. Ils referment la porte derrière eux.

— Prenez ça, s'il vous plaît.

L'infirmière me donne un verre d'eau et un cachet.

– Il ne faut plus vous lever maintenant, sinon vous risquez de tomber. Si vous voulez aller aux toilettes, c'est le moment.

Par prudence, je suis son conseil. En sortant des toilettes, je constate que la chambre est vide. L'infirmière doit être en train de préparer la suite du protocole. Je m'allonge, les yeux grands ouverts en direction de la fenêtre.

Les gratte-ciel de New York brillent sous la lumière du matin. Dans l'immeuble d'en face, un homme est assis derrière un grand bureau. Une secrétaire prend des notes en l'écoutant. Un peu plus haut, un rayon de soleil m'éblouit pendant une seconde. Je ferme les yeux.

*

Je les rouvre. Je suis allongée sur le dos dans une pièce glaciale. L'infirmière se penche au-dessus de moi.

– Elle se réveille.

Je marmonne quelque chose d'incompréhensible. En réalité je veux dire : « Ça y est ? J'ai été opérée ? »

J'essaye de sentir si je possède une superforce ou si je peux m'envoler. Le visage du docteur Lucas s'approche en gros plan du mien.

– Anna, vous m'entendez ? Vous allez compter à rebours en partant de dix, puis nous procéderons à l'injection.

Cette fois-ci, c'est la bonne, le moment est enfin arrivé. Je me sens comme l'astronaute sur la rampe de départ.

– 10…

Je pense à l'accélération que mon corps va subir. Au fait qu'il croira mourir alors qu'en réalité il va accroître sa force et sa puissance.

– 9…

Je me rappelle les boosters en forme de spermatozoïdes informatiques, semblables à des fusées microscopiques conçues pour féconder les enfants du futur.

– 8…

Il faudra que je me souvienne de ne pas aller sur la Lune. Si j'y vais, je risque d'étouffer. Je ne veux pas mourir toute seule là-haut, étendue dans la poussière grise et glaciale.

DEUXIÈME PARTIE

« Je jure de mettre l'usage de mes superpouvoirs au service du bien et de la vérité. »

Extrait du serment du Power Club

Je reprends vaguement conscience. Une infirmière s'approche de moi. Je lui pose directement la question qui m'inquiète :

– Je suis réveillée ou je rêve encore ?

– Vous êtes bel et bien réveillée, mademoiselle Granville, me dit-elle avec un sourire.

– L'opération est finie ?

– Tout à fait. Elle s'est déroulée dans de parfaites conditions.

Le docteur Lucas vient près de moi. J'ai du mal à garder les yeux ouverts. Il me sourit chaleureusement.

– Anna, me dit-il, vous allez bientôt pouvoir vous envoler comme un oiseau.

– Je rêve encore ?

Le docteur Lucas disparaît derrière un voile noir qui a la couleur de mes paupières.

*

– Elle ouvre les yeux !

L'image s'éclaircit, devient moins floue, puis le plafond apparaît, tout de suite remplacé par le visage de maman.

– Anna, comment te sens-tu ?

– Laisse-lui le temps de reprendre son souffle.

Je tourne la tête et vois mon père assis sur une chaise. Il me fait coucou de la main. Je lui souris mais je suis incapable de lever le bras.

– J'ai soif. Je peux pas bouger.

Maman s'éloigne puis revient avec un verre d'eau. Elle pose la main derrière ma tête pour m'aider à boire.

– C'est normal qu'elle soit aussi faible ? s'inquiète-t-elle. Une anesthésie ne devrait pas l'empêcher de bouger.

– Ce n'est pas l'anesthésie qui l'immobilise, ce sont les boosters.

La voix qui donne cette précision est celle de l'infirmière. Elle se tient debout à ma gauche. Près d'elle, des écrans dessinent des courbes, et je me rends compte que je suis reliée à eux par plusieurs fils posés sur mon corps.

– C'est normal, alors ? demande maman qui semble peu rassurée par son explication.

– Ne soyez pas inquiets, continue l'infirmière, je vous certifie que tout est absolument normal. Anna ne va pas tarder à retrouver l'usage de ses mains.

L'infirmière appuie sur des boutons qui font varier les courbes. Des chiffres s'affichent en défilant à toute vitesse.

– Ils veulent dire quoi, tous ces chiffres ? je lui demande.

– Ils calculent la vitesse de propagation des boosters.

Tout va très bien. Je repasse vous voir dans un petit moment.

L'infirmière sort de ma chambre, aussitôt remplacée par le docteur Lucas et son éternel sourire bienveillant.

– Alors ? Comment se porte le nouveau membre du Power Club ?

– Pas super, je ne peux pas bouger.

Il prend ma main droite et passe son ongle à l'intérieur de ma paume. En réponse à la stimulation, mes doigts se mettent à remuer.

– Oh !

– En fait, Anna, vous pouvez tout à fait bouger. Votre corps ne le sait pas encore, c'est tout. La perception de la réalité qui vous entoure a été totalement bouleversée par l'absorption massive de boosters. Pendant votre convalescence, vous allez réapprendre à vous servir de votre corps. Votre cerveau a besoin d'un petit temps d'adaptation. Tout ce qu'il a décodé pour le moment, c'est que vous étiez en vie, et c'est déjà beaucoup. Il doit maintenant comprendre que les nouveaux messages qu'il reçoit de tous les capteurs de votre organisme ne sont pas des erreurs. Tout est si nouveau pour lui qu'il ne sait plus comment agir.

– Mais ça va être long ?

– Le jour un est entièrement consacré au repos. Le cerveau est un organe fragile, il ne faut pas le brusquer. Demain nous permettra d'observer les premiers effets des boosters. Le jour trois est le plus intéressant.

*

La journée s'étire en longueur, comme dans n'importe quel hôpital. Mes parents ne quittent pas ma chambre. Je m'endors, me réveille, je les entends discuter de tout et de rien. Louis passe me voir à un moment mais il m'épuise à remuer sans cesse.

Après une nouvelle sieste, je constate que je peux légèrement bouger le poignet droit. À ce moment-là papa est seul avec moi. Il s'approche de mon lit avec un grand sourire, les yeux posés sur mon avant-bras.

— On dirait que ton cerveau commence à se remettre en marche.

— J'ai carrément soif, papa. Tu peux aller me chercher un verre d'eau, s'il te plaît ?

Le temps qu'il aille jusqu'à la salle de bains, le sommeil me tombe dessus encore une fois. Le soleil quitte ce côté-ci des gratte-ciel. Je cherche des yeux l'homme que j'ai vu derrière son bureau avant mon intervention mais je ne le trouve pas.

*

Le soir est arrivé quand je me réveille à nouveau. Maman se penche vers moi en voyant que mes yeux sont ouverts.

— Tu as fait un sacré somme cette fois-ci.

Sans y penser, je passe ma main droite dans mes cheveux. Je regarde avec surprise mon bras qui m'obéit à nouveau.

— T'as vu, maman ? Ça marche.

Mon bras gauche, en revanche, refuse encore de bouger. Mes orteils acceptent de gigoter mais mes jambes restent inertes, complètement mortes. Il y a peut-être un truc qui a foiré. Les boosters qui ne veulent pas de moi ou au contraire mon corps qui les refuse. Je demande avec angoisse à maman :

— Je vais bien ?

Elle fronce d'un coup les sourcils en me regardant.

— Oui, Anna, tu vas bien, mais l'opération que tu as eue est un choc terrible pour ton organisme. Il faut que tu sois patiente, tu comprends ?

Des larmes commencent à apparaître aux coins de mes yeux. Je les essuie rapidement avec mon seul bras en état de marche.

*

Le deuxième jour, un grand soleil illumine la ville et je me dis que c'est bon signe. Déjà, au milieu de la nuit, j'ai découvert que je pouvais remuer mes bras et mes jambes. Je ne suis pas encore assez solide pour marcher toute seule mais presque.

Pendant sa visite de contrôle, l'infirmière enlève les électrodes qui me relient aux machines.

— Voilà, mademoiselle, vous n'avez plus besoin de ça. Est-ce que vous pouvez vous asseoir au bord du lit ?

Je tente l'expérience avec succès.

— Très bien. Maintenant, vous allez essayer très doucement de vous mettre debout.

L'infirmière me donne son bras pour que je m'appuie dessus. Mes pieds nus se posent sur le sol mais l'impression est très bizarre.

— Je ne sens rien ! Mes jambes sont mortes, je ne sens plus mes pieds !

— Non, tout va bien, mademoiselle Granville, ce sont vos nouvelles sensations. Vous y serez bientôt habituée.

— Mais je ne sens rien du tout !

— Mettez-vous debout.

Je lui obéis et parviens à tenir droite sur mes jambes.

— C'est très bien ! Vous voyez, tout est normal !

— Mais je devrais sentir le sol sous mes pieds, non ?

— Vous le sentez, mais pas comme avant. Votre peau a entamé son processus d'invulnérabilité. Bientôt vous n'éprouverez plus le chaud ni le froid. Votre corps régulera automatiquement sa température en fonction des conditions extérieures, même les plus extrêmes.

— C'est... c'est bizarre...

Je fais un pas. Puis un deuxième.

— Attention, je vous lâche.

L'infirmière dégage son bras et je reste en équilibre sur mes deux jambes.

— Parfait !

La porte s'ouvre et mes parents entrent dans la chambre. Ils se figent sur le seuil en me voyant debout. Louis apparaît à côté d'eux.

— Vous arrivez trop tard, leur dis-je en riant. Vous venez de rater mes premiers pas !

Louis se précipite en courant. Il se jette dans mes bras et se serre contre moi.

*

Le docteur Lucas passe me voir un peu plus tard. Son sourire habituellement amical se teinte en plus aujourd'hui d'amusement.

– J'ai appris que le jour deux avait commencé sous de bons auspices, me dit-il. Faites-moi voir un peu comment vous marchez.

Je fais quelques pas sous le regard du médecin et de mes parents. Louis applaudit comme si je venais de réussir un tour de magie. Ma mère est si fière qu'elle ne peut pas se retenir d'ajouter :

– Vous savez, docteur, elle a marché très vite. Elle était la première de toute la crèche.

– Maman...

– Mais quoi ? Ce n'est pas vrai ce que je dis ?

Elle prend à témoin mon père qui fait oui de la tête d'un air résigné.

– Levez les bras maintenant. Laissez-les retomber. Tout est parfait, mademoiselle Granville, nous allons pouvoir passer au stade suivant.

Je me rassois sur mon lit. Le docteur Lucas tire la tablette à roulettes jusqu'à moi.

– Nous allons évaluer comment les boosters agissent à l'intérieur de votre corps. J'ai ici dans ma poche le résultat de milliers d'années de maturation pour mettre au point le meilleur test.

Il sort de la poche de sa blouse un diamant de la grosseur d'un pouce. La pierre brute donne l'impression d'avoir été sortie de terre à l'instant. Nous ouvrons tous de grands yeux émerveillés. Le sourire du docteur Lucas est encore plus large que d'habitude.

– Si vous gardez la bouche ouverte comme ça, Anna, vous allez avaler une mouche !

– C'est un vrai diamant ?

– Tout ce qu'il y a de plus authentique. En provenance directe des mines d'Afrique du Sud.

Il dépose solennellement le diamant sur la tablette placée devant moi.

– Ce diamant de taille exceptionnelle va nous être très utile. Prenez-le au creux de votre main. Allez-y ! N'hésitez pas ! Les diamants sont les meilleurs amis des femmes, n'est-ce pas ?

Je prends le diamant dans ma main droite.

– Maintenant, serrez-le de toute votre force, Anna.

Je serre le poing mais, comme pour la plante de mes pieds sur le sol, je n'ai aucune sensation au contact du minéral.

– Je vais vous demander de renouveler cette expérience tout au long de la journée. Vous pouvez laisser passer une, deux ou trois heures entre deux essais, cela n'a pas d'importance.

– Quel est le but ? demande mon père.

– Si j'étais un maître zen, répond le docteur Lucas, je vous dirais que vous connaîtrez votre but le jour où vous l'aurez atteint.

Il n'ajoute rien, laissant planer dans l'air ces mots énigmatiques.

– Et... ? insiste papa qui n'a rien d'un disciple zen.

Le docteur George Lucas, en bon cabotin qui sait ménager ses effets, prend quelques secondes avant d'ajouter :

– En tant que scientifique, je peux vous l'assurer, monsieur Granville. Vous connaîtrez votre but le jour où vous l'aurez atteint.

CHAPITRE 10

A près le départ du médecin, l'infirmière m'apporte un plateau-repas. Je mange avec appétit tout en regardant le diamant qui trône à côté de mon assiette.

Maman n'arrête pas de consulter sa montre. Elle essaye de le faire discrètement, mais c'est raté.

— Tu attends quelque chose, maman ?

— Mais non, ma chérie, rien du tout.

Louis ricane dans son coin, il semble savoir ce qui se trame.

— Pourquoi tu rigoles ? je lui demande.

Mais il me fait non de la tête, en serrant les lèvres pour être sûr qu'aucun mot ne sorte. Mon père somnole sur le fauteuil à côté de moi. Il n'est sorti qu'une dizaine de fois pour consulter ses mails et sa messagerie vocale. Je ne l'ai jamais vu rester aussi longtemps sans rien faire.

Après le repas, je propose à ma mère et mon frère de regarder un film sur ma tablette. Je leur fais de la place pour qu'ils puissent s'asseoir à mes côtés sur le lit. Comme d'habitude, ma mère ne peut pas se retenir de faire des commentaires.

– Il ne va pas aller bien loin, celui-là, dit-elle au moment où un banquier sort de son établissement avec une valise menottée à son poignet.

– Maman ! Chut !

Deux voleurs qui le guettaient au coin du mur lui sautent dessus.

– Qu'est-ce que je disais ! Maintenant ils vont lui couper la main pour récupérer la valise.

– Maman !

À quinze heures, au beau milieu du film, elle se lève brusquement en disant :

– J'ai un truc à faire, ma chérie, je reviens tout de suite !

– Tu vas faire quoi ?

– Tu viens avec moi, Louis ?

Mon frère lui attrape la main et ils sortent ensemble de la chambre. Louis claque un peu fort la porte en sortant. Mon père se redresse d'un coup en lançant des regards perdus autour de lui.

– Qu'est-ce qu'il y a ?

– C'est rien, tu peux te rendormir.

– Quelle heure est-il ?

– Pourquoi est-ce que vous ne rentrez pas à l'appartement ? Je peux rester toute seule, je vais bien.

– Ça me fait plaisir d'être là avec toi, me dit papa d'un air innocent.

Je serre une nouvelle fois le diamant dans ma main. Aucun changement. Quoique si, en y faisant bien attention, ma peau perçoit vaguement quelque chose, mais la sensation est étrange. La pierre a une densité un peu élastique et humide sous mes doigts.

L'air qui m'entoure a aussi légèrement changé de texture, il s'est épaissi. Je tourne la tête à droite et à gauche. Ma joue peut presque prendre appui sur le vide.

À cet instant la porte s'ouvre. Maman et Louis reviennent dans la chambre.

— Anna, tu as de la visite.

Lisa apparaît sur le seuil en levant les bras au ciel, comme une pin-up sortant d'un paquet-cadeau. Nous poussons en même temps un long cri de joie aigu. Louis se bouche les oreilles en faisant la grimace.

— Elles sont devenues folles !

Lisa se précipite vers moi et me serre dans ses bras. Je suis si heureuse de la sentir contre moi que les larmes me viennent aux yeux.

— Tu es venue me voir, c'est trop gentil !

— Je n'allais pas t'abandonner toute seule à l'hôpital.

Papa se lève de sa chaise en s'étirant.

— Bon, on va vous laisser tranquilles, les filles. Je vais en profiter pour passer deux trois coups de fil.

Ils sortent tous les trois. Lisa s'allonge à côté de moi sur le lit.

— Comment tu te sens ? me demande-t-elle.

— C'est carrément trop bizarre.

Ses yeux passent sur le diamant posé sur la tablette à roulettes, continuent leur chemin, puis son cerveau percute et son regard revient aussitôt sur la pierre.

– Attends, je rêve ou quoi ? Ce truc énorme, c'est pas un diamant quand même !

Elle l'attrape et l'examine de près.

– Mais si, un vrai de vrai ! lui dis-je avec fierté. Mon boulot, c'est de le tenir dans ma main et de le serrer fort.

– C'est ton doudou ?

Nous éclatons de rire.

– C'est encore plus cool que ce que je croyais, de faire partie du Power Club, dit Lisa.

Je tends la main ouverte devant elle.

– Mon diamant s'appelle Reviens.

*

– J'ai revu Joris hier avant de partir, lâche d'un coup Lisa.

– C'est vrai ? Sans déc ? Alors ? Ben dis-moi !

– Je n'en dirai pas plus, ma chère. C'est très intime, tu comprends.

– Allez !

– Je n'ai pas envie que tu ailles raconter mes histoires à tes copains du Power Club ! dit-elle d'un air scandalisé.

– Arrête ! Tu crèves d'envie de tout me dire.

– Tu es bien sûre de toi, ma petite Anna.

– Je te connais ! Non, et puis t'as raison. Je ne sais pas quel effet vont me faire les super-héros. À la première occasion, je risque de donner tous les détails à Bobby Mulligan ou Brian Pierce.

– Oh oui, raconte tout à Brian, ça m'excite !

— Non mais sans rire, Lisa, des fois tu me fais honte.

— La honte, c'est ce que ressentent les gens qui n'ont aucune imagination, me dit-elle avec un air sententieux. Parce que sinon ils auraient déjà eu envie de faire les pires trucs et plus rien ne les choquerait, tu vois ?

— Tu as toujours été très forte pour te justifier.

Quand je sors des toilettes, quelques minutes plus tard, Lisa examine encore une fois le diamant.

— Tu sais, Anna, on doit pouvoir se faire un max de blé avec ce caillou. Ce n'est pas le genre de machin qu'on laisse traîner.

— Arrête de jouer avec ça et rends-le-moi.

— Attrape !

Lisa me lance le diamant. Je le saisis au vol et, brusquement, il explose entre mes doigts avec un bruit sourd et puissant. Des fragments volent à travers la pièce. Certains morceaux sont projetés si violemment qu'ils s'enfoncent dans le mur. Lisa me fixe avec des yeux catastrophés.

— Anna... Mais qu'est-ce que t'as fait ?

J'ouvre ma paume et une fine poussière étincelante glisse jusqu'au sol.

— Lisa... s'te plaît... tu peux aller chercher mes parents ?

*

Mon père fait appeler le médecin dès que Lisa vient lui dire qu'il s'est passé un truc pas normal. Quand le docteur Lucas entre dans ma chambre, Lisa est en train d'essayer de dégager avec son ongle un morceau de diamant encastré dans le mur. Maman rassemble la poussière sur le sol avec une balayette. Papa observe l'ensemble, le regard consterné. Et moi ? Ben moi je reste debout dans un coin avec l'air constipé sans rien oser toucher d'autre. Cette scène fait beaucoup rire George Lucas.

— On dirait que le diamant a fait son office ! Anna, savez-vous que le diamant fait partie des minéraux les plus durs sur notre Terre ? Et vous venez de le pulvériser à main nue.

Je fixe mes mains avec un mélange d'horreur et de fascination.

— Oh mon Dieu ! s'exclame Lisa.

Louis se met à crier en sautant sur place :

— Anna est devenue super ! C'est une super-héroïne !

— Louis a raison, confirme le docteur Lucas. Et ce n'est que le début. Pour une raison que nous ne comprenons pas encore totalement, les boosters ont une prédilection pour les mains. Ils s'y installent en premier. Cette démonstration de force est le signe que le changement est en marche.

Lisa continue de s'acharner avec ses ongles pour déloger l'éclat de diamant. Sans cesser ses efforts, elle tourne la tête vers le médecin.

— Vous sacrifiez vraiment un diamant toutes les fois qu'un nouveau arrive ? demande-t-elle d'un ton scandalisé.

— Le Power Club a mis en place cette tradition depuis ses débuts. Comme celle des bouteilles de champagne qu'on brise sur la coque d'un navire, vous voyez ?

– Une bouteille de champagne, d'accord, mais un diamant ? Vous avez vu la taille de ce truc avant qu'Anna en fasse de la poussière ? Moi je n'appelle pas ça une tradition, c'est un crime !

– Notre amie italienne semble partager avec vous ce point de vue. Si vous aviez vu sa réaction le jour où elle a pulvérisé son diamant ! Je pense qu'elle en a été traumatisée pour le restant de ses jours.

Il se met à rire de bon cœur, mais Lisa ne partage pas son humour. Elle dirige à nouveau son attention vers l'éclat de diamant dans le mur qui refuse de se rendre.

– Et maintenant ?

– Maintenant, Anna, le processus va s'accélérer. Pendant les heures qui viennent, je vais vous demander d'être prudente. Pour le bien-être de tous, il vaut mieux que vous n'ayez aucun contact physique avec une autre personne. Pas de poignée de main, pas de bises, rien. Surtout pas de poignée de main ! Votre cerveau a besoin d'un temps d'adaptation pour évaluer sa nouvelle force. Nous avons déjà vu dans ces murs un jeune garçon écrabouiller les phalanges d'un infirmier par mégarde.

Papa me lance un regard en biais. Sa petite fille peut désormais lui coller une rouste sans transpirer.

– Nous allons laisser les boosters faire leur travail, déclare le médecin. À l'heure actuelle, ils galopent comme des fous pour atteindre toutes les parties de votre corps. Quand ils auront trouvé leur place définitive, ils s'installeront et se déploieront pour se mettre à leur aise.

— On dirait que vous parlez d'une armée, fait remarquer maman.

— Ou de pionniers fraîchement débarqués pour faire prospérer une terre inconnue. Toute cette armée, comme vous dites, est au service de votre fille. Elle va lui permettre de devenir une version améliorée d'elle-même.

— Qu'est-ce qui va m'arriver maintenant ? je lui demande.

— Nous n'irons pas plus loin aujourd'hui. Restez tranquille, ne touchez personne, et demain est un autre jour. Le jour trois, pour être précis. Et vous souvenez-vous de ce que j'ai dit à propos de cette journée ?

— Vous avez dit que le jour trois était le plus intéressant, répond mon père du tac au tac.

— Exactement ! « Intéressant » est le terme que j'ai employé. J'aime autant vous dire que cette formule est ce qu'on peut appeler un euphémisme de première classe.

CHAPITRE 11

Mes parents retournent à l'appartement avec mon petit frère après le dîner. Ils ont laissé beaucoup de choses en suspens pour s'occuper de moi et maintenant ils doivent rattraper leur retard.

Lisa a le droit de rester pour la nuit. Les infirmiers lui préparent le futon dans le salon qui communique avec ma chambre. Mais Lisa, fidèle à nos habitudes, préfère dormir à côté de moi. Elle traîne le matelas près de mon lit et on pourrait presque se croire à Paris, dans ma vraie chambre. Cette intimité retrouvée ne l'empêche pourtant pas de me regarder pendant toute la soirée comme si j'étais une grenade dégoupillée.

— Arrête de me fixer comme ça, Lisa ! C'est flippant.

— Attends, tu veux que je te dise un truc vraiment flippant ? Ma meilleure copine peut faire sortir mon cerveau par mes oreilles rien qu'en appuyant ses mains sur ma tête !

— Bah ! C'est vraiment dégueulasse comme image.

— Mais c'est vrai !

— Tu ne peux pas penser à des choses plus jolies, non ?

— Comme quoi ? Un petit lapin qui court dans les champs ? Et que ma meilleure amie peut transformer en steak haché en le serrant dans sa main ?

— Je croyais que tu étais là pour me soutenir.

— Pas après ce que tu as osé faire à ce pauvre diamant !

L'éclat de diamant est enfoncé trop profondément dans le mur, Lisa a fini par abandonner la partie. Elle glisse un coup d'œil rapide du côté de la pierre scintillante qui la nargue depuis tout à l'heure.

— Tu aimes trop les bijoux, Lisa. Un jour, tu vas te marier avec un mec simplement parce qu'il pourra t'en offrir autant que tu veux.

— Je ne vois pas où est le problème. C'est même mon critère pour trouver un bon mari.

Je repousse mon drap et me lève de mon lit. Lisa prend un air faussement effrayé.

— Oh non, Anna, je t'en supplie, ne me touche pas ! Je ne veux pas finir comme ce pauvre lapin qui courait dans son champ !

— T'es vraiment trop conne des fois, lui dis-je en souriant.

Je me plante devant le morceau de diamant.

— Oh non, Anna, continue Lisa avec sa voix suppliante. Tu ne vas pas t'en prendre à ce pauvre petit maintenant ? Ta cruauté n'a donc aucune limite ?

Je pose mon index contre la surface du mur. À cette seconde, mon esprit n'est pas complètement convaincu de ce qu'il fait. Mon corps, lui, est tout à fait au courant.

Avec une légère pression, j'enfonce mon doigt dans le mur, sans rencontrer aucune résistance. Je dois même me concentrer pour ne pas passer tout le bras à travers la cloison. J'entends Lisa qui se liquéfie dans mon dos.

— Anna... La vache...

Avec mon index je dessine un cercle autour du petit bout de diamant. Puis, comme un pêcheur esquimau dégageant le bloc de glace qu'il vient de scier, je retire le petit morceau de mur. Je le casse en deux pour donner le diamant à Lisa. Elle reçoit mon cadeau avec les yeux écarquillés et la mâchoire pendante, les deux mains tendues devant elle comme un affamé réclamant sa nourriture.

*

Nous discutons presque toute la nuit, allongées chacune dans son lit, les yeux fixés au plafond. Vers deux heures du matin, l'infirmière passe me voir. Elle baisse les yeux et découvre Lisa couchée par terre sur son matelas.

— Ben qu'est-ce que vous faites là ?

— C'est une tradition française, répond Lisa. Vous ne pouvez pas comprendre, c'est culturel. Vous savez, les cuisses de grenouille, les escargots, dormir par terre, tout ça quoi...

— Vous ne dormez pas encore ? me dit l'infirmière en changeant de sujet.

Elle a vite compris qu'essayer d'avoir une conversation raisonnable avec Lisa ne ferait que lui donner mal à la tête.

— Nous faisons trop de bruit ?

— Non, pas du tout, mademoiselle Granville, vous êtes la seule à occuper une chambre au vingtième étage. Pensez à vous reposer tout de même. Une grosse journée vous attend demain.

Elle referme néanmoins la porte avec précaution, comme si elle ne voulait pas réveiller d'éventuels dormeurs oubliés dans un coin. Lisa se met à bâiller bruyamment.

— Le décalage horaire est en train de me rattraper.

— Tu veux dormir ?

— Jamais de la vie ! Je suis dans l'immeuble du Power Club ! Je vais pouvoir frimer avec ça jusqu'à la fin de mes jours. Pas question que je perde une seule seconde.

Elle se redresse brusquement sur ses coudes.

— Oh, j'ai une idée !

— J'aime pas quand tu dis ça.

— Non mais sans déconner, je viens d'avoir une idée géniale !

— La dernière fois que tu as dit ces mots, on s'est retrouvées toutes les deux quasiment à poil sous la pluie.

— Oui, mais qu'est-ce qu'on s'est marrées, hein ?

L'enthousiasme de Lisa ressemble à une avalanche qui vous arrive dessus. Vous savez que vous allez vous faire écrabouiller mais vous ne pouvez pas regarder ailleurs.

Notre petit manège est bien rodé. Elle va maintenant garder le silence pour m'obliger à lui demander ce qu'elle a en tête. C'est plus fort que moi. Quand elle commence à sourire avec le regard perdu dans le vague, quelque chose au fond de mon cerveau se dit : « Allez, arrête de faire ta dure à cuire, tu meurs d'envie de découvrir son nouveau plan débile. »

C'est exactement de cette façon que nous sommes devenues amies. Lisa était ma voisine de table en CM1. Je la connaissais depuis moins de deux jours quand elle a dit : « Je crois que j'ai une idée géniale ! » L'idée en question (vérifier une théorie selon laquelle il existerait un passage secret pour s'évader de l'école) a mobilisé sept gendarmes pour nous retrouver et nous a valu une photo dans le journal. Ainsi qu'une engueulade de la maîtresse avec convocation des parents.

À l'époque, j'avais réussi à tenir cinq minutes avant de lui demander quelle était son idée si extraordinaire. Aujourd'hui, après des années d'expérimentation d'idées géniales toutes plus catastrophiques les unes que les autres, et autant de fous rires, je sais que je ne résisterai pas plus de trente secondes.

— Alors c'est quoi ton idée, Lisa ?

Cette question est la formule magique qui fait grandir irrésistiblement son sourire depuis le coin de ses lèvres jusqu'à la prunelle de ses yeux.

— Pourquoi on ne profiterait pas de la nuit pour faire un tour du propriétaire ? Y a pas un rat dans les couloirs, personne ne nous verra !

— T'es folle ?

— Je veux en voir le plus possible ! Ta chambre, ou plutôt ta suite royale, devrais-je dire, est géniale mais elle ressemble juste à un hôtel de luxe. Ce n'est pas ça le Power Club ! Il doit y avoir des laboratoires secrets, des lieux interdits. Cet immeuble est bourré de trucs confidentiels, j'en suis sûre !

Elle se lève d'un coup.

— Allez, Anna, on y va !

— Désolée de te le dire, Lisa, mais ça ressemble à une de tes idées à la con.

— Tu es toute pardonnée, ma chère, me répond-elle en arrachant les couvertures de mon lit. Les idées à la con sont la fierté de ma famille depuis le XVIIIe siècle. Est-ce que je ne t'ai jamais parlé de mon ancêtre Honoré ?

— L'inventeur de la machine à respirer sous l'eau ?

— Celui-là même ! Mort noyé à la première utilisation. Un type aussi idiot ne peut pas être foncièrement mauvais.

— Ce gars-là est vraiment ta référence ?

Lisa entrouvre la porte discrètement. Le cou tendu, elle inspecte le couloir.

— Y a personne, chuchote-t-elle. Allez, viens !

Je la rejoins près de la porte.

— Mais tu veux voir quoi exactement ?

— Tout ! Nous sommes au Power Club, Anna ! Les boosters t'ont bouffé les neurones ou quoi ?

Elle pose la main sur mon dos pour me pousser dehors.

— Vas-y, passe devant !

— Pourquoi moi ? C'est ton idée !

— J'ai pas de superpouvoirs, moi ! Je ne fais pas de trous dans le mur rien qu'avec le doigt. Je ne suis même pas sportive ! Le prof d'EPS n'a pas tilté que j'avais mes règles depuis six mois.

Je me retrouve au milieu du couloir. Personne à droite ni à gauche. J'entends Lisa qui pouffe dans mon dos. Je me retourne brusquement pour lui chuchoter :

— Arrête de ricaner, on va se faire choper !

— Y a personne ?

— Ben non !

— C'est parti, dit Lisa en filant à côté de moi.

— Hé ! Tu vas où ?

— Je suis mon instinct, répond-elle en se dirigeant droit sur une porte. Tu apprendras que plus on fait de choses interdites dans la vie, et plus on développe une sorte de sixième sens pour en faire encore plus.

Elle ouvre la porte et, pour marquer le bien-fondé de sa théorie, me présente fièrement avec la main l'escalier qu'elle vient de découvrir du premier coup.

— Ta-daaa !

— Tu es sûre de toi, là ?

Sans me répondre, elle grimpe les marches quatre à quatre. Je la suis en la maudissant. Cinq étages plus haut, je la retrouve penchée en avant, à bout de souffle, les deux mains posées sur les cuisses.

— On monte jusqu'où comme ça, Lisa ?

— Han... han han... Pourquoi... pourquoi t'es pas essoufflée, toi ? Han... Tu ne transpires même pas !

— Je peux savoir où on va ?

— J'en sais rien mais... han... mais les trucs les plus secrets sont toujours planqués en hauteur.

Avec ses yeux de chien battu elle me demande :

— Tu veux pas me porter, Anna ?

— Même pas en rêve.

En atteignant le palier du vingt-septième étage, j'entends la voix de Lisa dans mon dos :

— Anna... Hé, Anna, c'est bon ! On s'arrête là !

Elle se pose sur la dernière marche.

— On est montées assez haut pour toi ?

— Ça fera très bien l'affaire. De toute façon, c'est ça ou la crise cardiaque.

Lisa prend deux minutes pour retrouver son souffle. Je profite de son instant de faiblesse pour tenter de la raisonner.

— Ce n'est pas trop tard pour faire demi-tour, tu sais.

Elle se dresse d'un coup sur ses jambes, à nouveau en pleine forme et déterminée. Avec son pyjama Super-Souris spécialement acheté pour l'occasion, elle ressemble à une timbrée.

— Ma pauvre Anna ! Comment espères-tu devenir une super-héroïne avec cette mentalité ?

Elle ouvre la porte d'accès à l'étage avec prudence.

— On dirait des bureaux, chuchote-t-elle, il y a de la moquette par terre et une fontaine à eau dans le fond.

— C'est passionnant, lui dis-je. Je crois qu'on tient quelque chose.

— Participe un peu à l'aventure au lieu de jouer les grands-mères.

— Non mais je sais où on est. Je suis venue ici il y a trois jours pour rencontrer les avocats du club. Y a rien à voir ici.

— Le bureau des avocats ? Mmmm... Ça doit regorger de secrets, tu veux dire !

Elle pousse la porte et avance à pas feutrés sur la moquette. Je marche derrière elle en soupirant. Lisa longe les baies vitrées derrière lesquelles s'alignent les bureaux.

— Je suis extrêmement déçue, me dit-elle. Ils ont des bureaux normaux, des plantes en pot et même des trombones. Non mais sans déconner, des trombones ? Au Power Club ?

Elle actionne la poignée de porte d'un bureau, mais c'est fermé à clé.

— Arrête, tu vas nous mettre dans le caca avec tes histoires.

Au bout de l'allée, elle s'agenouille au coin du mur pour glisser un regard prudent dans le couloir transversal.

— Enfin ! Objectif en vue !

Je me penche à mon tour pour regarder. Lisa pointe du doigt un bureau éclairé à une dizaine de mètres de nous.

— Nous allons espionner les avocats du Power Club !

Et elle part à quatre pattes sur la moquette. Je tends la main pour la retenir mais j'arrête aussitôt mon geste. Et si je lui arrachais la jambe sans le faire exprès !

À mi-chemin, Lisa me fait signe de la suivre. J'avance comme elle à ras du sol pour passer sous les baies vitrées. Dans cette position nous sommes invisibles. Je rejoins mon amie qui est assise dos à la cloison, juste à côté de la porte du bureau allumé. Les voix étouffées de plusieurs hommes nous parviennent depuis l'intérieur. Il est très difficile de comprendre ce qu'ils disent.

— On n'entend rien. Allez, on rentre avant de se faire choper !

Elle colle à son tour ses lèvres contre mon oreille en mettant sa main en protection.

– Une réunion secrète de nuit au Power Club ? Ça sent l'urgence. Je veux savoir de quoi ils parlent !

Lisa plaque son oreille contre la porte, mais visiblement cela ne suffit pas. Elle tend la main et je sais ce qu'elle va faire, je n'en ai aucun doute.

– Non ! Non !

Très précautionneusement, elle appuie sur la poignée. La porte s'ouvre doucement, créant un petit interstice suffisant pour distinguer parfaitement les voix. Elle reprend rapidement place, dos à la cloison, en levant un pouce victorieux.

– On ne peut pas tenir les Baker à l'écart plus long-temps, dit l'un des avocats. C'est notre devoir moral.

– Joel, si tu veux bien, on verra plus tard les ques-tions morales, lui répond une voix familière située près de la porte. Il faut d'abord se préoccuper des problèmes juridiques.

– Entièrement d'accord, ajoute un autre. Il faut voir les faits, sans y mêler des émotions qui seraient nuisibles.

– Même en se limitant aux faits, ce n'est pas brillant, reprend la première voix. Jason Baker est décédé depuis une quinzaine d'heures et ses parents ne sont toujours pas au courant.

Cette révélation me fait l'effet d'un bain glacé. Lisa se tourne vers moi en ouvrant des yeux ébahis. Elle articule silencieusement : « Jason Baker est mort ?! »

CHAPITRE 12

Jason Baker est l'un des super-héros du Power Club. Comment peut-il être mort ? Un accident ? Impossible, Jason est invulnérable. Une maladie ? Impossible également, les boosters sont des sortes de super-anticorps, ils détruisent toute menace biologique.

Et si les sites Internet prédisant le pire avaient raison ? Les dizaines de chevaux, chiens et rats sacrifiés pour les tests n'ont peut-être pas permis de résoudre tous les problèmes. Et si les boosters eux-mêmes avaient tué Jason en dévorant ses boyaux depuis l'intérieur ?

— Nous devons conclure un accord avec les parents de Jason dans les prochaines heures, dit l'un des avocats. Le club ne peut pas se permettre un procès. Cela nuirait à son image de manière indélébile. N'oublions pas que nous sommes des super-héros, pas des repris de justice.

— Alors je te laisse leur annoncer la nouvelle, lui répond un autre. « Monsieur et madame Baker, votre fils est mort.

Maintenant, si vous voulez bien signer cet arrangement à l'amiable ! »

— Être ironique ne fera pas avancer les choses ! Je dis juste que dans l'intérêt du club nous devons mettre les parents de notre côté.

— Tu as raison ! Ils vont même nous dire merci, j'en suis sûr !

Le ton commence à monter entre les avocats. La voix qui les rappelle à l'ordre et ramène le silence me coupe le souffle.

— Messieurs, vous perdez votre sang-froid ! dit Elizabeth Foster.

Lisa sent ma réaction et m'interroge du regard. Je lui murmure à l'oreille :

— C'est la directrice du Power Club !

— Je suis venue vers vous avec un problème, continue Elizabeth Foster. Pour la première fois de son histoire, le club vit le drame du décès de l'un de ses membres. Ces enfants sont des super-héros mais pas des dieux, cela devait bien finir par arriver un jour. L'immortalité n'a jamais fait partie de nos prestations. Je suis même surprise et déçue de voir qu'aucun de vous ne s'est jamais intéressé à la question.

— Vous ne pouvez pas nous reprocher ça, madame Foster...

— S'il vous plaît, Richard, laissez-moi finir. Nous sommes tous bouleversés et c'est bien normal. Néanmoins nous devons réagir en professionnels. En tant que responsable du Power Club, mon devoir est de protéger ses membres. Un scandale salirait l'image de tous ces enfants et rejaillirait sur leurs familles. N'oublions pas que nous avons affaire aux gens les plus riches de cette planète. Nous ne pouvons tout simplement pas dire aux parents de Jason que leur fils a été assassiné.

En entendant ce mot, Lisa se tourne vers moi en ouvrant des yeux exorbités. Je dois faire exactement la même tête. La directrice continue de donner ses directives aux avocats.

— Examinez le règlement intérieur du club, trouvez l'angle d'attaque qui nous épargnera un procès, c'est tout ce que je demande. Vous avez toute la nuit. Je préviendrai les parents de Jason à l'aube. Et je compte sur vous pour rédiger la déclaration que je ferai à la presse. Je ne veux pas y voir figurer les mots meurtre ou assassinat. La mort de Jason doit provoquer le chagrin parmi le public, et non pas la suspicion, l'intérêt malsain et les rumeurs.

— Anna, ça craint à mort, on doit se tirer en vitesse, me murmure Lisa à l'oreille.

Elle commence à partir à quatre pattes mais, en voyant que je ne bouge pas, elle fait demi-tour et saisit ma cheville pour m'obliger à la suivre. Elle relâche aussitôt sa prise en poussant un petit cri.

Nous nous figeons en regardant du côté du bureau éclairé. Heureusement pour nous, ils sont trop occupés là-dedans pour nous avoir entendues. Lisa me montre la paume rougie de sa main.

— Ta cheville est brûlante ! chuchote-t-elle avec nervosité.

139

Pourtant je ne sens pas de chaleur dans mon pied ni même dans mon mollet. Par contre, quand je pose la main dessus, une intense sensation de picotements parcourt mes doigts. Nous nous éloignons sans faire de bruit.

Dès que nous sommes de retour dans les escaliers, Lisa me demande avec angoisse :

– Qu'est-ce qu'elle a, ta cheville ? Pourquoi elle brûle comme ça ?

– J'en sais rien ! Je sais pas si c'est normal !

– Tu trouves ça normal, toi ?

– J'ai dit que j'en sais rien !

Lisa ne tient pas en place. Elle sautille dans son pyjama Super-Souris, complètement flippée.

– T'as entendu ça, Anna ? Jason Baker est mort ! Il a été assassiné ! C'est carrément pas possible et pourtant il est mort !

– Parle moins fort, Lisa, on va se faire repérer...

– Mais c'est l'hallu, non ? On est tombées sur un secret d'État ! La vache ! J'en ai les mains qui tremblent ! T'as entendu ? Ils font un complot là-dedans ! C'est la merde, Anna ! On est à fond dedans, j'te dis, on est dans la merde jusqu'au cou !

Passant outre les consignes, j'empoigne Lisa par les épaules pour la maintenir en place. J'utilise toute ma concentration pour ne pas la blesser.

– Calme-toi, Lisa, tout va bien. On n'a aucun problème parce que personne ne nous a vues.

– Mais Jason Baker ? Il est mort ! Comment quelqu'un a pu tuer un super-héros ?

– Ouais, bon d'accord, ça, ça craint...

Tout à coup, les yeux de Lisa quittent mon visage pour se déplacer vers le bas. Son regard continue sa descente le long de mon corps jusqu'à s'immobiliser au niveau de mes pieds. Son air absolument stupéfait m'incite à baisser les yeux à mon tour.

Mes talons flottent à cinq centimètres du sol et pourtant je me sens posée par terre.

– Anna... Anna... tu touches plus terre...

Je soulève doucement mon pantalon de pyjama pour dégager la vue de mes pieds en pleine lévitation involontaire. Lisa s'accroupit pour faire des va-et-vient avec sa main dans l'espace vide.

– Ouaaahhh... s'exclame-t-elle en se relevant lentement. C'est la nuit la plus démente de toute ma vie !

– Comment est-ce que je redescends, moi ?

Lisa me regarde dans les yeux et commence à rire nerveusement.

– Lisa, par pitié, non...

Comme je le craignais, son rire nerveux prend de l'ampleur. Nous allons tout droit vers l'un de ses fous rires désastreux. Et dans le genre, celui-ci s'annonce carabiné. Angoisse, joie, stress, soulagement, Lisa a tendance à exprimer les émotions qui la submergent sous forme de rires incontrôlés.

– On retourne dans ma chambre en vitesse ! Passe devant !

Lisa dévale les premières marches en éclatant de rire. Elle se retourne et voit que je la suis en prenant appui dans le vide, à une dizaine de centimètres des marches. Cette vision fait redoubler son fou rire.

– Descends, Lisa ! Ne t'arrête pas !

Son rire est si bruyant que je m'attends à voir débarquer des vigiles à chaque seconde. Heureusement, notre descente précipitée lui coupe vite le souffle. Elle titube de marche en marche jusqu'à se laisser tomber assise sur le palier du vingt-deuxième étage.

– Lisa, plus que deux étages !

– J'en… han… J'en peux plus !… Han… j'vais…

Elle montre du doigt mes pieds qui ne touchent toujours pas terre. Et recommence à rire comme une folle furieuse.

– Lisa, si tu n'arrêtes pas tout de suite, je t'enfonce ça dans le crâne jusqu'à ton cerveau d'hystérique, lui dis-je en rapprochant mon index de son visage.

Ses yeux louchent sur le bout de mon doigt, et son rire s'arrête net. Nous arrivons enfin au vingtième étage.

Mon impression est très étrange. Je vois bien que je ne touche pas le sol, et pourtant j'avance tout à fait normalement en mettant un pied devant l'autre. Le vide devient élastique et s'adapte aux contours de mon corps. Il le porte comme un coussin d'air qui m'obéirait au doigt et à l'œil.

Lisa, qui retient ses ricanements dans mon dos, me ramène à la réalité. Le couloir est désert, nous pouvons y aller.

Nous trottinons rapidement jusqu'à la porte de ma chambre. Je lui fais signe de passer la première. Elle plonge sous les couvertures de son lit en laissant éclater son rire hystérique.

– Lisa, c'est pas le moment de rigoler ! Y a rien de drôle, là !

Une fois couchée, je glisse la main entre mon dos et le matelas. J'ai peur que tout mon corps ne soit en lévitation. Mais non, tout va bien de ce côté-là.

Lisa a fini par se calmer. Elle ressort de sous les couvertures avec les yeux gonflés et les joues couvertes de larmes, les cheveux complètement ébouriffés, à bout de souffle.

– C'est génial, lui dis-je, on dirait une sorcière défoncée.

Ses yeux se fixent sur le fond de mon lit. Mes pieds qui planent à au moins vingt centimètres du matelas dessinent deux petites montagnes sous la couverture. Cette vision ridicule a pour effet de relancer son fou rire, à un point tel qu'elle n'arrive plus à reprendre son souffle.

Ma mauvaise humeur grandit en intensité. « Avec un peu de chance, me dis-je, elle va mourir étouffée. Ça me fera des vacances. »

CHAPITRE 13

Aussi incroyable que cela puisse paraître, nous parve-
nons finalement à nous endormir vers trois heures et
demie du matin. Mes pieds finissent par retomber d'eux-
mêmes. Je les regarde descendre lentement, comme s'ils
prenaient un ascenseur invisible qui les déposerait au
niveau du matelas. Je suis sur le point de prévenir Lisa
pour qu'elle assiste au phénomène, mais je me retiens
à temps. Elle vient tout juste de s'endormir entre deux
hoquets nerveux. Ensuite, je ferme les yeux et sombre
à mon tour dans un profond sommeil.

L'infirmière nous réveille quatre heures plus tard en
actionnant l'ouverture des stores.

— Debout, mesdemoiselles, nous dit-elle d'une voix
enjouée.

Lisa pousse un grognement et tire le drap au-dessus de
sa tête. Je m'assois dans mon lit.

— Aujourd'hui, vous changez d'étage et de chambre,
mademoiselle Granville. Nous allons vous installer à

l'étage du dessous. Vous n'avez plus besoin de surveillance médicale. Le jour trois marque le début de votre entraînement.

Elle enjambe le lit de Lisa avec un regard désapprobateur.

— Je vous apporte votre déjeuner. Pouvez-vous dire à votre amie de bien vouloir libérer le chemin ?

Quand elle est sortie, je donne un petit coup de pied dans le matelas de Lisa pour la réveiller. Je fais le mouvement mécaniquement, sans réfléchir. Mon geste propulse le lit d'appoint à l'autre bout de la pièce, où il atterrit violemment contre le mur. Le corps de Lisa rebondit et retombe lourdement. Elle ouvre de grands yeux effarés en se dressant sur ses coudes. Je plaque mes deux mains contre ma bouche en disant :

— Oh Lisa ! J'suis désolée !

Elle jette autour d'elle des regards affolés.

— Qu'est-ce qui se passe ! Qu'est-ce qu'y a ?

Les cheveux ébouriffés et des cernes sous les yeux, elle tourne lentement la tête en direction du mur qui est maintenant tout près d'elle. Son regard passe ensuite à mon pied qui oscille encore doucement dans le vide. Le cerveau de Lisa analyse la situation et additionne un plus un. Elle me lance un regard furieux.

— Je rêve ou tu viens de me shooter contre le mur ?

— Pas fait exprès !

L'infirmière revient dans la chambre en poussant devant elle le chariot du petit déjeuner. Lisa se prend dans l'épaule la porte qui s'ouvre en grand.

– Aïe !

L'infirmière pivote et découvre Lisa plaquée contre le mur.

– Qu'est-ce que vous faites là, mademoiselle ? C'est dangereux de rester derrière une porte !

L'air furibond de Lisa est si comique que j'éclate de rire.

– C'est une tradition française, dis-je à l'infirmière. Ça veut dire que la journée va être bonne !

L'infirmière nous laisse le chariot du petit déjeuner dans le salon d'à côté. Quand je me retrouve seule avec Lisa, nous abordons le sujet qui nous préoccupe.

– Qu'est-ce qu'on fait pour le meurtre de Jason Baker ? me demande Lisa.

– J'en sais rien, moi ! S'il est vraiment mort, on ne peut plus rien pour lui. Je suis sûre que le club va chercher par tous les moyens celui qui l'a tué. Ils vont s'en occuper, c'est certain.

– Ouais, d'accord, mais bon, on les laisse comploter comme ça ? Ils vont raconter des craques à ses parents ! T'as entendu, non ?

– Je sais, ça craint.

– Ah ouais, tu peux le dire !

– Mais ils ont peut-être de bonnes raisons. Si ça se trouve, ils attendent d'arrêter son meurtrier avant de dire la vérité. Pour éviter la panique, tu vois ?

Lisa me regarde avec scepticisme et engouffre une tartine de confiture. Une chose est sûre, le drame ne lui a pas fait perdre l'appétit.

– Je crois qu'il vaut mieux ne rien faire pour l'instant, lui dis-je. De toute façon, ils ne vont pas pouvoir garder leur secret très longtemps. La vérité finira forcément par sortir un jour. L'assassinat d'un super-héros, ce n'est pas le genre de truc qu'on peut cacher sous le tapis. C'est quand même énorme !

– Tu peux le dire ! C'est carrément le premier super-héros qui meurt ! Je ne savais même pas que c'était possible ! D'ailleurs, normalement non, ce n'est pas possible.

– Tu sais, Elizabeth Foster a raison, on n'est pas immortels. Il fallait bien que ça arrive un jour ou l'autre.

– Ah bon ? s'étonne Lisa. Toi, ça ne t'étonne pas plus que ça ? Le baratin des avocats va te suffire pour dormir tranquille ? Pourtant, ça te concerne un peu maintenant, non ? C'est ton collègue de bureau, là, qui vient d'y passer. Tu crois que Spider-Man n'en aurait rien à battre si Iron Man se faisait trucider ?

– Je ne dis pas que je m'en fous, Lisa ! Je dis juste qu'il vaut mieux attendre d'en savoir plus, c'est tout ! On est obligées d'être prudentes.

– Ouais...

– Alors t'es d'accord, on arrête de fouiner et on attend de voir ?

– Ouais, ouais, comme tu veux.

Elle engloutit une autre tartine. De la confiture dégouline sur son menton. Je lui dis en faisant la grimace :

– Je ne comprends pas comment tu peux t'empiffrer comme ça ! Y a rien qui te coupe l'appétit ?

— C'est mon superpouvoir personnel, me répond-elle en mâchant sa tartine.

*

Maman me téléphone pour me prévenir qu'ils arriveront un peu en retard.

— Je suis désolée, ma chérie, mais nous avons laissé trop de dossiers en attente depuis que nous sommes arrivés. Nous faisons au plus vite. Tu as passé une bonne nuit ?

— Oui, ça va.

— Je parie que vous n'avez pratiquement pas dormi.

— Ben, tu connais Lisa. Je n'ai pas encore trouvé la recette miracle pour la faire taire.

— Et sinon, tu n'as pas eu de nouvelles manifestations bizarres de tes pouvoirs ? Rien depuis le diamant ?

— J'ai un peu marché sur l'air, si c'est ça que tu veux dire.

— Hein ? Quoi ? Tu as volé ?

— Non pas vraiment... Enfin si, un peu. Mes pieds ne touchaient plus le sol, quoi.

Je l'entends s'écrier pour que mon père l'entende :

— Daniel ! Ta fille a volé !

Je passe sous silence l'autre partie de la nuit, celle concernant les avocats comploteurs et la directrice qui dissimule la mort d'un enfant à ses parents. Quelque chose me dit que cet aspect de mon séjour au Power Club enthousiasmerait nettement moins ma mère.

L'infirmière m'apporte des vêtements de sport. Lisa se met à pouffer quand elle me voit sortir de la salle de bains en survêtement.

— Alors là, c'est carrément du délire ! Anna, la reine du « j'suis trop nase pour marcher », équipée pour faire les jeux Olympiques. J'peux prendre une photo, s'te plaît ?

— Lisa, tu sais, quand tu es arrivée hier et que j'étais supercontente ? Eh ben c'est fini.

— Vous êtes prête, mademoiselle Granville ? me demande l'infirmière en ouvrant la porte. James vous attend.

Nous descendons d'un étage, moi avec mon survêtement rouge, et Lisa avec sa petite jupe et son débardeur ultrachic. Je ressemble à un sac et elle à une élégante Parisienne. L'impression d'angoisse et de menace reste présente mais, grâce à la lumière du jour et la bonne humeur à toute épreuve de Lisa, je parviens à me décontracter un peu. Et puis je suis extrêmement curieuse de découvrir ce que me réserve cette nouvelle journée.

L'infirmière nous guide dans les couloirs du dix-neuvième étage, jusqu'à un grand gymnase. Ce qui étonne d'abord, ce sont les matelas qui tapissent intégralement le sol, les murs et le plafond. À première vue, la salle ressemble à une cellule capitonnée extralarge pour fous furieux. Un homme d'une trentaine d'années nous attend au centre de la pièce.

— Bonjour, Anna, me dit-il d'un ton chaleureux. Je m'appelle James et je serai votre coach le temps de votre entraînement. Je suis enchanté de faire votre connaissance. Bonjour, mademoiselle, ajoute-t-il pour Lisa.

Le James en question est très beau gosse. Lisa minaude dès qu'elle porte ses yeux sur lui. Elle lui sourit et joue les timides, alors que dans sa tête le garçon danse à poil sur une table devant elle. James lui donne une sobre poignée de main et explique à mon intention :

— Désolé si je ne vous serre pas la main, Anna, mais je tiens à mes doigts.

Une pensée effrayante me traverse l'esprit. Cela veut-il dire que je ne pourrai plus toucher personne pendant les huit ans qui viennent ? James semble lire dans mes pensées car il me rassure aussitôt :

— Mais ne vous inquiétez pas, nous sommes là pour que vous appreniez à vous servir de vos nouvelles capacités. Leur maîtrise n'est qu'une question d'habitude et de pratique. Vous êtes prête ?

Je fais oui de la tête sans avoir la moindre idée de ce à quoi je dois m'attendre. James désigne à Lisa une pièce vitrée surplombant la salle.

— Je vais vous demander de vous mettre à l'abri là-haut, s'il vous plaît, mademoiselle. La vitre de protection a l'épaisseur d'un mur.

Lisa obéit, non sans accentuer le balancement de ses hanches tout en s'éloignant. Elle monte les escaliers et s'enferme à l'abri derrière le panneau de verre. Je la vois s'installer confortablement dans un grand canapé. Sur la petite table devant elle, des fruits et des viennoiseries ont été disposés. Elle s'installe en croisant les jambes puis se sert un grand verre de jus d'orange. Je la vois croquer avec appétit dans un croissant qu'elle engloutit à moitié.

La bouche pleine et les joues rebondies, Lisa me nargue en souriant et en me faisant coucou de la main.

– Bien, Anna. Il faut que vous compreniez comment votre corps fonctionne à présent. Les boosters qui l'ont modifié ont également changé la façon dont vous perceviez le monde avec vos sens. Vous avez maintenant la sensation qu'il y a un vide entre votre main et les objets que vous saisissez. Cette impression est fausse, et elle a tendance à vous pousser à utiliser une force excessive. Comme si votre cerveau cherchait à récupérer la petite distance qu'il croit percevoir entre votre corps et ce qui vous entoure.

James va chercher une boule de bowling posée au sol, contre le mur. Il revient et s'arrête à cinq mètres de moi.

– Attrapez ceci, s'il vous plaît.

Les bras tendus, le dos bien droit, il plie les jambes pour prendre son élan et me lancer la boule qui pèse plusieurs kilos. Je la saisis au vol à deux mains. La boule explose entre mes doigts qui l'ont écrasée involontairement.

– Oh, j'suis désolée !

J'entends le rire de Lisa qui résonne dans la pièce.

– C'est normal, Anna. J'ai lancé la boule pour que vous n'ayez pas le temps de réfléchir. Ce sont ces moments-là qui sont les plus risqués en termes de contrôle.

Lisa continue à se marrer comme une baleine en engloutissant un muffin.

– Il y a un micro dans l'abri ?

– Oui. Vous voulez qu'on le coupe ?

– Oui, s'il vous plaît.

James hausse la voix pour être capté par les micros :

– Mademoiselle, vous m'entendez ?

Lisa répond :

– Euh oui…

– Vous voyez le petit bouton orange situé près de la vitre ?

– Oui.

– Pouvez-vous appuyer dessus, s'il vous plaît ?

– D'accord.

– Voilà, c'est fait, me dit-il. Reprenons.

Il va chercher une deuxième boule de bowling.

– Nous allons répéter l'expérience. Mais cette fois-ci je veux que vous visualisiez une coque invisible de deux ou trois millimètres autour de la boule. Vous allez essayer de saisir cette enveloppe et non plus la boule elle-même.

Il lance la deuxième boule. Elle se brise mais n'éclate pas. Je me retrouve avec un fragment craquelé entre les mains.

– C'est mieux, on recommence.

*

Mes parents arrivent avec mon frère une heure plus tard, pour le déjeuner. Ils débarquent au moment où une équipe de nettoyage est en train d'enlever les débris de la trentaine de boules qui ont succombé entre mes doigts. Ils ramassent aussi les dizaines de barres de fer que j'ai tordues à main nue. Comme mon père est déçu d'avoir raté ça, je casse une barre en deux en la serrant entre le pouce et l'index.

– Ouaaahh, dit-il avec admiration. J'avais déjà vu ça à la télé, mais en vrai c'est beaucoup plus impressionnant !

L'excitation de Louis est à son comble. Il sautille sans arrêt sur place, comme s'il était victime d'une énorme envie de faire pipi.

Nous déjeunons tous les cinq à un autre étage de l'immeuble. Une salle à manger est aménagée pour accueillir des invités. Un chef cuisinier s'est déplacé pour nous préparer le repas dans les cuisines ultramodernes du club. En dehors de son restaurant, il est célèbre pour son émission de télévision.

Après le déjeuner, il vient me demander si j'accepte de me faire prendre en photo avec lui. Le mur de son restaurant est couvert de photos de lui en compagnie des plus grandes vedettes. « Mais, ajoute-t-il avec un sourire gourmand, je n'ai encore jamais eu de membre du Power Club ! » Nous prenons la pose à côté d'une fenêtre. Il a l'air si heureux de me compter parmi ses trophées que je me sens comme un poisson qu'il viendrait de pêcher.

L'entraînement reprend dès la fin du repas. Mes parents et Louis rejoignent Lisa dans l'abri. James revêt une combinaison semblable à celle utilisée pour dresser les chiens d'attaque. Son corps est entièrement protégé. Il porte un casque intégral, et ses membres sont recouverts d'une mousse épaisse. Ma silhouette d'ado de dix-sept ans a l'air ridiculement fragile à côté de lui.

– C'est vraiment nécessaire, tout ce bazar, James ?
Je ne vais pas vous mordre, vous savez.

– Nous attaquons la partie la plus délicate car la moins
naturelle pour un être humain. Vous allez vite comprendre
pourquoi je dois me protéger.

Lisa a dû expliquer le fonctionnement du micro à
maman car j'entends sa voix qui résonne dans la pièce :

– Excusez-moi, monsieur, c'est madame Granville.
Je suis un peu inquiète de vous voir avec cet accoutre-
ment. Anna ne risque rien ?

– Maman, laisse-le travailler !

– Ne soyez pas inquiète, madame Granville, je suis
le seul qui craigne quelque chose ici.

James reporte son attention sur moi.

– Anna, vous avez sûrement déjà senti une modification
de votre perception du vide.

– En fait, cette nuit j'avais les pieds à dix centimètres
du sol.

– Très bien. Nous allons répéter l'expérience.

– Mais je ne sais pas comment faire ! C'est arrivé tout
seul.

– Imaginez un coussin d'air sous la plante de vos pieds.
Ce coussin d'air sort progressivement du sol, millimètre
par millimètre, et vous pousse vers le haut comme un
ascenseur. Très doucement, très lentement.

– Il ne se passe rien, lui dis-je avec un peu de contrariété.

– Baissez les yeux.

Je lui obéis et constate que je ne touche plus le sol.
Quelques centimètres de vide me séparent des matelas.

Je repense aux images vues sur Internet des membres du club qui volent au-dessus des nuages. Je me vois déjà à leur place, filant dans le ciel comme une fusée.

– Le vide est désormais votre point d'appui. Il faut que vous communiquiez avec lui si vous voulez vous déplacer. Nous allons tenter un déplacement plus important. Visualisez un gros coup de vent qui vous arrive dans le dos. Un vent très puissant semblable à une tempête qui soulève les voitures et arrache les arbres.

Je ferme les yeux pour me concentrer, mais tout ce qui me vient, ce sont des images d'actualités : des gens qui marchent courbés sous la pluie ; des vagues couvertes d'écume qui débordent sur les jetées. En tout cas, rien qui me fasse avancer.

– J'y arrive pas !

– Restez concentrée, Anna. L'échec fait partie de l'expérience. Il vous sert à exclure ce qui ne marche pas. Je vous ai proposé l'exemple du vent car il est habituellement le plus parlant, mais c'est à vous de trouver votre propre image. Vous devez découvrir par vous-même comment votre corps fonctionne.

Je respire un grand coup et pense au trampoline dans le jardin de ma tante. Quand j'étais petite, j'adorais rebondir dessus. Mon mouvement préféré consistait à sauter le plus haut possible pour me laisser tomber sur le dos. Je profitais ensuite de la poussée du trampoline qui me relevait en me projetant en l'air. Le souvenir est si vif que je peux encore sentir dans mon dos la résistance et l'élasticité du trampoline.

Tout à coup, une énorme pression se plaque contre mon dos. Un ressort gigantesque me propulse à une vitesse terrifiante vers l'avant.

Mon départ est si foudroyant que je renverse James au passage. Il est éjecté aussi violemment que si un camion l'avait percuté. Je me protège avec mes bras en voyant le plafond m'arriver droit dessus. L'élan me fait rebondir jusqu'au sol où je pars en ricochet en tapant alternativement en haut et en bas. Les matelas encaissent les coups en émettant un petit souffle. Incapable de m'arrêter, je continue à prendre de la vitesse en rebondissant du sol au plafond pour finir par m'écraser avec violence contre le mur d'en face. Les murs tremblent sous l'impact. Quand je m'immobilise enfin, un pan entier de matelas se détache du mur et tombe à mes pieds.

Je ne ressens ni douleurs ni vertige, mais il me faut tout de même quelques secondes pour recouvrer mes esprits. Lisa, Louis et mes parents sont debout dans l'abri, le visage plaqué contre la vitre, la bouche et les yeux grands ouverts. À l'autre bout de la pièce, James se relève tant bien que mal. Il vacille sur ses jambes en me faisant signe avec ses deux bras.

—Tout va bien, Anna, c'est super... Mais je vais m'asseoir cinq minutes si ça ne vous dérange pas.

CHAPITRE 14

Apprendre à voler, c'est un peu comme apprendre à faire du vélo. Au début, vous pensez que vous n'y arriverez jamais. Et puis, sans savoir pourquoi, vous trouvez votre équilibre et vous filez tout droit, comme si vous aviez fait ça toute votre vie.

J'arrive maintenant à traverser le gymnase à volonté. Le problème est que je ne maîtrise toujours pas ma trajectoire. Mon corps part d'abord dans la bonne direction puis, sans prévenir, pivote à droite, rebondit contre le mur, file vers le plafond, se cogne dessus, et je finis généralement ma course en glissant au sol sur le dos pendant les dix derniers mètres.

— Ne vous découragez pas, Anna, me dit James, ce n'est que le premier jour. Vous avez déjà fait d'énormes progrès.

Pour la suite, mon entraîneur me demande de me mettre dos au mur. Il traverse toute la salle qui doit faire cinquante ou soixante mètres de long. Arrivé à l'autre bout, il ouvre la paume de sa main et la tend dans ma direction.

— Anna, pouvez-vous me dire ce que je tiens dans la main ?

Suivant ses instructions, je focalise mon regard et toute mon attention sur sa paume. Les boosters obéissent aux consignes de mon cerveau. En formulant une pensée claire et précise, je communique directement avec eux. Soudain j'ai une image très nette de la texture de la peau de James.

— Vous voyez quelque chose ? me demande-t-il.

— C'est bizarre... Je vois une sorte de tube avec des écailles dessus.

— Reculez un peu votre vision. Utilisez vos yeux comme s'il s'agissait d'une caméra avec un zoom arrière.

Je m'exécute, les lignes de sa main apparaissent et je me rends compte que ce que j'ai pris pour un tube est en réalité un cheveu. Ma vision trop amplifiée m'en avait donné une image microscopique.

À cet instant, Elizabeth Foster fait son entrée dans le gymnase. James se met quasiment au garde-à-vous quand il la voit. Il faut dire que malgré sa toute petite taille la directrice du Power Club est très impressionnante. Je suis désormais capable de pulvériser des boules de bowling à main nue, mais je reste intimidée et sur la défensive quand je la vois s'approcher de moi. Je ressens le syndrome de l'élève qui regarde arriver le proviseur en pensant : « Qu'est-ce que j'ai à me reprocher ? » Sauf que dans ce cas précis je sais exactement quelle faute j'ai commise.

Mon escapade nocturne avec Lisa n'a peut-être pas été aussi discrète que je l'avais espéré.

– Bonjour, Anna, comment allez-vous ?

– Très bien, madame Foster.

– Alors, James, comment se débrouille notre nouvelle recrue ?

– Anna apprend très vite, elle est un excellent élément. Ses progrès sont spectaculaires.

– Tant mieux, répond Elizabeth Foster avec l'air de penser à autre chose.

Visiblement, mes progrès spectaculaires ne l'intéressent que très moyennement. Son esprit est préoccupé par un sujet bien différent et je vois malheureusement tout à fait de quoi il s'agit.

– Anna, j'aimerais avoir une discussion avec vous et vos parents. Vous nous excusez, James, s'il vous plaît ?

– Bien sûr, madame la directrice.

James retire son encombrante tenue de protection puis sort de la pièce en refermant la porte. Les yeux d'Elizabeth Foster m'examinent attentivement. J'ai l'horrible sensation qu'elle voit à l'intérieur de ma tête, comme si mes pensées étaient affichées sur un immense panneau publicitaire.

– Quelque chose ne va pas, Anna ? Vous avez l'air inquiète.

Je hausse les épaules en essayant de prendre un air détaché.

– Ben non... Ça va.

– Accompagnez-moi, nous allons rejoindre vos parents dans l'abri.

Je marche à ses côtés tandis que nous nous dirigeons vers l'autre bout de la pièce. La nervosité agite mon esprit et, au bout de quelques pas, je me rends compte que je ne touche plus terre.

– Pardon, dis-je.

J'imagine une petite pression sur le sommet de mon crâne, mon corps redescend alors légèrement et mes pieds regagnent le sol. La directrice n'esquisse même pas un sourire. Le fou rire de Lisa me manque terriblement à cette seconde.

L'abri derrière le mur de verre est très confortablement aménagé. Elizabeth Foster s'installe dans un fauteuil, le visage fermé. Spontanément, nous nous regroupons en cercle autour d'elle. Cette femme dégage une forte autorité naturelle. J'observe que même mes parents n'ont pas l'air à l'aise en sa présence. Louis, qui n'est déjà pas grand, essaye de se faire encore plus petit. Quand la directrice du Power Club est là, même les mouches avancent sur la pointe des pattes.

En s'asseyant, Lisa me lance furtivement un regard interrogatif. La directrice me donne l'impression de me surveiller du coin de l'œil et je n'ose pas répondre, de crainte qu'elle ne me surprenne.

– Aujourd'hui devrait être un jour de fête, commence Elizabeth Foster. L'opération d'Anna s'est déroulée dans les meilleures conditions, elle s'accommode parfaitement bien de ses nouveaux superpouvoirs. En temps normal, je serais venue vous voir avec une bouteille de champagne. Malheureusement, la gravité des derniers événements ternit cette belle journée.

Elle laisse s'installer un petit silence qui nous met, Lisa et moi, à la torture. Une horrible pensée traverse mon esprit : « Elle va m'enlever mes pouvoirs pour me punir ! Elle a fait exprès d'attendre que j'y goûte un peu pour que ce soit encore plus cruel ! » Quand elle reprend la parole, je retiens mon souffle.

— Il y a quelques heures, nous avons perdu l'un de nos membres, nous dit-elle. Jason Baker est mort.

La température de la pièce donne l'impression de chuter subitement de plusieurs dizaines de degrés. Maman plaque sa main devant sa bouche. Papa expulse un soupir atterré. Lisa me regarde. Louis ose à peine respirer. En tant que fan du Power Club, il sait très bien qui est Jason Baker.

— Comment ça, il est mort ? demande maman. Mais... mais... je ne comprends pas ! Il n'avait pas des super-pouvoirs ?

— C'est impossible ! dit mon père. Comment un membre du Power Club peut-il mourir ? En théorie, il est même protégé du cancer !

— Calmez-vous, je vous en prie. D'ici quelques heures, je vais donner une conférence de presse mais j'ai tenu à vous prévenir en priorité. Anna fait maintenant partie de la famille et c'était la moindre des choses.

— Mais ses parents sont au courant ? intervient Lisa.

Elizabeth Foster la fusille du regard.

– Que veux-tu dire par là ? Pourquoi ne seraient-ils pas au courant ?

La gaffe de Lisa me glace le sang. Pour échapper à l'étau du regard de la directrice, Lisa porte les yeux sur moi. La directrice suit la direction de son regard et me dévisage à présent avec attention. Merci Lisa, super sympa.

– Il est mort de quoi ? je demande rapidement.

– Je ne peux pas encore vous répondre, dit Elizabeth Foster avec une innocence tout à fait crédible. Une autopsie doit être effectuée, mais son invulnérabilité pose problème. Nous devons commencer par purger son corps des boosters. Ils fausseraient toutes les mesures.

– Je voudrais que vous m'expliquiez, madame Foster, comment on peut être invulnérable et mort, interroge mon père qui ne semble plus du tout impressionné par elle.

– L'autopsie nous dira exactement de quoi Jason est mort. Avant cela, toute hypothèse est superflue. Nous pouvons discuter dans le vide toute la journée, ce n'est pas pour cela que nous en saurons plus. Je comprends votre inquiétude pour votre fille. Laissez-moi vous rassurer de ce côté-là. Anna n'est pas en danger. L'acquisition des superpouvoirs est un traitement sûr et validé par des années d'expérience.

– Je veux qu'on enlève ses superpouvoirs à ma fille !

Ce cri du cœur est sorti de la bouche de maman.

– Maman, non !

– Je ne te demande pas ton avis, Anna !

– Madame Granville, s'il vous plaît, vous n'avez aucune raison de paniquer.

— Je ne panique pas, je vous informe simplement de ma décision ! Vous allez retirer les boosters que vous avez mis dans le corps de ma fille !

— Constance, calme-toi, lui dit mon père. Tu es sous le choc, c'est normal, mais on n'arrivera à rien en perdant les pédales.

— Ah bon ! Parce que je suis folle maintenant ?

— Ce n'est pas ce que je voulais dire, excuse-moi. Je suis aussi choqué que toi et c'est sorti tout seul, je suis vraiment désolé.

Il lui prend la main et se penche vers elle. Dans son coin, Louis semble tout penaud. L'excitation et la joie qui l'empêchaient de tenir en place se sont totalement envolées.

— Madame Foster a raison, conclut papa. On ne peut pas prendre de décision tant que l'autopsie n'aura pas eu lieu. Après, nous ferons tout ce qu'il y a à faire pour garantir la sécurité d'Anna.

— Il vous faut combien de temps pour enlever tous les boosters du corps de ce pauvre garçon ? demande maman.

— Quarante-huit heures, pas plus.

Ma mère pousse un long soupir douloureux à la perspective des deux prochains jours qu'elle va passer à se ronger les ongles. Elle s'adresse ensuite à mon père avec détermination :

— Je te préviens, Daniel, s'il y a le moindre doute sur sa sécurité, je veux qu'on enlève ses superpouvoirs à Anna !

Il fait oui de la tête puis se tourne vers moi pour que j'approuve à mon tour.

– D'accord, dis-je d'un ton résigné.

Ma mère tente une dernière fois d'en savoir un peu plus :

– Mais vous ne pouvez même pas nous dire s'il s'agit d'un accident ou d'une maladie ?

– Jason a été retrouvé en pleine mer. Aucun témoin n'était présent au moment où il est tombé dans l'eau. À cette heure, vous en savez autant que moi.

Elizabeth Foster semble réellement très affectée. Évidemment, je serais plus tentée de la croire si je ne l'avais pas entendue, cette nuit, consulter ses avocats pour savoir quel bobard elle allait raconter aux parents pour expliquer le meurtre d'un gamin invulnérable.

*

La conférence de presse a lieu au cinquième étage du building du Power Club, le soir même à vingt heures. L'ensemble de cet étage est consacré aux relations avec la presse.

Au même moment, je suis avec Lisa dans l'appartement au dix-neuvième étage qui m'est réservé pendant la durée de mon entraînement. Nous regardons en direct Elizabeth Foster qui s'avance sur une estrade. La pièce est bourrée à craquer de journalistes. Les conférences de presse du Power Club ne sont pas courantes et elles n'impliquent presque jamais la directrice. L'électricité dans l'air est perceptible même à travers un écran de télévision. Les journalistes devinent l'importance de la déclaration à venir.

La directrice du Power Club se place derrière un pupitre portant le logo du club. Cette mise en scène rappelle les conférences de presse de la Maison-Blanche. À la différence que, dans le cas du club de super-héros, l'allocution est diffusée simultanément dans pratiquement tous les pays du monde. Le seul événement qui provoquerait le même intérêt médiatique serait une déclaration de guerre annoncée en direct par les États-Unis.

Elizabeth Foster pose ses mains de chaque côté du pupitre et déclare :

— Ce matin, la balise de détresse de Jason Baker s'est déclenchée. Ce dispositif est intégré dans l'organisme de chaque membre du Power Club afin de suivre au jour le jour son état de santé. Il est également équipé d'une balise GPS qui s'active automatiquement quand les signaux vitaux présentent des anomalies.

Lisa se tourne vers moi en ouvrant de grands yeux ahuris.

— Anna, tu savais qu'ils t'avaient mis tout ça dans le corps ?

— Mais non !

Cela veut dire que quelque part dans l'immeuble des ordinateurs examinent chacun de mes battements de cœur. Toutes les impulsions électriques qui traversent mon cerveau sont enregistrées. Ma température corporelle, ma tension artérielle, le rythme de ma respiration, tout est contrôlé à chaque seconde. Et en plus de tout ça, ils peuvent savoir précisément où je me trouve à tout instant. Les cachotteries du club commencent à me taper sur le système.

Tout à coup je réalise quelque chose qui me fait froid dans le dos :

— Mais... Lisa... si j'ai un GPS dans le corps, tu crois qu'ils peuvent savoir où je me trouvais pendant leur réunion supersecrète ?

— Le GPS peut leur dire que tu étais dans l'immeuble du Power Club, et ça, ils le savaient déjà. Ils ne peuvent pas déterminer à quel étage tu te trouvais précisément.

Notre attention se porte à nouveau sur l'écran de télévision.

— Le corps sans vie de Jason Baker a été retrouvé peu après le déclenchement de l'alerte, au large de New York, déclare Elizabeth Foster sans laisser paraître la moindre émotion.

Son annonce provoque un immense remous parmi les journalistes. Le brouhaha monte et enfle comme une vague. La directrice tend la main pour le faire taire.

— Mesdames et messieurs, s'il vous plaît !

Les questions commencent à fuser, répétées par des dizaines de personnes en même temps. Un vent d'excitation agite la foule qui prend conscience de l'énormité de cette nouvelle. Plus rien ne sera comme avant. À cette seconde, le monde vient de basculer dans l'inconnu.

D'une certaine façon, cette conférence de presse est l'exact opposé de celle qui a annoncé à la Terre entière la naissance de son premier super-héros. John Brenn se trouvait alors sur l'estrade à côté d'Elizabeth Foster.

À tout juste vingt-deux ans, il était le premier homme à expérimenter les boosters en condition réelle. « Mesdames et messieurs, avait dit Howard Klein en tendant la main vers John Brenn, je vous présente le premier super-héros américain du vingt et unième siècle ! »

John s'était avancé d'un pas, avait écarté les bras en grand et décollé du sol d'une quarantaine de centimètres. Certains journalistes s'étaient évanouis dans la salle. D'autres s'étaient enfuis à toutes jambes. Des rumeurs couraient déjà depuis un certain temps sur la mise au point d'un traitement révolutionnaire pouvant conférer d'extraordinaires pouvoirs à un être humain. Les travaux du docteur Howard Klein faisaient régulièrement la une, mais assister en direct à une démonstration aussi prodigieuse avait de quoi paniquer les plus fragiles.

Cette apparition en public du premier super-héros avait fait entrer le monde dans une nouvelle ère. Symboliquement, la première mort d'un super-héros ferme ce chapitre. L'âge d'or vient de prendre fin de manière tragique.

CHAPITRE 15

Les deux jours suivants se déroulent selon un programme très précis. Mon réveil sonne à huit heures et
demie. Mon entraînement commence une heure plus tard,
et dure jusqu'à midi. La pause-déjeuner me laisse une
heure et demie pour souffler, ce qui est amplement suffisant puisque je ne ressens aucune fatigue. L'entraînement
reprend ensuite jusqu'à dix-neuf heures.

James n'est plus le seul à m'aider à tester ma force, ma
rapidité et mon endurance. Deux autres hommes et une
femme se relaient au cours de la journée. Tout dépend de
mon adresse. Lorsque je leur donne un mauvais coup par
inadvertance, ils risquent leur vie.

Quand je leur demande pourquoi je ne m'entraîne pas
avec un autre membre du club, invulnérable comme moi,
ils m'expliquent que cette prise de risques est à la fois
volontaire et indispensable. Si je n'avais aucune notion de
la fragilité de la personne en face de moi, je ne pourrais
pas développer les mêmes réflexes de retenue. Grâce à

leur sacrifice, je me mets à leur place, je compatis. Ma capacité à faire extrêmement mal aux autres s'inscrit dans mon corps et dans mon cerveau.

Malgré ces journées bien remplies, une seule pensée occupe mon esprit. Que va révéler l'autopsie de Jason ? Le cadavre du garçon a été transporté dans les laboratoires du club. Une machine identique à celle qui a introduit les boosters dans son corps travaille vingt-quatre heures sur vingt-quatre pour les évacuer jusqu'au dernier. Le délai de quarante-huit heures nécessaire à l'opération est maintenant dépassé. Un médecin légiste se tenait prêt depuis le début de l'après-midi en attendant le signal. Il doit être en ce moment même en train de se pencher sur Jason avec un scalpel.

— Restez concentrée, Anna, me dit l'un des entraîneurs en constatant que je ne quitte pas la pendule des yeux.

— Désolée.

— Ce n'est pas grave, c'est normal que vous vous sentiez préoccupée par ce drame, mais pour l'instant nous sommes ici.

L'imposante armure de protection qui recouvre son corps le fait ressembler à un sumo en mousse.

— Maintenant, Anna, je voudrais que vous me poussiez tout doucement. Je ne dois pas tomber, seulement reculer d'un pas ou deux.

Je viens près de lui et pose ma main sur la cible au milieu de sa poitrine.

— Rappelez-vous ce que nous avons travaillé, me dit-il avec une voix légèrement tremblante.

Je ne peux pas lui en vouloir d'être nerveux. Si je ne contrôle pas ma main, je risque de le transpercer de part en part.

— Respirez bien, me conseille-t-il. Les boosters vous obéissent au doigt et à l'œil. Si vous leur dites de tout casser, ils le feront. Si vous leur ordonnez de me frôler, ils obéiront également.

Je bouge légèrement mes doigts, mais l'entraîneur n'est pas bousculé.

— Trop en retenue, me dit-il. Il faut trouver le juste milieu. Le truc n'est pas d'entraver votre mouvement mais de l'adapter à la situation. Votre force ayant été considérablement augmentée, vous devez indiquer aux boosters le type de réaction que vous désirez. Ces petites bestioles sont intelligentes mais, si on les laissait faire, elles utiliseraient une bombe atomique pour décapsuler une bouteille.

Je visualise les millions de boosters qui voyagent à toute allure dans mes veines. Je les vois qui s'intègrent harmonieusement à mes muscles. Ils remontent le long de ma colonne vertébrale, s'enroulent autour de mon cerveau. Ils m'incitent à frapper un grand coup, mais je leur parle doucement.

« On se calme, leur dis-je en pensée. Ici c'est moi qui commande. On pousse ce type sans lui faire mal. »

Mon poignet s'incline à peine et l'entraîneur est repoussé en arrière. Il recule de trois pas et s'immobilise sans tomber.

Je sens les boosters refluer et quitter ma main. Ils reprennent leur tour de garde en naviguant sur les impulsions électriques de mon cerveau. Ils attendent avec avidité le moment où je vais enfin les autoriser à lâcher leur gigantesque puissance.

*

La nouvelle conférence de presse d'Elizabeth Foster est organisée le matin du jour suivant. Je m'installe avec Lisa et mes parents dans mon appartement. Nous fixons avec angoisse la télévision installée dans le salon. Les entraîneurs m'ont donné la matinée de libre. L'événement est si important que tout s'arrête à cet instant. La directrice du Power Club n'a pas pris cette fois la peine de nous tenir au courant personnellement. Nous ignorons tout des résultats de l'autopsie.

Le présentateur qui occupe l'antenne avant le début de la conférence montre plusieurs endroits du monde filmés en direct. Les rues sont vides, chaque habitant de la planète semble installé devant son téléviseur ou son écran d'ordinateur. En plein jour, en pleine nuit, au crépuscule ou à l'aube, l'humanité dans sa quasi-totalité attend les mots d'Elizabeth Foster.

Comme la première fois, elle entre dans la pièce avec le regard sombre et s'installe debout derrière le pupitre. Néanmoins, l'ambiance dans la salle est très différente, beaucoup plus tendue et agressive. L'excitation provoquée par la curiosité a fait place à la soif de sang. Les journalistes rongent leur frein pour poser la première question. Ils savent que les yeux de la Terre entière sont tournés vers cet immeuble de New York. Les plus ambitieux vendraient père et mère pour être choisis dans la foule par Elizabeth Foster. Celui ou celle qu'elle désignera du doigt bénéficiera d'une audience mondiale pour poser sa question. Mais ils doivent d'abord attendre qu'elle fasse sa déclaration. Leur impatience et la compétition féroce saturent l'atmosphère. Ils ressemblent à une assemblée de poseurs de bombes, le doigt crispé sur le bouton déclencheur.

– Le processus d'évacuation des boosters du corps sans vie de Jason Baker est arrivé à son terme hier à dix-huit heures et seize minutes. Le docteur Henry Lewis a procédé à l'autopsie quarante-cinq minutes plus tard. L'exposition de l'organisme aux boosters pendant une période de trois ans, six mois et treize jours a fortement ralenti le processus normal de l'examen. L'autopsie a pris fin à vingt-trois heures. Les conclusions qui en ont été tirées sont les suivantes.

Elle marque une pause, le temps de déplier un papier. Le silence et la tension qui en résultent traversent le globe terrestre, franchissant les océans et les frontières sans distinction. Pendant quelques courtes secondes, les humains partagent une apnée collective de dimension mondiale.

– Le corps de Jason Baker porte la trace de plusieurs ecchymoses sur la poitrine ainsi qu'une blessure profonde au ventre. L'intérieur de son abdomen a explosé, ce qui a entraîné plusieurs hémorragies, à la fois internes et externes, provoquant un arrêt cardiaque et sa mort immédiate.

Maman pousse un petit cri d'horreur. Lisa dit :

— Je crois que je vais être malade.

Papa me jette un regard effrayé. Il se demande dans quoi ils m'ont embarquée. Pour être franche, je me pose exactement la même question.

Elizabeth Foster termine la lecture de son papier :

— Après l'examen poussé de l'angle sous lequel les différents coups ont été portés, ainsi que de la nature des dégâts causés, et compte tenu du fait que Jason Baker était porteur de boosters au moment de son décès, le docteur Henry Lewis en est arrivé à la conclusion que Jason s'était lui-même infligé les coups ayant entraîné sa mort.

Cette dernière phrase provoque un déferlement assourdissant de questions. Les journalistes qui s'étaient contenus jusqu'à cette seconde hurlent à pleins poumons. Une bousculade se déclenche dans le fond de la salle. L'hystérie est telle qu'aucune parole n'est compréhensible. Elizabeth Foster ne prend même pas la peine d'essayer de les faire taire. Elle se contente d'attendre en posant un regard indifférent sur la foule des journalistes qui s'agite frénétiquement.

Je me tourne vers Lisa et nous échangeons un regard consterné. C'est donc ça, la réponse que les avocats ont trouvée ? Jason s'est tué lui-même ? J'espérais que les résultats de l'autopsie encourageraient la directrice à révéler la vérité. Qu'elle attendait de connaître tous les détails du meurtre de Jason avant de le dévoiler au reste du monde. Mais visiblement le club préfère garder ses petits secrets. Il est évident que le commerce des superpouvoirs deviendrait beaucoup moins attrayant si on découvrait tout à coup qu'on risquait de finir assassiné.

Cela veut-il dire que je suis en danger ? Est-ce qu'un tueur fou menace les membres du Power Club ? Quelqu'un qui serait lui-même doté de superpouvoirs capables d'annuler les nôtres ? On sait que plusieurs pays à travers le monde cherchent à développer leur propre technologie de superpouvoirs. Le marché est si juteux qu'il attise logiquement les convoitises. Mais il ne s'agit pas seulement d'argent.

L'avance prise par les États-Unis dans ce domaine scientifique crée beaucoup de tensions. Tout le monde redoute de voir un jour cette technologie appliquée au domaine militaire. D'assister à l'émergence d'une armée de super-héros chargée de défendre à travers le monde les intérêts du gouvernement des États-Unis. Le tueur de Jason Baker fait peut-être partie des gens qui refusent d'accepter un tel futur.

Je reporte mon attention sur la télévision au moment où Elizabeth Foster désigne du doigt une femme au premier rang. La journaliste pose sa question mais elle ⸱⸱ inaudible à cause du vacarme. En se rendant compte qu'ils n'obtiendront rien de valable en continuant à crier, les journalistes commencent à s'autodiscipliner. On entend des « Chut ! », « Taisez-vous ! », « Laissez-la parler ! ». La clameur perd de sa force, retombe peu à peu, et la voix de la journaliste émerge finalement dans un silence précaire.

– Madame Foster, vous voulez dire qu'il s'agit d'un suicide ?

– Non, je n'ai rien dit de tel. L'autopsie a déterminé que la mort de Jason avait été provoquée par une mauvaise utilisation des boosters. Au moment de l'acquisition des pouvoirs, les médecins du club préviennent les nouveaux membres des limites de la technologie super-héroïque. Ils travaillent ainsi sur l'apnée car, pour l'instant, les super-héros ne peuvent pas se retenir de respirer assez longtemps pour aller, par exemple, dans l'espace.

Elizabeth Foster marque une petite pause le temps que son auditoire et, à travers lui, le monde entier digèrent l'information. Ses paroles sont traduites simultanément dans à peu près tous les langages de la Terre, chacun apportant ses sonorités différentes pour mettre des mots sur la tragédie qui secoue notre monde. Un journaliste sur sa droite en profite pour poser la question qui démange tout le monde :

– Vous voulez dire que Jason Baker est mort parce qu'il est allé dans l'espace ?

– Précisément, reprend-elle. Les boosters assurent la survie de leur hôte même dans les milieux les plus extrêmes. Mais ils ont leurs limites. Le manque d'oxygénation provoque un stress énorme chez les boosters qui se mettent à adopter un comportement suicidaire. Selon toute vraisemblance, Jason est allé dans l'espace, dépassant ainsi les capacités d'endurance de notre technologie. Les boosters ont été soumis à une trop forte pression. Ils ont pris le contrôle du corps de Jason qui s'est lui-même frappé à mort.

Un frisson d'horreur parcourt la salle. Une femme laisse échapper un sanglot. La directrice du Power Club se tient droite derrière son pupitre, mais chacun peut voir le coin de ses yeux se remplir de larmes.

Ma mère réagit aussitôt à cette révélation.

— Quelle mort atroce ! Ce pauvre gamin ! Je ne peux pas imaginer ce qu'il a pu ressentir !

— Ouais, confirme Lisa, c'est vraiment dégueu.

— Nous avons peut-être fait une erreur, dit maman en regardant mon père. Ce serait mieux si Anna rendait ses pouvoirs le plus vite possible.

— Attends, Constance, on ne va pas prendre une décision sous le coup de l'émotion.

— Il faut qu'on y pense très sérieusement, insiste-t-elle.

Elle se tourne vers moi, mais je ne sais pas quoi lui répondre. Même si je n'ai aucune envie de rendre mes boosters, je ne peux pas lui donner tort. Et encore ! Si elle savait la vérité sur la mort de Jason, elle serait beaucoup plus inquiète.

Un journaliste lève respectueusement le doigt pour prendre la parole. Elizabeth Foster tend la main dans sa direction pour lui donner l'autorisation de parler.

— Mais si Jason s'est frappé lui-même, au point de se donner la mort, comment peut-on appeler ça autrement qu'un suicide ?

– Je répète qu'il s'agit d'un accident. La volonté de Jason n'était pas de mourir, au contraire. Au moment du drame, il n'était plus en état de contrôler ses boosters. Ce garçon était joyeux et plein de vie, je ne laisserai personne dire le contraire. N'ajoutez pas à la détresse des parents en diffusant de fausses informations. De toute façon, une enquête de police va avoir lieu. Le Power Club s'engage à fournir l'intégralité des éléments et des preuves scientifiques en sa possession. Il faut attendre que les inspecteurs en charge de l'affaire tirent les conclusions qui s'imposent.

Un autre mouvement de la main de la directrice, et une nouvelle journaliste prend la parole.

– Pourquoi l'invulnérabilité de Jason ne l'a-t-elle pas protégé ? Son corps n'aurait pas dû pouvoir être blessé.

– Les boosters sont parfaitement invulnérables à toute agression extérieure mais ils ont un point faible. Un booster peut être affecté, endommagé ou détruit par un autre booster identique à lui-même. Cette particularité vient étayer en partie la thèse de la mort auto-infligée. Pour blesser un corps invulnérable, il faut une main qui soit elle-même sous l'influence de ces mêmes boosters.

– Mais dans ce cas, intervient spontanément quelqu'un, ne peut-on pas envisager qu'un autre membre du club ait pu commettre cette agression ?

– Non, monsieur, vous ne m'avez pas comprise. Quand je parle de boosters identiques, je veux dire qu'ils doivent posséder le même ADN. Un super-héros qui frapperait un autre super-héros n'annulerait pas son invulnérabilité. Cela a été prouvé scientifiquement. Mais comme nous nous doutions que la question serait néanmoins posée, nous avons analysé les relevés GPS de tous les membres du club afin de savoir où ils se trouvaient à l'heure de l'accident. Ils ont tous été mis hors de cause même si, j'insiste sur ce point, ils n'auraient de toute façon pas pu neutraliser l'invulnérabilité de Jason. La police est actuellement en possession de ces relevés.

Une journaliste dans le fond de la salle attire l'attention d'Elizabeth Foster pour avoir la parole :

— Jason était-il au courant de ce défaut des boosters concernant les sorties dans l'espace ? Les limites des superpouvoirs sont-elles connues par tous les membres du Power Club ?

— Nous mettons en garde chaque nouveau super-héros sur le fait que les boosters, comme toute technologie, ont leurs limites. Nous insistons spécifiquement sur les risques encourus en quittant l'atmosphère terrestre.

— Mais si Jason connaissait le danger, pourquoi est-il allé dans l'espace ?

— Seule l'enquête pourra déterminer les circonstances exactes de ce drame. Ne comptez pas sur moi pour extrapoler et donner libre cours à mon imagination. L'heure est trop grave pour se permettre ce genre de liberté.

Plusieurs personnes demandent la parole, mais la directrice leur fait signe de patienter.

— Je tiens à rassurer les parents des autres membres du Power Club. La santé de leurs enfants n'est nullement en danger. L'autopsie a mis en avant avec certitude qu'il ne s'agissait en aucun cas d'une déficience des boosters. La technologie super-héroïque est maintenant bien connue, tous nos scientifiques la maîtrisent parfaitement. Malheureusement, le risque zéro n'existe pas. Les accidents de la route ou les crashs aériens ne nous empêchent pas de continuer à utiliser des voitures ou des avions. Je rappelle que ce drame est le premier du genre depuis la création du Power Club il y a dix ans.

— Tu vois, Constance ? fait remarquer mon père. Les boosters ne sont pas en cause. Anna ne risque rien.

Ma mère pousse un soupir sceptique mais ne fait pas de commentaire. Le petit exercice de déminage de la directrice s'avère plutôt efficace. On dirait bien qu'elle a réussi à éviter des démissions massives de son équipe de super-héros.

Les mains se lèvent à nouveau dans la foule, et la directrice pointe son doigt vers un nouvel élu.

— Jason avait-il des problèmes personnels ? Souffrait-il de dépression ou d'une autre maladie mentale ?

— Ces questions sont tout à fait malvenues, monsieur. Comme je vous le disais, Jason était un jeune homme heureux et équilibré. Nous pleurons tous sa disparition qui laisse un grand vide. L'heure est au deuil et au chagrin. La famille de Jason sait qu'elle peut compter sur notre soutien et notre solidarité. Merci.

Le départ d'Elizabeth Foster ranime l'excitation de la foule. Elle quitte l'estrade sous un tonnerre de cris et de hurlements. Un mouvement de vague humaine accompagne son déplacement jusqu'à la porte. Les agents de sécurité du club barrent la route aux journalistes qui voudraient s'approcher d'elle. Sans un regard en arrière, la directrice du Power Club quitte la pièce.

CHAPITRE 16

Mon entraînement reprend l'après-midi même dans une drôle d'ambiance. Mes coachs continuent à me prodiguer leurs conseils, mais j'ai l'impression qu'ils me regardent différemment. Peut-être se demandent-ils si je ne vais pas, moi aussi, piquer une crise délirante et me frapper à mort. Ou, pire, m'attaquer à eux sans raison. Une fois que le doute et le soupçon s'immiscent en vous, il n'y a plus moyen de les ignorer.

J'ai beau savoir que le discours d'Elizabeth Foster est entièrement faux, qu'il a été calibré au mot près avec les avocats, l'image qu'elle a évoquée reste tout de même saisissante. Je ne peux m'empêcher de ressentir un peu d'angoisse en pensant aux millions de boosters qui occupent l'ensemble de mon corps. Et s'il leur prenait réellement l'envie de me tuer ? Sont-ils capables de se retourner contre leur hôte ?

Après tout, personne ne sait quelle est la nature véritable de ces bestioles. Constitués pour une moitié de composants informatiques et pour l'autre de prélèvements biologiques, les boosters peuvent être rangés à la fois dans la catégorie des machines et dans celle des êtres vivants. Mais ils ne sont pas censés prendre la moindre décision. Et surtout pas celle de mettre fin à l'existence de l'organisme qu'ils doivent servir.

Mes parents n'osent plus me quitter. Même Louis semble inquiet pour moi. Ils assistent tous les trois avec Lisa à mes séances d'entraînement. Maman est sur le qui-vive. On dirait qu'elle guette le moindre signe suspect pour intervenir. Cela dit, je ne vois pas ce qu'elle pourrait faire pour me sauver. Même une mère prête à tout pour protéger son bébé ne fait pas le poids face à des millions de boosters. Je me surprends à me surveiller moi-même. C'est tout juste si je ne m'attends pas à voir ma main s'animer d'une vie indépendante, comme dans un mauvais film d'horreur.

La conférence de presse d'Elizabeth Foster déclenche un torrent de commentaires à travers le monde. Certaines télévisions illustrent l'accident mortel avec des animations faites par ordinateur. On voit une silhouette symbolisant Jason s'envoler vers l'espace. Il ressemble à l'icône indiquant les toilettes pour hommes. Un bonhomme-bâton sans visage, avec une tête qu'aucun cou ne raccorde au reste du corps. Une fois arrivée dans l'espace, la silhouette se met à s'agiter dans tous les sens. La caméra se rapproche d'elle et entre dans son corps où l'on peut voir des milliers de boosters bouger en faisant des tourbillons frénétiques. Le bonhomme des W.-C. se frappe le ventre avec ses bras, puis il retombe vers la Terre, jusque dans la mer où un hélicoptère avec le logo du Power Club le repêche.

La reconstitution suit à la lettre la description faite par la directrice. Je me demande d'ailleurs si elle n'a pas commandé elle-même cette vidéo. Pour m'amuser, je visualise ma vidéo à moi, celle qui raconte comment la directrice a comploté avec ses avocats pour cacher la vérité. Elle serait symbolisée par l'équivalent féminin du bonhomme W-C. Elle aurait une jupe et deux couettes.

Internet est le plus grand nid de rumeurs jamais inventées. La raison officielle de la mort de Jason Baker vient à peine d'être annoncée que l'immense population du Net échafaude déjà toutes sortes de théories parallèles.

Ceux qui prédisent la fin du monde voient là le signe du début de la fin des temps. D'autres pencheraient plutôt pour une revanche de la Nature sur l'Homme, l'organisme humain n'étant pas fait selon eux pour accomplir les prodiges quotidiens des super-héros.

Un site intitulé quiatuéjasonbaker.com s'ouvre dans les heures qui suivent. Il propose une liste de tous ceux qu'il soupçonne d'être le coupable. Le nom du directeur de la CIA fait partie du lot. De même que le chef de la Sécurité intérieure des États-Unis, ainsi que le président lui-même et une quinzaine d'hommes et de femmes politiques. Trois chanteurs sont également cités parmi les suspects. Une dizaine d'actrices et d'acteurs, notamment celles et ceux qui se sont fait larguer par un membre du club. Plusieurs pays sont par ailleurs nommés comme pouvant avoir intérêt à faire chuter le commerce des superpouvoirs. On peut lire parmi eux le nom de la Russie, de l'Iran et même de la France. Et de bien d'autres encore, parce que, au fond, le monde entier est tétanisé de voir les États-Unis se fabriquer un cheptel de super-héros à volonté.

Chacun des membres du Power Club fait bien entendu partie de la longue liste des coupables potentiels. Tous les super-héros sont notés sur vingt, selon une probabilité calculée de façon très mystérieuse par le site. Plus la note est proche de vingt et plus le super-héros en question est susceptible d'être le meurtrier. Bobby est jugé le plus crédible. Son manque de contrôle incite les gens à croire qu'il ait pu passer à l'acte.

Même le pape fait partie des suspects. L'Église n'a jamais apprécié que des jeunes gens se prennent, selon ses propres dires, pour des dieux.

Un dessin représentant la tête de l'extraterrestre de Roswell illustre la possibilité que des aliens aient pu commettre cet assassinat. Jason aurait vu une soucoupe volante en orbite autour de la Terre. Il aurait voulu nous prévenir de l'invasion prochaine mais aurait été abattu avant. Les biologistes du site penchent, eux, plutôt pour un virus, une sorte de sida touchant les boosters et affaiblissant les défenses immunitaires de Jason. La liste n'en finit pas. Je trouve même, noyés au milieu du classement, l'hypothétique petit-fils de Ben Laden ainsi qu'un descendant de Saddam Hussein. Le délire d'Internet dans toute sa splendeur.

Par curiosité, je vais tout de même voir le dernier nom, tout en bas, celui qui, de tous ceux qui pourraient avoir tué Jason Baker, aurait le moins de raisons de le faire. Il s'agit de Jason Baker lui-même. La version officielle trouve finalement sa place dans les profondeurs du classement, au cas où, pourrait-on dire. Les amateurs de complots craignent par-dessus tout de laisser passer le détail qui révélerait la vérité cachée. Même si cette vérité cachée n'était rien d'autre que celle exposée à la vue de tous.

*

C'est au milieu de ce chaos terrifiant que je fais la connaissance de Nikki Anderson, l'attachée de presse du Power Club. Nikki est à peu près l'exact contraire d'Elizabeth Foster. Elle a une trentaine d'années, est brune, grande, et dégage une telle aura de sympathie que vous avez immédiatement envie d'être sa meilleure copine.

— Bonjour, Anna, me dit-elle en me serrant la main.

Elle s'assoit dans le salon de mon appartement du dix-neuvième étage. Mes parents posent sur elle un regard inquiet. Ils se demandent quelle nouvelle catastrophe va nous tomber dessus.

— Bien, commence Nikki Anderson en prenant une grande inspiration, le Power Club vit des jours sombres, mais la vie ne s'arrête pas pour autant. Je connaissais assez Jason pour savoir qu'il nous dirait de faire la fête sans lui. Anna, tu arrives au terme de ton entraînement et nous allons dès aujourd'hui programmer ta présentation officielle au monde.

La mort de Jason Baker a provoqué un tel séisme émotionnel que j'avais complètement oublié la cérémonie qui célèbre la nouvelle arrivée d'un super-héros. À cette occasion, la directrice lui remet en public sa carte de membre du Power Club.

– Comme tu le sais, continue-t-elle, chaque nouveau membre est parrainé par un ancien qui va l'aider à s'intégrer au club. J'en ai discuté avec mon équipe et je t'ai choisi Francesca comme marraine. Elle est italienne, donc européenne comme toi. Je pense qu'elle sera la plus adaptée pour te guider dans ta nouvelle vie.

Lisa me coule un petit regard déçu en douce. Nul doute qu'elle aurait préféré un des garçons du club.

– Je reviens aussi vers toi à propos de l'entreprise Harmony qui te propose de devenir son égérie pour représenter leur parfum vedette. Je crois que les avocats t'en ont déjà glissé un mot.

– Oui...

– J'insiste car le contrat que t'offre Harmony est très intéressant d'un point de vue financier. Les droits à l'image que tu céderais se chiffrent en dizaine de millions de dollars par an, auxquels s'ajoutent de nombreux avantages en nature. Des robes, des bijoux, des voyages tous frais payés dans les meilleurs hôtels, bref, le grand jeu. Et puis, si je peux me permettre de te donner mon avis, tu as beaucoup de chance que ta nationalité française te conduise naturellement vers les produits de luxe. Ton image sera mise en valeur dans des films publicitaires et sur des photographies très stylisées. Personnellement, j'avais déconseillé à Francesca d'accepter de représenter les produits artisanaux de son pays. Aucune femme n'a envie de voir son image associée à du parmesan ou du jambon cru !

L'attachée de presse souligne son propos en lançant un regard appuyé en direction de ma mère. Elle s'attend à trouver un soutien en faisant appel au bon goût féminin mais ne reçoit en retour qu'une réponse sèche.

— Je pense que ce n'est pas le moment de parler de ça, madame Anderson. Si Anna avait voulu faire de la publicité, elle serait entrée dans une agence de mannequins, pas au Power Club.

— Je suis d'accord avec vous, madame Granville, mais votre fille va devenir une célébrité. Les choses vont changer pour elle, ce n'est pas un mal que de prévoir son avenir.

— Quel est le pourcentage touché par le club sur les contrats publicitaires ? demande mon père.

— Cela peut varier mais euh... votre avocat a reçu tous les documents nécessaires, il vous donnera les chiffres exacts. Je peux vous affirmer qu'il s'agit d'un accord gagnant-gagnant.

— Quelque chose me dit que ces chiffres sont tout à fait favorables au club, ce qui expliquerait votre empressement à aborder le sujet.

— En tant que fournisseur de superpouvoirs, le Power Club bénéficie d'une réputation mondiale. Pourquoi n'en profiterait-il pas ? De plus, cet argent est très largement réinvesti dans les laboratoires de recherche. Ceux-là mêmes qui ont fourni ses superpouvoirs à votre fille. L'équipe de médecins qui travaille pour nous utilise les fonds du club pour assurer le bien-être de nos membres. Leur santé passe avant tout !

— Vous voulez dire, tant qu'ils ne se frappent pas eux-mêmes à mort ? s'emporte ma mère.

— Je préfère attendre quelques jours avant qu'on parle de tout ça, si vous êtes d'accord, dis-je pour adoucir un peu l'atmosphère.

Nikki Anderson saisit immédiatement ma bouée de sauvetage.

— Tu as raison, Anna, il faut faire les choses à ton rythme. Je me rends compte que j'ai été très maladroite et je m'en excuse. Même si je ne l'affiche pas, la mort de Jason est un choc terrible pour moi. J'ai suivi ce garçon depuis son arrivée au club, et tous les membres sont comme mes enfants. J'ai peut-être voulu aller un peu vite en désirant retrouver une vie normale.

Ses yeux s'embuent au fur et à mesure de son discours. Je ne sais pas si elle est sincère ou juste une très bonne actrice, mais l'effet marche sur mon père. Les longues jambes de Nikki et sa poitrine impressionnante aident aussi beaucoup, aucun doute là-dessus. La partie féminine de son auditoire est plus sceptique. Maman fait une petite grimace quand mon père se penche vers Nikki pour la réconforter au moment où elle essuie une larme. Lisa me chuchote à l'oreille :

— Et l'Oscar de la meilleure larme à l'œil revient à la demoiselle en string...

— Nous sommes tous très affectés, dit papa. Je m'excuse à mon tour d'avoir été brusque avec vous, mademoiselle Anderson. Mais je m'inquiète pour Anna, c'est tout.

— Je vous comprends parfaitement, monsieur Granville. Ce drame est si affreux ! Jason était un garçon qui aimait tant rire et s'amuser. Il me manquera beaucoup.

— Vous voulez un verre d'eau ?

— Oui, avec plaisir.

Mon père se lève promptement, sous le regard atterré de ma mère. Nikki Anderson essuie encore une fois ses yeux mouillés. Elle se recompose une attitude et nous regarde avec un sourire qui veut dire : « Vous voyez, je suis courageuse, je prends sur moi. » Papa revient avec un grand verre d'eau. Il a même mis des glaçons. Nikki prend le verre en poussant un long soupir qui fait ressortir ses seins. Elle boit la moitié de l'eau puis pose le verre sur la petite table entre nous. Je vois que maman viderait avec plaisir sur la tête de mon père la deuxième moitié du verre.

— Bien, reprend Nikki, revigorée, parlons plutôt de la cérémonie !

*

Pour mon dernier entraînement, James m'annonce que je vais faire un ultime exercice qu'il a lui-même inventé.

— Prenez ça dans votre main, Anna.

Il me donne un verre en cristal.

– Attention, il est très fragile !

Je resserre délicatement mes doigts. Les boosters piaffent d'impatience sous ma peau. Ils me supplient de l'écrabouiller. James me laisse avec le verre dans la main puis il va chercher quelque chose dans un rangement aménagé le long du mur. Il fait exprès de me tourner le dos pour que je ne voie pas ce qu'il manigance.

Je lui demande :

– Qu'est-ce que je fais avec le verre ?

James se retourne brusquement et, dans le même mouvement, lance dans ma direction une hache. Par réflexe, je lève mon bras en protection. Ma surprise provoque une crispation de ma main. Le verre explose avant que la hache ne rebondisse sur mon avant-bras.

Par habitude, j'examine l'endroit où la lame m'a touchée en m'attendant à y trouver ma peau lacérée et en sang. Aucune trace n'est visible. Les restes du verre gisent lamentablement à mes pieds.

– Bon ben je me suis plantée...

La voix de maman résonne dans le gymnase. Elle a assisté à toute la scène depuis l'abri où elle se trouve avec papa et Lisa. Pour cette dernière journée, mon entraîneur a conseillé à mes parents de ne pas venir avec mon petit frère. Je comprends maintenant pourquoi.

– Anna, tu n'es pas blessée ?

– Mais non, maman, regarde !

Je tends dans sa direction mon bras qui a reçu le coup de hache.

– Bon d'accord... dit-elle. Mais ça fait bizarre quand même.

– Ce n'est pas grave, Anna, me dit James pour m'encourager. Cet exercice est très difficile, mais il a l'avantage d'inscrire dans la mémoire informatique des boosters la nécessité de faire la distinction entre les différentes parties de votre corps. Cela peut être vital dans certaines circonstances. Mettons que vous vouliez sauver une personne de la chute de débris. Vous devez pouvoir pulvériser les objets mortels avec une main, tout en tenant délicatement la personne contre vous pour la protéger. Sinon, c'est vous qui tuerez la victime. Et il ne restera pas grand-chose à ramasser.

L'image me fait frissonner tandis que j'imagine, pendant entre mes mains, les restes sanguinolents d'un corps humain écrabouillé.

– Allez, on recommence.

Je prends un deuxième verre. James se dirige à nouveau vers le grand tiroir dans le mur. Qu'est-ce qu'il va me lancer cette fois-ci ? Un couteau ? Une pierre ? Une légère angoisse monte en moi. Mon cerveau n'a pas encore totalement intégré la notion de mon invulnérabilité toute neuve. Quand on a passé dix-sept ans à hurler de douleur parce qu'on s'est coincé le doigt dans une porte ou qu'on a mal à une dent, il faut un certain temps pour reprogrammer la relation qu'on a avec le monde extérieur.

James se retourne à nouveau vers moi en marchant rapidement dans ma direction. Il pointe un revolver sur mon visage. Mon premier réflexe est encore une fois de me protéger mais mon cerveau commence à comprendre. Je me fige tandis que James ouvre le feu. Les explosions résonnent de façon assourdissante dans la salle. Il tire cinq fois. Je sens les balles atteindre ma joue, mon cou et mon buste. Elles me font l'effet de grosses gouttes de pluie plus rapides que d'ordinaire.

Quand le silence revient, je monte la main pour montrer à James le verre intact. Il me regarde avec un sourire malicieux tout en continuant à s'approcher. Quand il n'est plus qu'à deux mètres de moi, il lève à nouveau son revolver mais cette fois-ci en le pointant directement sur le verre. Il fait feu deux fois. J'ai tout juste le temps de mettre mon autre main en protection. Les deux balles ricochent contre ma peau et finissent leur course dans les matelas du mur sur ma droite. Le verre est toujours indemne.

Un sentiment de fierté éclaire le regard de mon entraîneur.

— Alors là, bravo, Anna !

Et puis, au moment où je m'y attends le moins, il balance un grand coup de pied dans le verre. Le cristal explose sous son coup. Je suis effondrée.

— Oh non, merde ! C'est pas du jeu, ça !

James éclate de rire, très content de lui.

— Les gangsters que vous allez rencontrer dehors ne respectent aucune règle ! Ce coup tordu est simplement là pour vous le rappeler. Tout bon entraînement doit se finir sur un échec. Sinon, vous allez croire que vous êtes infaillible, et ce n'est pas le cas. Une fois que vous agirez dans la rue, la vie des gens sera en jeu. Vous, vous ne craignez rien mais vous devez garder à l'esprit que vous êtes la seule dans ce cas.

— Ouais, bon d'accord… je comprends, lui dis-je en essayant de surmonter ma vexation.

— Ne soyez pas trop déçue, vous avez parfaitement réussi. Vous êtes une jeune fille très intelligente et très volontaire. J'ai confiance en vous. Vous allez accomplir de magnifiques exploits, j'en suis persuadé.

Il me tend la main pour marquer la fin de mon entraînement. Je prends sa paume dans la mienne, je mets au pas les boosters qui crèvent d'envie de réduire ses os en poussière, et nous échangeons une poignée de main.

Mes parents et Lisa quittent l'abri pour nous rejoindre. Papa est livide. Voir sa fille être la cible de plusieurs coups de feu est une expérience légèrement traumatisante. Mon cerveau n'est pas le seul à ne pas avoir encore complètement assimilé l'idée que je suis désormais invulnérable.

James va chercher dans le compartiment du mur une bouteille de champagne. Pour l'occasion, il revient avec un plateau sur lequel plusieurs verres en cristal sont disposés. Il nous sert, et nous prenons chacun un verre.

— À Anna ! dit-il.

— À Anna ! répètent mes parents et Lisa en chœur.

Je bois une gorgée de champagne en fermant les yeux.

Je sens les boosters qui s'agitent à l'intérieur de moi au fur et à mesure que le liquide entre dans mon organisme.

Ils analysent le champagne pour savoir s'il s'agit ou non d'une menace. Si c'était le cas, si par exemple quelqu'un cherchait à m'empoisonner, ils se chargeraient de détruire la substance avant qu'elle puisse me faire du mal.

Une armée veille en moi.

CHAPITRE 17

Un petit papier glissé sous la porte de mon appartement m'indique : *Francesca vous attend sur le toit
de l'immeuble*. Dans tout ce monde high-tech, une simple
feuille de papier est délicieusement démodée. Lisa pousse
un petit cri aigu en découvrant le mot.

— On va rencontrer une vraie super-héroïne ! Tu te
rends compte ?

Je n'ai pas le cœur de lui dire que le rendez-vous ne
concerne que moi. Je ne peux pas lui faire ce coup-là.

— On y va, Anna ? On y va ? Elle nous attend !

Cette distraction bienvenue nous permet de penser et
de parler d'autre chose que de Jason Baker. À sa manière,
Lisa se fait autant de souci pour moi que mes parents.
Ils me regardent tous comme si j'étais une casserole
de lait sur le feu, près de déborder. Je ne sais pas ce
qu'ils s'imaginent pouvoir faire si mes boosters pètent
les plombs.

Nous prenons l'ascenseur jusqu'au toit. Je suis aussi excitée que Lisa mais j'essaie de ne pas le montrer. Après tout c'est ma vie maintenant, il faut que je m'y fasse.

Les portes de l'ascenseur s'ouvrent sur un hall avec une baie vitrée donnant sur l'extérieur. Un magnifique jardin a été aménagé sur le toit. S'il n'y avait pas en arrière-fond un ciel hérissé de gratte-ciel, on pourrait oublier que nous sommes à Manhattan. J'aperçois Francesca qui admire le paysage debout près du rebord, à une vingtaine de mètres de nous, entourée de dizaines de plantes grimpantes.

— T'as vu comment elle est gaulée ? me dit Lisa, admirative.

Il faut reconnaître que l'Italienne a une sacrée allure, en se tenant simplement là, dominant la ville, les mains posées sur les hanches. Le monde semble lui appartenir. Elle porte avec décontraction un tee-shirt et un jean, ainsi que des bottines à talons. Sur n'importe qui d'autre, y compris moi, cela paraîtrait banal. Sur elle, ces vêtements tout simples ressemblent à de la haute couture.

Pendant un instant, je me dis que je ne serai jamais à la hauteur. Je ne suis pas très grande, je n'ai rien d'extra-ordinaire et elle, il suffit qu'elle se pose là pour ressembler à une statue grecque. Je vais me payer la honte de ma vie le jour où les gens me verront à côté d'elle ! D'autant que Kirsten, l'autre fille du club, est elle aussi plus jolie que moi.

Lisa est si excitée qu'elle ne perçoit pas mon hésitation. Elle franchit les portes vitrées coulissantes pour s'avancer sur le toit, et je la suis avec un petit temps de retard. Francesca se retourne, très souriante.

– Hello, Anna !

L'Italienne décolle légèrement du sol, parcourt en quelques secondes les vingt mètres nous séparant, puis se pose avec grâce en face de moi. Quand je vois l'aisance naturelle de son vol, je me sens encore plus nulle à côté d'elle. Elle m'embrasse sur les joues.

– Je suis supercontente de te rencontrer, me dit-elle chaleureusement.

– Oui, moi aussi, et je suis vachement impressionnée !

Lisa se racle légèrement la gorge pour qu'on la remarque. Francesca lui accorde enfin un regard.

– Et tu es... ?

– Lisa, la meilleure amie d'Anna.

Francesca lui serre la main, ce qui impose immédiatement une différence entre nous deux. Lisa encaisse mal le coup mais elle est encore trop intimidée pour oser dire le fond de sa pensée. Francesca reporte son attention sur moi.

– Donc je suis ta marraine, Anna. Si tu as des questions, des problèmes, n'importe quoi, tu t'adresses à moi. Je te donnerai mon numéro de portable. Tu peux m'appeler jour et nuit.

– Et pour la cérémonie de demain ? je lui demande, un peu anxieuse.

– Ne te prends pas la tête avec ça, me rassure-t-elle. C'est juste un grand show pour les médias. Le club vend les droits de diffusion une fortune. Tu ne peux pas imaginer le fric qu'on leur ramène. Nous ne sommes pas des poules aux œufs d'or, mais des super-poules avec des super-œufs en or massif.

— Mais je vais voir…

— Tu verras tout le monde demain. Tous les super-héros seront là, c'est la règle, personne ne peut y couper. Nous avons obligation par contrat d'assister à toutes les manifestations organisées par le Power Club. Heureusement il n'y en a presque jamais. De ce côté-là, on est tranquilles.

— Je ne pourrai pas assister à la cérémonie de demain, intervient Lisa. Je suis obligée de rentrer à Paris.

— Comme c'est dommage, lui répond Francesca avec un regard qui dit le contraire.

Pour éviter que Lisa ne se sente totalement mise à l'écart, je la rassure :

— Ne t'inquiète pas, je t'appellerai dès que ce sera fini !

— Tu as terminé ton entraînement hier, me dit Francesca, cela veut dire que tu n'es encore jamais sortie de l'immeuble avec tes pouvoirs. Tu viens faire un tour avec moi ?

— Ben… ouais !

Francesca se dirige en marchant vers le bord du toit. En constatant que je ne la suis pas, elle me fait un signe de la main.

— Ben alors, Big City, tu viens ?

Je la rejoins en lui demandant :

— Big City ? Pourquoi tu m'appelles comme ça ?

— C'est bien Granville, ton nom ? En anglais, ça donne Big City. Tu verras, les super-héros adorent se donner des surnoms.

Francesca enjambe la barrière de protection, et pose ses pieds sur le rebord qui surplombe plusieurs dizaines de mètres de vide. Je jette un regard en arrière à Lisa. Elle est restée là où nous étions et me regarde avec tristesse. Je hausse les épaules à son intention. Elle me répond de la même manière.

J'enjambe la barrière à mon tour. Je sens les boosters qui investissent en masse mes pieds au moment où je les pose sur le rebord donnant directement sur le vide vertigineux.

— Suis-moi, frenchy. Aujourd'hui, je suis la maman oiseau qui apprend à son petit à quitter le nid.

— C'est-à-dire que j'ai le vertige, lui dis-je en gardant mes deux mains agrippées solidement à la barrière.

— Non, Anna, celle qui a le vertige n'existe plus. Toi, tu adores le vide. Respire profondément. Rappelle-toi ton entraînement. Tu te souviens quand James t'a appris à marcher sur l'air ? Repense au coussin d'air. La différence aujourd'hui, c'est que ton coussin d'air fait quarante étages de haut.

L'armée de boosters qui habite mon corps tourbillonne sans but en attendant que je lui donne un ordre précis. Je sens tout de même qu'ils fortifient ma peau en prévision d'une chute. Par précaution, ils préfèrent s'assurer de ma survie en cas de rencontre fracassante avec le sol. Leur attention me touche mais, dans le même temps, ne me rassure pas tant que ça. On dirait que mes soldats boosters n'ont pas une confiance absolue en moi. En gros, ils se préparent à ce que leur général se plante en beauté.

– Regarde ! me dit Francesca.

Elle ouvre les bras en grand et se laisse tomber comme une plongeuse. Je suis fascinée par la beauté de sa silhouette qui bascule vers l'avant en dévorant l'espace avec gourmandise. Elle ne ressent aucune peur. L'air semble se modeler autour des courbes de son corps. Pendant une seconde d'une pureté parfaite, la jeune Italienne se confond avec le vide pour donner naissance à une créature sublime. Pour la première fois, je prends enfin conscience de l'énormité du don qui m'a été fait.

Francesca chute d'une dizaine de mètres puis remonte aussitôt en formant un U dans l'air. Elle s'immobilise devant moi.

– À toi maintenant, Anna !

Avec hésitation, je lâche la rambarde. Mes doigts ont tordu l'acier, on peut même voir les lignes de ma main incrustées dans le métal.

Mes boosters rugissent de plaisir. Ils sentent que le moment est venu pour eux de s'exprimer. J'entends leur voix monter à l'intérieur de moi. Ils m'incitent à sauter, ils me disent que je ne crains rien, qu'ils sont là pour me protéger, pour me porter et pour m'aimer. Ces incroyables machines vivantes et microscopiques me témoignent tout leur amour. Ils caressent ma peau de l'intérieur. Ils enrobent mes organes de leur adoration. Ils n'aiment que moi. Ils vont défier les lois de la gravité pour me le prouver.

Bercée par leur voix, j'oublie mes doutes et mes angoisses. Mon centre de gravité se déplace tandis que je bascule progressivement vers l'avant. Sans l'ombre d'une hésitation, je confie au vide mon corps, mes os et mon sang.

Le vent fouette mon visage quand je tombe droit comme une pierre. Une vague irrésistible de boosters balaye l'intérieur de mon corps. Je les sens qui se mobilisent autour de mes os. Ils négocient avec la gravité terrestre au son de leur petite voix si douce et si irrésistible. Ils baratinent le vent pour le convaincre de me porter. La technologie la plus moderne m'apparaît pour ce qu'elle est : une magie rudimentaire à base de combines. Pour accepter de ne pas m'engloutir, la Terre doit être convaincue que les lois physiques de l'univers ne s'appliquent pas à moi. Rien ne doit se mettre en travers de mon chemin. Je suis une exception.

Je visualise un coussin d'air qui prend la forme d'un tremplin de ski. Mon corps suit docilement la courbe née de mon cerveau et creusée dans l'air par les boosters. Pour remonter, un ascenseur imaginaire appuie sous la plante de mes pieds. Je m'immobilise dans l'air à côté de Francesca.

— C'est officiel, Anna, tu as quitté le nid.

Je regarde sur le toit et vois Lisa qui se tient de l'autre côté de la rambarde en me faisant de grands signes. Mes yeux perçoivent comme sur un écran géant de cinéma des larmes qui mouillent le coin de ses paupières.

– Elle fait partie de ton ancienne vie, me dit Francesca. Je ne connais pas un seul super-héros qui ait gardé ses copains d'avant. On est devenus trop différents, ça ne peut plus marcher. Tu as un petit ami en France ?

– Euh... non.

– Tant mieux, ça t'évitera de perdre du temps. Parce que, crois-moi, au bout du compte tu l'aurais largué lui aussi. C'est la loi de la nature. Plus personne ne peut comprendre ce que tu vis. À part nous !

La petite silhouette fragile de Lisa sur le toit me remplit de tristesse. Je n'ai jamais voulu ça. Je n'ai pas signé pour faire de la peine à ceux que j'aime. Mais, comme toute escroquerie réussie, la vie ne se dévoile qu'au moment où vous ne pouvez plus rien changer.

– Allez, suis-moi, je vais te faire visiter la ville du point de vue des oiseaux.

Francesca se propulse en avant et file dans le ciel. Le coussin d'air fabriqué par les boosters m'envoie dans la même direction. Mon armée exulte et chante mes louanges. La passion que me témoignent les boosters m'effraie. Je ne suis pas sûre d'être à la hauteur de leur amour.

*

En fin d'après-midi, j'accompagne Lisa à JFK, l'aéroport de New York. Mon opinion a beaucoup changé sur les avions. Maintenant que je n'ai plus besoin d'eux pour voler, ils me paraissent aussi confortables que des prisons. Lisa surprend mon regard et semble lire dans mes pensées.

— Hé oui, dit-elle avec amertume, moi je suis encore obligée de monter là-dedans !

— Il faut vraiment que tu t'en ailles aussi vite ?

— J'ai promis à ma mère d'aller avec elle en Bretagne. Déjà qu'elle a été supersympa de me laisser partir comme ça.

— Mais tu reviendras, hein ?

Elle fait oui de la tête en détournant le regard. Je comprends très bien ce qu'elle ressent. Si c'était moi qui m'étais retrouvée toute seule sur le toit pendant que ma copine Lisa faisait des pirouettes dans le ciel avec une super-héroïne italienne, nul doute que je ferais la même tête.

— Tu vas revoir Joris à Paris ?

Lisa se tourne vers moi.

— Faut pas te forcer, Anna.

— Mais... qu'est-ce qu'y a ?

— Quoi ? Tu veux me faire croire que mes histoires de cœur avec Joris t'intéressent encore ? Sur une échelle de un à dix, si dix correspond à tes vols planés au-dessus de New York, elles valent combien ?

— Mais tu es ma meilleure amie, ça m'intéresse de savoir ce que tu vis. C'est comme avant, quoi !

— Comme avant ?

Lisa regarde de nouveau au loin, vers la foule des voyageurs et les panneaux d'affichage.

– Bon d'accord, ce n'est pas comme avant, tu as raison. Mais tu restes mon amie, je tiens à toi, ça au moins c'est pareil !

Lisa évite mon regard. Quelquefois les mots que nous disons ne servent à rien. Ils ne font que du bruit. Le fantôme assassiné de Jason Baker plane quelques instants entre nous, hésitant à se mêler à notre conversation, mais finalement nous préférons éviter le sujet.

– Bon, je dois y aller, me dit-elle en attrapant sa valise.

– Mais tu as le temps encore !

– Écoute, il faut que je fasse un tour au *duty free*. Ma sœur veut que je lui rapporte un truc et tu sais comment elle est.

– D'accord.

– Salut.

Elle trottine rapidement en traînant sa valise derrière elle. Je cherche à dire un truc qui pourrait rattraper la situation. Mais, avant que mon cerveau trouve quelque chose de valable, Lisa fait demi-tour et revient vers moi. Avec une moue encore légèrement vexée et un quart de sourire, elle me dit :

– Je crois que j'ai une idée.

Pendant que Lisa embarque, je me rends dans une boutique. Au rayon des jouets, je trouve un tableau blanc effaçable et un feutre.

L'avion de Lisa commence à rouler doucement en direction de la piste qui lui est réservée. Je profite de ces dernières minutes pour sortir de l'aéroport. Une fois dehors, je mobilise les boosters sous la plante de mes pieds.

Je leur dis : « Allez-y, les p'tits gars, hop ! »

Ils me propulsent en l'air. J'entends en bas des cris de surprise et d'admiration. Je monte droit dans le ciel en cherchant des yeux l'avion Air France de Lisa. Il est en train d'aborder la piste pour le décollage. Je reste immobile en regardant l'énorme appareil développer une formidable puissance avec ses moteurs pour s'arracher pesamment du sol. Il suit une trajectoire inclinée, vire sur sa gauche sans arrêter de monter.

De loin, j'accompagne son ascension. Nous traversons ensemble une première couche de nuages. L'humidité glisse sur ma peau. Les boosters exultent, ils font la fête dans la chaleur de mes muscles.

Je me rapproche de l'avion et viens voler tout près des hublots. Les premiers passagers qui me voient sursautent dans leur siège. Très rapidement, leur agitation se communique au reste des voyageurs. Tout le monde me fixe avec des yeux éberlués. J'écris au feutre sur le tableau blanc : *Hello ! Est-ce que mon amie Lisa est ici ?*

En réponse à ma question, les passagers s'interrogent les uns les autres. Même si je ne les entends pas, je devine sans mal ce qu'ils se disent : « La fille qui vole cherche son amie Lisa ! Vous connaissez une Lisa ? Est-ce que quelqu'un s'appelle Lisa ? »

Dans la rangée du centre, je vois Lisa qui fait semblant de dormir. Elle ouvre paresseusement les yeux. Elle ne sort pas de l'Actors Studio mais elle est très convaincante. Elle lève timidement la main. Tout le monde se tourne vers elle. Les gens pointent leur doigt en direction du hublot pour qu'elle me voie.

J'écris sur le tableau le nouveau texte, celui que Lisa m'a suggéré : *Bon voyage, Lisa !* Et puis j'ajoute de moi-même : *Tu me manques déjà !* Tous les voyageurs applaudissent Lisa qui rougit de plaisir. Quand une amie est capable de vous offrir une réconciliation de ce niveau, il ne faut pas la lâcher.

CHAPITRE 18

La cérémonie d'accueil des nouveaux super-héros se déroule traditionnellement sur le toit de l'immeuble du Power Club. La mienne ne déroge pas à la règle. Les journalistes ont été triés sur le volet. Avant d'accéder au toit, ils ont subi plus de contrôles et de vérifications d'identité que s'ils avaient été invités à la Maison-Blanche.

Une grande estrade est installée au cœur du jardin. Pour l'instant, on me demande de rester à l'intérieur. Il faut soigner mon apparition. Sur un écran de contrôle, je vois les journalistes qui se massent devant l'estrade. Les caméras sont déjà toutes en place. Le spectacle va bientôt pouvoir commencer.

Francesca attend avec moi dans le salon. Elle attaque sa troisième bouteille de champagne. Je lui demande avec inquiétude :

— Tu n'as pas peur de ne plus pouvoir tenir debout ?

— Les boosters neutralisent une bonne partie de l'effet de l'alcool. Ces abrutis considèrent ça comme une menace !

Ils ne précisent pas ce détail dans le contrat, sinon j'en connais qui n'auraient jamais signé.

La porte de service s'ouvre, et Bobby Mulligan, Brian Pierce, Adam Linkford et Kirsten Monroe entrent dans le salon. J'en ai le souffle coupé. Toutes les plus grosses stars du monde sont là pour ma fête.

Francesca se lève pour les accueillir. Ils échangent des bises, s'étreignent et se saluent bruyamment avec joie. Ils ont tous entre dix-huit et vingt ans et ressemblent à une bande de potes heureux de se retrouver. Moi, je reste tétanisée dans mon fauteuil. À cet instant, je suis redevenue une groupie qui voit par magie les posters sur les murs de sa chambre prendre vie devant ses yeux.

– Les mecs, dit Francesca, je vous présente Anna. Elle est très cool.

Ils viennent tous vers moi en affichant des sourires resplendissants. Je recommence aussitôt à me dire que je vais faire tache au milieu d'eux. Jamais je ne serai aussi jolie, aussi joyeuse, aussi à l'aise !

Brian Pierce, l'éternel amoureux, se penche vers moi pour me faire la bise. Adam Linkford s'amuse à me prendre la main pour un baisemain très traditionnel. Bobby, lui, me fait une bise sonore suivie par un clin d'œil appuyé. En une seconde ils m'ont incorporée dans leur groupe. Le plus étrange est de sentir à l'intérieur de moi les boosters qui s'agitent. On dirait qu'ils repèrent la présence toute proche de leurs congénères. Quand Kirsten Monroe me serre contre elle, j'ai la sensation que les boosters sous ma peau viennent se frotter aux siens.

Parfois ces bidules ressemblent plus à des animaux qu'à des machines.

Je cherche des yeux les deux super-héros manquants.

— Stanislav et Dominic ne sont pas là ?

— Ne t'inquiète pas, me répond Francesca, ils vont bientôt arriver.

Puis j'ajoute naïvement :

— Et Matthew Banks ? Vous croyez qu'il va venir lui aussi ?

Ma question provoque un éclat de rire général. Voyant ma confusion, Francesca m'explique :

— Si tu ne veux pas que la reine mère te coupe la tête, tu ferais mieux de ne plus jamais plus prononcer ce nom ! Banks a été banni le jour où il a refusé de rendre ses super-pouvoirs. Par-dessus le marché, il a gagné son procès contre le club. Plusieurs cabinets d'avocats sont devenus millionnaires grâce à cette histoire !

L'Anglais et le Russe font leur entrée à leur tour. Pour la première fois depuis sa création, le club est presque à moitié composé de non-Américains. Et nous sommes maintenant trois filles, ce qui est aussi du jamais-vu.

— Yo, Stan ! s'écrie Brian Pierce pour saluer Stanislav.

Les deux garçons se donnent une accolade virile. Dominic est beaucoup moins expansif, il se contente de serrer la main à ses collègues. Quand il arrive près de moi, il me tend également la main.

— Allez, Dominic, c'est la nouvelle, tu peux bien lui faire la bise !

Il s'exécute avec un soupçon de gêne. Les médias ont beaucoup exploité les différentes personnalités des super-héros. Apparemment, la réputation de garçon timide et réservé du Britannique n'est pas une légende. Ni, comme je m'apprête à le découvrir, la lourdeur de Bobby Mulligan.

— Hé, le rosbif, enlève le balai que t'as dans le cul, c'est pas poli devant les dames ! dit Bobby en riant.

Dominic lui lance un regard noir. Bobby fait semblant d'avoir peur en mettant ses deux mains en protection devant lui.

— Hé ! *Cool, British Boy* ! *God Save the Queen* et tout le bazar !

— Tiens-toi comme il faut, Bobby, lui dit Adam. Jason vient de mourir, tu ne peux pas rester poli jusqu'à ce qu'on l'enterre, au moins ?

À cet instant, Elizabeth Foster pousse la porte donnant sur la terrasse. Une tension immédiate remplit l'atmosphère de la pièce. La directrice du Power Club n'a aucun booster dans le corps mais, visiblement, elle n'en a pas besoin pour qu'on l'écoute.

— Bonjour, lance-t-elle en entrant. Je suis heureuse de voir que tout le monde est bien arrivé. Les journalistes finissent de s'installer, nous allons pouvoir commencer dans très peu de temps.

Elle vient vers moi et me serre la main.

— Comment vas-tu, Anna ?

— Très bien, merci.

— Francesca s'occupe bien de toi ?

— Oui, elle est très sympa.

— Tant mieux.

Cette courte conversation se déroule sans qu'Elizabeth Foster m'accorde la moindre attention. Elle me regarde, me sourit, mais sa vigilance est entièrement dirigée sur Bobby Mulligan. Le jeune homme est largement moins bravache que trente secondes plus tôt. Du coin de l'œil, je le vois qui se tortille comme s'il avait subitement une irrépressible envie de pisser.

— Bobby, viens ici, lui dit la directrice. J'ai entendu dire que tu avais pris un nouveau contrat publicitaire.

— Euh... ouais. En fait, c'est ma mère qui me l'a demandé pour son association qui aide les jeunes parce que...

— Tu n'en as pas le droit, Bobby, nous en avons déjà parlé. Connais-tu le sens du mot exclusivité ?

— Ouais, mais c'est ma mère qui...

— Tous tes contrats sont signés sous le parrainage du club. Nous sommes garants de la bonne exploitation de ton image et de son exclusivité. Légalement, tes autres sponsors peuvent porter plainte contre toi si tu vends ton image ailleurs. Est-ce que tu comprends cela ?

— Oui, répond-il d'un air penaud.

— Très bien, j'étais sûre qu'il s'agissait d'une simple erreur de ta part.

Elle sort son téléphone portable, compose un numéro et le tend à Bobby.

– Pour te faire gagner du temps, je viens d'appeler notre responsable marketing. Tiens, dis-lui que tu t'es trompé et que tu t'excuses.

Bobby attrape le téléphone et le fixe comme s'il avait une grosse araignée dans la main.

– Vous voulez que je fasse ça maintenant, madame? demande-t-il timidement.

– Absolument, Bobby. Ce n'est pas la peine de laisser traîner ce problème plus longtemps.

Il colle le téléphone contre son oreille.

– Euh... oui... Allô, c'est Bobby Mulligan à l'appareil. Voilà, je vous appelais parce que...

Bobby s'éloigne du groupe pour poursuivre sa discussion à l'abri des oreilles indiscrètes. Elizabeth Foster nous couve tous du regard avec satisfaction. Son monde lui obéit au doigt et à l'œil.

– ... D'accord, m'sieur, j'suis désolé, hein? Bon, au revoir! conclut Bobby en raccrochant.

Il tend le téléphone à sa propriétaire.

– Alors? demande-t-elle.

– Ben il est pas content, dit Bobby, toujours aussi honteux.

– Évidemment, mon garçon, et il a de quoi. Pour cette raison, à l'avenir, je veux que tu me consultes avant de décider quoi que ce soit. Nous sommes bien d'accord?

– Oui, madame.

Dominic sourit en coin de voir Bobby ainsi humilié. Ces deux-là ne semblent pas s'aimer énormément.

– Maintenant que nous n'avons plus ce souci en tête, reprend Elizabeth Foster, nous allons faire une prière pour Jason. Prenez-vous tous la main.

Nous nous regardons pendant une seconde d'un air idiot, puis Elizabeth Foster saisit ma main et celle de Francesca. Les autres suivent aussitôt le mouvement. La directrice ferme les yeux et, une fois encore, nous l'imitons tous.

– Seigneur, nous prions pour que Jason trouve refuge dans ton royaume. Sa mort tragique nous plonge dans un chagrin immense mais nous éprouvons du réconfort à le savoir près de Toi. Nous pensons à lui tous les jours et nous ne l'oublierons jamais. Amen.

Les autres répètent « Amen » et je remue les lèvres à l'unisson. Nous rouvrons les yeux en même temps. Elizabeth Foster retrouve son sourire et dit :

– Bien. Allons présenter Anna au reste du monde.

*

Tout est prévu à l'avance. Les sept membres du Power Club montent sur scène les premiers. Ils portent tous des vêtements faussement décontractés, en réalité soigneusement conçus par des stylistes de haute couture. La déchirure dans le pantalon, la couture apparente ou l'ourlet cousu de travers, le moindre détail a été dessiné par des mains expertes et vendu à prix d'or.

Des applaudissements et des hurlements hystériques les accueillent. En plus des journalistes, le club a réservé quelques places à des fans. Un concours a été organisé sur le site Internet officiel du Power Club, et les gagnants sont maintenant avec nous sur le toit, en train de pleurer d'émotion et de crier leur admiration comme dans un concert de rock. Un immense portrait de Jason Baker barré par une lugubre bande de tissu noir trône au centre de la scène.

Adam Linkford, qui commence une carrière dans le cinéma, fait redoubler l'excitation générale en survolant la foule. Les autres lui disent en rigolant : « Hé Adam ! Mon gars, c'est pas ton jour ! » En entendant son fameux slogan détourné, Bobby Mulligan sort soudainement de sa torpeur honteuse. Il pointe un doigt menaçant en criant au-dessus du vacarme : « Adam, arrête de faire le malin, sinon je vais être obligé de te botter les fesses ! »

Les groupies ont immédiatement reconnu un autre des nombreux slogans inventés par les conseillers en communication de Bobby. Un de ses plus gros contrats concerne un fabricant de vêtements pour les jeunes. Chacun de ses slogans est imprimé sur des tee-shirts qui se vendent par millions à travers le monde. La foule reprend la phrase en chœur. Certains journalistes se joignent au concert des voix des fans.

Elizabeth Foster s'avance vers le micro au centre de la scène. Son arrivée discipline aussitôt les super-héros qui se rangent docilement derrière elle. Adam atterrit à sa place. L'assemblée se tait progressivement, mis à part une fille de treize ans qui pleure comme si elle venait de perdre toute sa famille dans un incendie. Un infirmier se précipite vers elle et l'évacue discrètement.

— Mesdames et messieurs, commence Elizabeth Foster, le Power Club vient de connaître la plus terrible tragédie de son histoire. Jason Baker nous a quittés et sa perte est ressentie comme une douleur infinie par chacun des membres du club.

Brian Pierce lève le poing et dit d'une voix forte :

— Yo, Jason ! On t'oublie pas, *man* !

Des cris aigus et des applaudissements saluent l'intervention du Californien. La directrice lance un petit regard de reproche à Brian. Il acquiesce doucement en promettant silencieusement de ne pas recommencer.

— Mais la vie continue, reprend Elizabeth Foster. Ce serait faire injure à un garçon aussi joyeux que Jason que de se complaire dans le chagrin. Nous sommes réunis aujourd'hui pour accueillir un nouveau membre dans notre club. Notre tristesse ne doit pas nous priver des moments de joie. Alors je vous le dis à tous, mes amis, soyez heureux, car aujourd'hui Anna devient officiellement une super-héroïne !

La directrice fait un geste ample dans ma direction, m'indiquant ainsi que le moment est venu pour moi d'entrer en scène. Je sors de derrière le grand rideau rouge et m'avance sur l'estrade.

Des dizaines de flashes se déclenchent à la même seconde. Les appareils photo fonctionnant en rafales projettent une forte lumière qui fait osciller mon ombre sur la scène. Les fans sont chauffés à blanc.

Ils m'accueillent avec leurs cris perçants. Des mains se tendent vers moi. Cela ne fait que deux secondes que leurs yeux se sont posés sur moi, et déjà je leur appartiens. Un garçon déplie une banderole au-dessus de sa tête. Il a écrit en français : *Anna je t'aime !*

– Je vous présente Anna Granville !

L'annonce de mon nom complet provoque une nouvelle salve de hurlements hystériques. Francesca mêle sa voix à la clameur de la foule en criant :

– Hou, Big City !

Les membres du club m'applaudissent. La directrice du Power Club m'embrasse sur les deux joues. Après avoir laissé le public donner libre cours à son enthousiasme pendant quelques instants, Elizabeth Foster reprend le contrôle de la cérémonie :

– S'il vous plaît, dit-elle dans le micro, Anna va maintenant prêter serment.

Je m'avance devant le micro et, la main posée sur la Bible que me tend la directrice, je répète le texte que j'ai appris par cœur. N'ayant pas de conviction religieuse, je me sens un peu mal à l'aise. Mais dans un pays qui élit ses présidents de la même façon, impossible d'y couper.

– Moi, Anna Granville, je jure de mettre l'usage de mes superpouvoirs au service du Bien et de la Vérité. Je m'engage à avoir en toutes circonstances une tenue et un comportement qui respectent l'éthique du club. En aucun cas je n'accepterai de l'argent ou une quelconque récompense à la suite de mes actions en tant que super-héroïne. Je promets d'être digne du don que j'ai reçu, de défendre les valeurs de l'Amérique et de respecter les commandements de la sainte Bible. Je m'appelle Anna Granville et je suis une super-héroïne.

La fin de mon serment provoque une nouvelle vague de cris incontrôlés. Mes parents et mon petit frère ont assisté à toute la scène depuis leur place réservée à l'écart de la foule. Ils me font un signe de la main pour me féliciter. Louis agite le plus haut possible ses petits bras. Il est si fier et si heureux pour sa grande sœur.

Une fois devenue officiellement membre à part entière du Power Club, je suis autorisée à rejoindre mes confrères au fond de la scène. Ils m'accueillent à grands coups de tapes dans le dos, de bises sur les joues, d'accolades démonstratives. J'ai l'impression irréelle de jouer sur une scène de théâtre. Le naturel avec lequel ils se prêtent à ce jeu me déconcerte.

– Envoie un baiser à la foule, me glisse Francesca à l'oreille, ils adorent ça !

Je m'exécute et effectivement la réaction est impressionnante. Pour la peine, je reçois en retour une nouvelle salve de flashes. Les hurlements redoublent d'intensité. Je distingue dans la cohue des infirmiers en train de secourir un garçon qui ne tient plus debout. Ces garçons et ces filles débordent d'émotions. La passion leur coupe les jambes et comprime leurs poumons. Ils voudraient mourir pour nous, car c'est le seul sacrifice qu'ils considèrent à la hauteur de leur amour.

Elizabeth Foster lève doucement les bras et, comme convenu, nous nous envolons au rythme de son mouvement. Les flashes accompagnent notre ascension comme si un deuxième Soleil était braqué sur nous.

Dans un parfait ensemble, notre groupe monte dans le ciel. La clameur sur le toit s'atténue tandis que nous prenons de l'altitude. Tout m'apparaît avec la distance d'un rêve.

« Je ne suis plus la même, me dis-je avec des frissons de joie pure. Je suis une super-héroïne. Je fais partie du Power Club et ma légende commence aujourd'hui, à cette seconde ! »

Les boosters dans mon corps sont si excités par la proximité de leurs frères que j'ai toutes les peines du monde à les retenir. Si je les écoutais, ils me propulseraient dans la stratosphère. Ils me pousseraient dans le vide glacial et plus loin encore. Ils voudraient s'épuiser, mourir de fatigue et de contentement pour jouir pleinement de leur immense puissance.

Ils hurlent dans mes veines un chant d'amour à base de fission d'atomes et de fulgurante désintégration de la réalité.

CHAPITRE 19

Après la cérémonie, mes parents, Louis et moi nous retrouvons tous les quatre dans l'appartement familial qui donne sur Central Park. Une fête est prévue ce soir en mon honneur.

Le paysage derrière la fenêtre attire irrésistiblement mon regard. Depuis ma petite enfance, les arbres de Central Park ont été pour moi synonymes de vacances. Je les ai vus sous la neige, décharnés par le vent glacial, ou rougissants en automne. Au fond de moi, j'ai toujours considéré que le parc était mon jardin personnel. Je le prête aux autres seulement par bonté d'âme.

— Tu sais comment t'habiller pour ce soir ? me demande maman.

Je m'éloigne de la fenêtre pour me tourner vers mes parents.

— Je n'ai pas eu le temps d'y penser.

— Tu veux mettre ta robe bleue ?

– De toute façon, ce n'est pas important, lui dis-je. Tu as vu Francesca pour la cérémonie ? Elle était en jean.

– C'est la marque qu'elle représente, précise ma mère.

– Ah bon...

– Tu veux qu'on regarde dans ton placard toutes les deux ?

– Non merci, maman, ça va aller. Je verrai tout à l'heure.

Une très discrète déception traverse son regard.

– Je crois que... je vais me reposer un peu dans ma chambre.

Je les laisse au salon et referme la porte de ma chambre derrière moi. Je sais bien qu'ils n'y sont pour rien mais j'étouffe dans cet appartement. Tout à coup il m'apparaît trop petit pour moi. En restant là-dedans, j'ai l'impression qu'on m'oblige à porter un vieux vêtement qui n'est plus à ma taille.

À la réflexion, je suis d'accord avec maman, ma robe bleue ira très bien. Simplement, je me rends compte que je ne voulais pas en parler avec elle. Comme si j'avais envie de m'éloigner un peu. Francesca a peut-être raison de dire que tout est différent quand on a des superpouvoirs. J'ai déjà tellement changé ?

J'ouvre ma fenêtre et me plonge à nouveau dans la contemplation de Central Park. Nous avons passé la dernière fête de Noël dans cet appartement, seulement tous les quatre. Louis était si impatient qu'il courait partout, comme à son habitude. Papa lui a dit que s'il ne se calmait pas, le père Noël lui apporterait comme cadeau un oreiller pour l'obliger à faire la sieste. Mon petit frère l'a cru, et il a éclaté en sanglots. Il ne pouvait plus s'arrêter. Papa s'est excusé piteusement en disant que ce n'était qu'une mauvaise blague, mais rien ne pouvait le calmer.

Maman l'a pris dans ses bras et lui a chanté sa berceuse préférée quand il était bébé. Louis a continué à renifler bruyamment mais il ne criait plus. Le silence est revenu dans l'appartement, et la voix de maman nous englobait tous comme dans une bulle. À la seconde même où cela se passait, j'ai ressenti de la nostalgie pour cet instant. Certains moments sont si parfaits qu'ils n'attendent pas de disparaître pour se faire regretter.

L'évocation de ce souvenir me donne envie de retrouver mon petit frère. Il est au salon, plongé dans un des nombreux dessins animés mettant en scène les superhéros du Power Club. Pour l'instant je n'apparais pas, mais je sais que les dessinateurs sont déjà au travail sur mon personnage.

— Hé, Louis ! Tu ne veux pas voir ce que ça fait en vrai, de voler ?

Il bondit d'un coup sur ses jambes.

— C'est vrai ? Tu vas me faire voler avec toi ?

— Je te l'ai promis, non ?

— Maman ! Maman ! Anna va me faire voler !

— Mets ta veste, je ne veux pas que tu attrapes froid.

Maman l'aide à s'habiller comme s'il se préparait à partir à l'école.

– Arrête de bouger ! Je n'arrive pas à fermer ta veste !

Dès qu'il est prêt, il court se jeter dans mes bras. Je lui prends la main et me dirige vers la fenêtre. Mes parents nous regardent avec une légère inquiétude.

– Anna, tu es sûre de toi, hein ? me demande mon père.

J'ouvre en grand la fenêtre qui donne sur quinze étages de vide. Louis saute dans mes bras. Je réponds avec un grand sourire :

– Bien sûr !

Puis je me laisse basculer en arrière, comme un plongeur. Louis pousse un cri de frayeur. Nous chutons le long de la façade de l'immeuble en prenant de la vitesse. Louis laisse échapper un petit gémissement angoissé :

– Anna...

Je modifie notre trajectoire et nous remontons en flèche, droit dans le ciel bleu. Louis éclate de rire.

– J'ai eu peur ! J'ai eu trop peur !

– Et t'as pas aimé ça ?

– J'ai adoré !

Un pigeon nous évite de justesse et bat des ailes de façon désordonnée pour retrouver son équilibre.

– Désolé, le pigeon ! lui crie Louis.

Je tiens mon frère à bout de bras pour lui donner l'impression qu'il vole tout seul. Il ouvre les mains, joue avec l'air qui glisse entre ses doigts. New York défile sous nos yeux, avec le sommet de ses buildings, les sombres canyons de ses rues, le brouhaha de la circulation et la vie, trépidante et minuscule, qui grouille loin de nous.

– T'es la meilleure grande sœur du monde, dit Louis si doucement que, sans mes boosters, je n'aurais jamais pu l'entendre.

Ce qui me fait le plus plaisir, c'est qu'il a chuchoté ces mots dans un souffle. Comme un secret impossible à garder plus longtemps.

*

La soirée a lieu sur la terrasse d'un appartement encore plus grand que celui de mes parents. J'ai à peine fait mon entrée que tous les regards se tournent vers moi. On m'applaudit, on me félicite, on colle son visage contre le mien pour faire un selfie. Un quart d'heure plus tard, je n'ai avancé que de cinq mètres dans l'appartement. Francesca vient me sauver en m'attrapant par la main.

– Viens avec moi, Big City !

– Tu sais, lui dis-je, je ne sais pas trop si j'aime le surnom que tu m'as donné.

Elle hausse les épaules en riant.

– On ne choisit jamais son surnom !

Elle me conduit sur une mezzanine où les autres membres du club sont déjà installés, un verre à la main. Je suis horrifiée en voyant le nombre de bouteilles d'alcool vides qui sont empilées dans un coin. Et puis je me souviens de la résistance particulière des boosters. Pour enivrer nos petits hôtes, il en faut vraiment beaucoup.

Les super-héros me font signe et me sourient quand je me joins à eux. Francesca a troqué son jean contre une longue robe noire qui découvre son dos jusqu'au bas des reins. Kirsten est élégante d'une façon tout aussi intimidante. Finalement, j'aurais dû écouter ma mère et réfléchir un peu plus à mon allure. Je fais une petite grimace involontaire quand je pense au nombre de photos qui seront prises ce soir. À côté de ces deux-là, je ressemble à un sac, et le monde entier va penser la même chose. Bravo, Anna, tu commences bien.

— Tu as signé avec qui ? me demande Bobby.

— Qu'est-ce que tu veux dire ?

— Tes sponsors, c'est qui ?

— Ah ! Euh... je n'ai rien signé encore.

— Ah bon ? me dit-il, très étonné. Tu attends quoi ? Personne ne veut de toi ?

Il éclate de rire à sa blague pas drôle.

— Mais non, crétin, lui répond Francesca. Harmony la veut pour son parfum.

Un sifflement d'admiration général salue la nouvelle.

— Alors là, bravo, me complimente Adam. Harmony, c'est la grande classe, on ne peut pas faire mieux.

Les deux filles semblent un peu jalouses. Si je ne veux pas être encore à côté de la plaque, je vais devoir y penser sérieusement. Francesca me désigne un drôle de bonhomme blond qui se fraye un chemin dans la foule.

— Attention, Big City, voici Stuart qui se pointe !

— C'est qui ?

— Le blogueur officiel du club. Il va te poser un tas de questions stupides, et les fans vont tout apprendre par cœur. Alors fais gaffe à ne pas raconter n'importe quoi, sinon ça te suivra jusque dans la tombe.

L'homme monte les marches de la mezzanine et se plante en face de moi. Il ouvre les bras en grand et penche la tête sur le côté en me fixant avec un grand sourire. Je n'ai pas la moindre idée de la réaction que je suis censée avoir. Me jeter dans ses bras ? Lui coller une tarte parce qu'il reluque sans gêne ma poitrine ? Francesca qui prend son rôle de marraine très au sérieux intervient une nouvelle fois :

— Stuart, arrête ton cirque. Anna vient d'arriver, tu ne vas pas déjà la dégoûter de te connaître.

— Francesca, ma petite princesse italienne, ton franc-parler te rend encore plus séduisante !

— Tu ne réponds à aucune question indiscrète, me conseille Francesca. Ce serpent va essayer de t'embobiner mais ne te laisse pas faire, OK ?

Je m'installe dans un canapé en L avec Stuart juste à côté de moi. Il déclenche son téléphone portable pour enregistrer notre conversation.

— Anna, tu viens d'arriver au club, et les millions de fans de notre site se posent déjà des tonnes de questions. Est-ce que tu veux bien avoir la gentillesse de leur répondre ?

Il dirige son portable près de ma bouche pour bien capter ma voix dans le boucan ambiant.

— Euh oui...

— Tout d'abord, commence-t-il, peux-tu nous dire ce que tu as ressenti à l'annonce de la mort de Jason ?

– Eh ben... euh... c'est vraiment très triste. Je veux dire, c'est tragique. Évidemment, je ne le connaissais pas, je viens d'arriver, mais bon...

Stuart me fixe avec des yeux larmoyants de cocker, sans que je sache s'il se moque de moi ou bien s'il est sincère.

– C'est une grande perte pour le club, n'est-ce pas ? dit-il en approchant le micro de sa bouche. Lui qui aimait tellement rire !

Il me tend aussitôt son téléphone pour que je dise quelque chose, mais tout ce qui sort c'est :

– Euh... ouais...

Il garde encore quelques secondes son micro près de mes lèvres, pour le cas où une autre réponse encore plus génialement brillante me viendrait à l'esprit. Comme je ne trouve rien d'autre à dire, il se résigne et attaque avec la première question :

– La vie continue, c'est ce qu'on dit, non ? Nous allons maintenant passer aux questions les plus posées à ton sujet par les internautes. Voici la première. Anna, manges-tu des escargots ?

Je lance un regard paniqué du côté de Francesca en espérant qu'elle me sorte une nouvelle fois de ce mauvais pas. Mais l'Italienne m'a oubliée. Elle discute avec Adam, une main posée sur la cuisse du garçon. Kirsten la foudroie du regard tandis que Stanislav, le garçon russe, dévore des yeux la chute de reins de la super-héroïne.

*

Au cours de la soirée, mon attachée de presse personnelle, Karen, vient à ma rencontre. Cette fille d'une
vingtaine d'années ressemble à un clone de Nikki
Anderson, sa chef au service de presse du Power Club.
On dirait qu'elles ont été fabriquées à la chaîne à partir
d'un fantasme masculin. Visiblement, mes superpouvoirs
n'ont pas mis fin à mes complexes. Pour l'instant, toutes
les filles que je rencontre me donnent l'impression que je
suis soit trop quelque chose, soit pas assez autre chose.
En tout cas, qu'il y a un truc qui cloche chez moi.

— Je vais m'occuper de prendre tous les contacts et faire
un premier tri dans les demandes, me dit-elle.

— Quelles demandes ?

— Les interviews, les reportages, les sollicitations pour
différents événements, dont les jeux Olympiques. Les
publicités, les photographies, le mannequinat, les jouets,
les produits dérivés, les droits pour le cinéma. Les créateurs qui voudraient utiliser ton style, les...

— Merci, ça va, c'est bon ! J'ai compris !

Karen a sorti tout son speech sans reprendre son souffle
ni se départir de son sourire. La mort d'un membre du
Power Club n'est pas une circonstance suffisante pour
arrêter de faire des affaires. Visiblement, le club n'a pas
envie d'être en deuil et, par-dessus le marché, de perdre
de l'argent.

— On peut... on peut voir ça plus tard ?

— Mais oui, bien sûr, Anna, je ne faisais que passer pour
me présenter. Amuse-toi bien !

Elle s'éclipse en faufilant son corps impeccable dans la masse compacte de la foule. En parcourant l'assemblée des yeux, j'aperçois plusieurs stars de cinéma, des chanteurs, même un ou deux hommes politiques. Avec mon père, j'ai l'habitude de fréquenter du beau monde, mais là je suis vraiment passée à la vitesse supérieure. Quel que soit l'endroit de la pièce où je pose les yeux, c'est comme feuilleter les pages d'un magazine people. Je n'ai jamais vu un tel condensé de célébrités. Le Power Club attire tout le monde dans sa lumière.

Je ne reste pas longtemps plongée dans mes pensées. Les gens viennent constamment m'adresser la parole. Je suis la vedette du jour et la petite nouvelle qui va alimenter les futurs potins. Ils me dévorent des yeux et je sais ce qu'ils se disent. « Cette gamine a le pouvoir de voler. Elle peut faire des trous dans les murs à main nue. C'est une déesse ! »

Mais au fond ce n'est pas moi qu'ils voient. Ils admirent les superpouvoirs des boosters. Moi je ne suis que leur enveloppe, le visage plus ou moins gracieux derrière lequel ils grouillent. Le potentiel qui est en moi les fascine et les effraye. Je les domine en tout et pour cela ils me détestent et me vénèrent. Cette admiration forcenée, leur désir tout entier tendu vers moi me font tourner la tête.

Une femme suivie par une caméra me tend un micro.

– Anna, s'il vous plaît, un mot pour les téléspectateurs de la chaîne du club !

La lampe accrochée sur la caméra m'éblouit. Un cercle s'est formé autour de moi.

– Quelles sont vos impressions après cette formidable journée ?

– Euh... je suis très heureuse.

– Quel effet cela fait-il d'entrer dans le prestigieux Power Club ?

– Ben en fait je crois que je ne réalise pas vraiment.

– Que ressentez-vous après la mort terrible de Jason Baker ?

Je sens que je vais encore bredouiller n'importe quoi. Tous ces gens me demandent de dire des mots émouvants à propos de quelqu'un que je n'ai jamais rencontré. Alors soit je suis hypocrite et je joue le jeu, soit je reste franche et naturelle, et je vais passer pour une garce sans cœur.

Avant que j'aie pu me décider sur la meilleure attitude à adopter, Francesca, ma bouée de sauvetage personnelle, surgit à ma droite.

– Anna, viens vite !

Elle se tourne ensuite vers la caméra pour dire :

– Big City va connaître son baptême du feu ! On signale une effraction dans un entrepôt. On y va tous !

Francesca me tire par le bras.

– On va où ? je lui demande.

– Magne-toi ! Tu vas accomplir ton premier exploit de super-héroïne !

Tous les membres du Power Club se sont réunis sur la terrasse. Ils rient et se frottent les mains. Les invités de la fête se regroupent autour d'eux. Un frisson d'excitation parcourt l'assemblée.

– Tu as ta montre GPS ? me demande Francesca.

– Mais non ! Je ne sais même pas de quoi tu parles !

– C'est pas grave, suis-nous.

Les super-héros du Power Club décollent de la terrasse les uns après les autres. Des cris d'admiration et des applaudissements saluent leur départ. Francesca s'envole avec les autres. Pendant une seconde, j'oublie que je fais partie de leur groupe. Je les regarde prendre de l'altitude avec une stupéfaction de spectateur. Puis j'entends les gens qui scandent dans mon dos : « An-na ! An-na ! An-na ! » Toutes les caméras se tournent vers moi. Les invités brandissent leur téléphone portable comme s'il s'agissait d'une offrande à une déesse.

Sauf que dans ce cas ils ne me donnent rien, au contraire. Ce sont eux qui me prennent mon image et la capturent à l'intérieur de leur petite machine. Cette photo va ensuite croître et se multiplier indéfiniment sur Internet.

Je sollicite mes boosters pour qu'ils se rassemblent en masse sous mes pieds. Ils me catapultent en l'air comme si le toit était la corde d'un arc. L'ivresse du moment et ma nervosité m'ont fait mal juger l'effort nécessaire. Trop heureuse de pouvoir agir, mon armée intérieure met le paquet. La vitesse projette mon corps si violemment que la bretelle de ma robe se déchire sous l'effet de l'accélération.

Je ralentis ma vitesse en arrivant à la hauteur de Francesca.

– Holà ! me dit-elle, vas-y mollo, sinon tu vas finir à poil !

Je retiens avec mes mains le côté gauche de ma robe qui menace de tomber.

— C'est la cata, Francesca ! Qu'est-ce que je fais ?

Elle ôte mes mains et estime les dégâts. Le tissu qui pend dévoile mon épaule gauche mais, heureusement, cela ne va pas plus loin.

— C'est génial, me dit-elle. Ne touche à rien, c'est parfait ! Ils vont adorer !

Elle accélère pour rattraper le groupe. Je la suis en tenant le haut de ma robe plaqué contre moi.

— Regarde, dit Francesca en me montrant le petit appareil fixé comme une montre à son poignet. C'est le GPS du club. Tu vas en avoir un, toi aussi. Quand il y a une alerte, il te communique l'adresse et t'indique comment y aller en volant. Tu vois, les immeubles et les points de repère sont vus d'en haut. Génial, non ?

Nous volons en groupe au-dessus de New York. Malgré la hauteur, je ne ressens aucun vertige. Cela vient du fait que je perçois le vide comme un espace plein. Le vent a une épaisseur, il me soutient avec la souplesse de la toile tendue d'un hamac. Son contact sur ma peau a la douceur de la soie.

Adam semble parler tout seul en portant la main à son oreille.

— Qu'est-ce que fait Adam ?

— Il communique avec la police. Adam est notre coordinateur, on l'a élu. Il leur dit de se tenir à carreau, qu'on arrive. Tu vois, ce n'est pas la peine qu'un flic se fasse tuer ou blesser, alors que nous on ne risque rien.

Adam mène le groupe. Nous virons entre les buildings. Les fenêtres illuminées éclairent nos silhouettes quand nous passons près d'elles. Avec nos smokings et nos robes de soirée, nous donnons une vision très différente de l'imagerie habituelle des super-héros. Pas de slip rouge sur des collants bleus. Pas de cape ni de bikini coincé dans la raie des fesses. Le Power Club, on peut dire ce qu'on veut, c'est tout de même la grande classe.

CHAPITRE 20

Adam tend le bras et j'aperçois au loin un rassemblement de voitures de police. Les garçons accélèrent
et nous plongeons dans leur sillage en direction du sol.
Adam se pose le premier. Les autres super-héros atter-
rissent les uns après les autres avec une fluidité qui donne
à l'ensemble l'harmonie d'un ballet.

Seul Bobby Mulligan en fait des caisses. Il se pose avec
un genou à terre, les deux bras écartés et la tête baissée
pour faire les gros yeux. En le voyant, ça ne fait aucun
doute qu'il a passé des heures à s'entraîner devant son
miroir. Mais bon, au bout du compte tout le monde est
debout et lui seul est accroupi par terre. Il se redresse en
époussetant la poussière sur son beau costume.

— Bonsoir, lieutenant Wright, dit Adam en serrant la
main d'un policier.

— Salut, Adam ! Heureux de vous voir, toi et tes copains.
Vous arrivez juste à temps !

— Qu'est-ce que nous avons ce soir ?

Le policier désigne l'entrepôt cerné par les voitures de police.

— Deux rigolos ont déclenché une alarme silencieuse en voulant cambrioler ce dépôt de matériel informatique. Les caméras de surveillance montrent qu'ils sont tous les deux armés. On allait les chercher nous-mêmes, jusqu'à ce que tu me dises que vous étiez en route.

Avec la main ouverte, il englobe d'un geste l'ensemble de la scène.

— Alors allez-y, les garçons, faites-vous plaisir !

Kirsten lui répond avec mauvaise humeur :

— Hé ! Vous êtes miro ou quoi ? On est invisibles, c'est ça ?

Les trois filles du club, moi comprise, fusillent du regard le policier qui adopte un sourire paternaliste.

— Mais non, les filles ! Personne ne vous oublie ! Des poupées aussi belles que vous, voyons !

— Je lui mets mon poing dans la figure ? demande Kirsten à Francesca.

— Si tu fais ça, lui répond l'Italienne, il va falloir ramasser les morceaux sur trois pâtés de maisons.

— Bon, arrêtez ça maintenant, dit Adam avec autorité. L'arrestation de malfaiteurs est un devoir avec lequel on ne doit pas plaisanter.

En le voyant jouer les petits chefs, je constate qu'Adam prend très au sérieux son rôle de premier de la classe. Il entretient avec soin son image lisse, très éloignée des émissions trash de télé-réalité auxquelles participent parfois les autres.

— Anna, c'est toi qui y vas, dit-il en me désignant du doigt.

— Mais... pourquoi moi ?

Tout le monde se met à rigoler, même Francesca.

— C'est ton dépucelage, ma belle, me dit-elle. Vas-y, on te regarde. Et ne panique pas, si tu as un problème, on est là.

Kirsten fait remarquer à Francesca ma robe déchirée.

— Non mais attends, tu as vu sa dégaine ? Tu veux que tout le monde se moque d'elle ?

— Tu ne comprends vraiment rien, Kirsten, lui répond-elle. Au contraire ! Une super-héroïne avec une épaule dénudée, c'est de l'érotisme chic ! Avec ça, elle va faire la couverture d'un paquet de magazines.

Les garçons ne disent rien mais posent un regard connaisseur sur mon épaule. Visiblement ils sont de son avis.

— Bon ben j'y vais alors ?

— Attends, me dit Adam en jetant un regard circulaire. Ah, ça y est, ils arrivent !

Une camionnette avec le logo du Power Club s'arrête derrière le cordon de sécurité mis en place par la police. Un homme en descend, montre son laissez-passer à un policier en uniforme, puis vient vers nous en courant.

— Désolé, j'suis à la bourre !

Il sort une petite caméra numérique de sa sacoche et la pointe sur moi.

— C'est bon, dit-il, ça tourne !

Les garçons m'entourent. Brian passe le bras autour de mes épaules puis il s'adresse à la caméra.

— Bonjour, tout le monde, dit-il avec un grand sourire. Big City ici présente va mettre une raclée à ses premiers malfaiteurs !

— Non vraiment, lui dis-je doucement, je n'aime pas trop ce surnom.

Brian continue sans m'entendre :

— Deux hommes armés sont retranchés dans l'entrepôt que vous pouvez voir derrière nous. La police de New York déteste ce genre de situation extrêmement périlleuse. Big City va entrer seule là-dedans et les récupérer par la peau des fesses. Pas vrai ?

J'acquiesce en me demandant silencieusement ce que je fais ici. Tout sonne si faux que je me sens une nouvelle fois dans une pièce de théâtre. Et encore, pas très réussie.

— Allez-y, Anna, me dit le cameraman, je vous suis.

Avec le naturel d'un robot, je marche vers la porte. Le lieutenant de police Wright me fait un signe d'encouragement en levant le pouce. Le cameraman le filme puis revient aussitôt sur moi. En posant la main sur la poignée de la porte, je lui demande :

— Vous allez entrer avec moi ?

— Ah non, Anna ! Je n'ai pas envie de me faire tuer !

Il arrête de filmer et baisse sa caméra. Son sourire rassurant semble me dire : « Vas-y, toi tu ne risques rien, va faire ton exploit, on t'attend dehors. » La routine, quoi.

J'entre dans le bâtiment et referme la porte derrière moi. Les ouvertures près du toit laissent passer les lumières tournoyantes bleu et rouge des voitures de police. Je me tiens debout dans ma robe de soirée déchirée à l'épaule, immobile dans la poussière de l'allée principale. Des cartons sont empilés de chaque côté. Personne n'est en vue. Les deux types doivent se planquer quelque part en se demandant pourquoi les flics leur envoient une fille en robe de soirée.

Le moment me semble parfait pour essayer un des trucs appris à l'entraînement. Je parle avec douceur à mes boosters en leur demandant d'émigrer vers mes oreilles. Je les sens qui se ruent avec enthousiasme en direction de mes tympans. Ils me font penser à des enfants rentrant en classe dans un vacarme étourdissant. Les boosters parlent sans arrêt. Ils commentent tout ce qu'ils font. Pour eux, parler et agir sont regroupés dans le même mot, la même action. Je leur dis de faire le silence et se mettre en rang. Et, comme je suis leur maîtresse adorée, ils m'obéissent.

En me concentrant, j'écarte les bruits extérieurs. Comme à l'entraînement, j'imagine une série d'épais rideaux que je tire les uns après les autres. Leur tissu supprime progressivement les bruits les plus lointains. Les boosters réagissent fortement aux images mentales. Même leur créateur, le docteur Howard Klein, n'explique pas ce phénomène.

Petit à petit d'autres bruits émergent. Une souris trottine contre le mur du fond. Un moucheron fait vibrer la toile d'une araignée. Deux hommes respirent rapidement. Le moucheron s'agite mais il ne fait que s'enrouler encore plus irrémédiablement. « C'est qui, c'te fille ? » « J'sais pas. » Les pattes de l'araignée font un petit bruit aigu en glissant sur la toile. « Elle fait partie de la police ? C'est une flic ? » « T'as déjà vu une flic fringuée comme ça ? On dirait qu'elle sort du bal. » Je me concentre un peu plus pour exclure les bestioles de ma perception. De toute façon, je n'ai aucune envie d'entendre dans le creux de mes oreilles le bruit de la mise à mort du moucheron par l'araignée.

Le souffle irrégulier des deux hommes finit par s'imposer devant tous les autres sons. Il me sert de point de repère pour avancer dans leur direction. Plus je me rapproche et plus leur respiration s'accélère. J'entends même leurs cœurs affolés qui pompent des litres de sang.

— Stop ! me crie l'un d'eux quand je ne suis plus qu'à quelques mètres de leur cachette.

— Si tu fais un pas de plus, on te tire dessus !

Je ne bouge plus pour prendre le temps de réfléchir. Je ne sais même pas ce que je suis supposée faire !

— T'es qui, toi ? me demande l'un des deux hommes.

— Je m'appelle Anna.

Sur le coup je n'en dis pas plus car j'ignore quels mots employer. Je suis ici pour aider la police ? Pas terrible. On m'a demandé de venir vous chercher ? On dirait que je vais les emmener en voyage. Je fais partie du Power Club ? Oui, ça c'est pas mal. Je suis encore perdue dans mes pensées quand ils m'interrogent à nouveau :

— Mais Anna qui ? On ne connaît pas d'Anna, nous !

Stupidement je leur demande :

— Vous n'avez pas regardé la télé aujourd'hui ?

— Mais non ! Et puis on s'en fout de la télé, merde ! Dégage de là ou je te flingue ! Les flics sont entrés avec toi ?

– Non je suis toute seule et je fais partie du...

Un des cambrioleurs sort soudainement de sa cachette. Il décharge son fusil à canon scié dans ma poitrine. Le choc me jette en arrière. Mes pieds décollent du sol en décrivant un arc de cercle. Je tombe lourdement sur le dos et mon élan me fait parcourir plusieurs mètres avant que je m'immobilise.

Je n'ai absolument rien senti. Les yeux ouverts fixés sur une petite lucarne donnant sur le ciel noir, je me dis : « Il faut vraiment que j'apprenne à encaisser les coups de feu en restant debout, ce sera quand même plus classe. »

– Allez, faut qu'on se tire ! Ils vont venir maintenant que t'as tiré, c'est sûr !

– Mais elle voulait quoi, cette meuf ? Elle était tarée ? J'ai flingué une folle, tu crois ?

Je me redresse sur mes coudes. Les deux hommes tournent lentement la tête vers moi. Quand je me relève, ils sont pétrifiés d'horreur. À en juger par leur expression, ils pensent avoir affaire à un zombie.

Celui qui ne m'avait pas encore tiré dessus se rattrape en déchargeant son revolver dans ma direction. Il est si paniqué que, sur les six coups, seulement deux balles m'atteignent. La première ricoche contre ma hanche. La deuxième glisse le long de ma joue. Le premier homme a si peur qu'une tache d'urine assombrit son entre-jambe. Cela en deviendrait vexant. J'ai l'air d'un monstre ou quoi ?

En baissant les yeux, je constate que le coup de fusil a déchiqueté une partie de ma robe. Mon épaule n'est plus la seule à être découverte. On peut voir très nettement mon nombril et le haut de ma cuisse droite. Je suis atterrée. Le monde entier va être mort de rire. Et en plus il y a ce gars qui m'attend dehors avec sa caméra ! C'est un bizutage ou quoi ?

Au fur et à mesure que ma colère monte, je sens les boosters qui partagent mon indignation. Ma colère les nourrit et les excite. Ils veulent faire payer à ces hommes le prix de ma rage au centuple. Si je ne les retiens pas tout de suite, je vais pulvériser ces deux abrutis.

Je respire un grand coup pour calmer mes troupes, puis je dis :

— Bon, je n'ai pas fini ma phrase tout à l'heure. En fait je fais partie du Power Club. Vous savez, ces gars qui sont invulnérables et superforts ?

— Oh merde...

— En effet, dis-je, c'est le mot.

Je marche vers eux d'un pas décidé. Le deuxième homme recommence à appuyer sur la détente de son revolver mais le barillet est vide. Le premier semble revenir d'un coup à la vie. Son pantalon mouillé déclenche sa fureur.

— Espèce de sale petite...

Je ne le laisse pas aller au bout de sa pensée.

Mon poing le cueille en pleine poitrine. Son corps effectue un bond en arrière semblable au mien après le coup de fusil. Le deuxième homme me frappe au visage. Ses articulations cassent net jusqu'au poignet. Il tombe à genoux en poussant un hurlement déchirant.

Je les attrape par le dos de leur veste pour les traîner dehors. Un comité d'accueil m'attend à l'extérieur. En me voyant arriver avec les deux malfrats neutralisés, tous les policiers et les membres du Power Club se mettent à applaudir et à siffler. La caméra ne manque pas une miette de ma sortie triomphante. Francesca se précipite vers moi pour m'enlacer. Quand elle relâche son étreinte, elle pose un regard sidéré sur ma robe en lambeaux.

— Mais qu'est-ce qui t'est arrivé ?

— Ces crétins m'ont tiré dessus !

Des sifflements élogieux saluent les parties apparentes de mon anatomie. Je rougis, ce qui ne fait que redoubler l'ardeur des cris.

— Alors là, me dit Francesca avec admiration, c'est sûr, toi tu vas cartonner !

*

Il est quatre heures du matin quand je rentre sans bruit dans l'appartement de mes parents en passant par la fenêtre de ma chambre entrouverte. Mes pieds atteignent en douceur la moquette. D'abord mes orteils, puis la plante, puis le talon.

Les boosters libèrent de l'apesanteur mon corps qui accepte de retrouver le fardeau de la gravité. C'est comme si je cessais de rêver pour redevenir un être de chair et de sang. Je savoure ce retour qui me relie à la Terre. Les vertèbres le long de ma colonne vertébrale se tassent en s'empilant les unes sur les autres. Mes chevilles et mes genoux ressentent tout mon poids qui pèse sur eux. Les boosters se mettent en veille mais ils pourraient se ranimer en un éclair. Le temps d'une pensée leur suffirait à retrouver toute leur vigueur.

Je ne résiste pas au plaisir de leur dire à voix haute :

— C'est bien, je suis contente de vous. Vous êtes de braves petits gars.

J'enlève ma robe qui tient désormais plus du chiffon que de la tenue de soirée.

Quand je me glisse sous les draps, la fatigue me tombe dessus d'un coup. Mais dès que ma tête se pose sur l'oreiller, les images de la soirée et de la nuit tourbillonnent à toute allure dans mon crâne.

Les innombrables questions qu'on m'a adressées reviennent sans cesse. J'entends encore tous ces gens me demander avec avidité si j'ai un petit ami, si je me suis fait des copains dans le club, si je mange des croissants le matin et si je crois au processus de paix israélo-palestinien. Si je suis socialiste ou communiste et si je crois en Dieu. Si je représente une marque de vêtements et si je peux dire bonjour aux spectateurs, aux auditeurs, à la masse avide qui, de l'autre côté du miroir, dévore ma vie avec adoration. À ce peuple entier d'étrangers qui me font entrer dans leurs yeux et dans leur tête. Qui font de moi dont ils ne connaissent rien la part la plus intime de leurs pensées.

CHAPITRE 21

— Anna, réveille-toi, la police est là.

— Hein ?

J'ouvre les yeux et découvre maman sur le seuil de ma chambre.

— Deux inspecteurs veulent te parler.

Mon cerveau a besoin de quelques secondes pour tout remettre en place : la cérémonie, la fête, l'entrepôt et la robe déchirée. Je m'assois dans mon lit.

— Dépêche-toi, ils t'attendent au salon.

— Mais pourquoi ? Qu'est-ce qu'ils veulent ?

— Ils enquêtent sur la mort de Jason Baker.

Maman referme la porte. Je reste figée. Est-ce qu'ils savent que j'ai entendu quelque chose quand j'étais dans l'immeuble ? Mon angoisse est si forte que mes bras et mes jambes sont comme paralysés.

Alors, doucement, une clameur monte de l'intérieur de mon ventre. Les boosters analysent ma peur comme une attaque extérieure. Ils bouillonnent de rage contre ce qui me fait souffrir. Je leur dis de se calmer et je me lève d'un bond.

En m'habillant, je vois la carte avec le numéro des avocats posée sur mon bureau. Ils avaient raison finalement, la police va bien me poser des questions. Mais si je réagis à la venue des policiers en appelant immédiatement mes avocats, je vais paraître suspecte. Si jamais ils viennent à tout hasard, je vais me griller et attirer leur attention sur moi. Le mieux pour l'instant est de jouer l'innocence. Et si jamais ils me coincent d'une façon ou d'une autre, j'appellerai les avocats à la rescousse.

Les deux inspecteurs en civil m'attendent debout au salon. Ils sont perdus dans la contemplation de Central Park.

— Bonjour, leur dis-je en entrant.

Ils se tournent vers moi et l'un d'eux pointe son pouce en direction de la baie vitrée.

— C'est une sacrée vue que vous avez là !

Je fais oui de la tête. Le deuxième policier me tend la main.

— Bonjour, mademoiselle Granville. Je suis le lieutenant Simmons et voici le lieutenant McDonald.

Nous échangeons une poignée de main très professionnelle. Leurs yeux m'examinent en détail. Ils me désignent le canapé pour que je m'asseye. Ils tirent deux chaises et s'installent en face de moi.

— Mademoiselle Granville, nous enquêtons sur la mort de Jason Baker. Ne vous inquiétez pas, c'est la procédure normale. Nous avons appris que vous étiez présente dans les murs le jour où Jason a été transporté en urgence à l'infirmerie du club.

— En fait c'est plutôt comme un hôpital, lui dis-je. Tout l'étage est réservé à l'équipe médicale et il y a trois salles d'opération.

— Vous avez raison, nous avons déjà vu tout ça. Et tout est neuf en plus.

— Le Power Club peut se payer ce qu'il y a de mieux, pas vrai ? ajoute son collègue.

Je hausse les épaules sans savoir si sa remarque est ironique, admirative ou envieuse. Peut-être les trois à la fois. Le Power Club provoque souvent ce genre de sentiments mélangés. Le policier qui mène l'interrogatoire sort un petit carnet de sa poche pour relire ses notes.

— Si je reprends la chronologie des événements, me dit-il, madame Foster nous a indiqué que l'alerte concernant les fonctions vitales de Jason Baker s'est déclenchée à cinq heures et huit minutes le matin du vingt-trois juillet. Cette alerte a aussitôt mis en route une équipe de secours. Le corps inanimé de Jason a été repêché une heure et demie plus tard, à six heures trente. Son transport jusqu'à l'immeuble du Power Club a duré une vingtaine de minutes, ce qui nous amène à six heures cinquante du matin environ. À cette heure-ci, le vingt-trois juillet, vous vous trouviez dans une chambre du vingtième étage, c'est correct ?

— Oui, c'est ça.

— Que faisiez-vous à ce moment-là ?

— Je dormais, avec ma copine Lisa. Enfin je veux dire que ma copine Lisa était avec moi dans ma chambre. Elle dormait par terre.

Mes explications confuses font froncer les sourcils de l'inspecteur. Il griffonne quelques lignes dans son carnet, sûrement un truc du style : *Copine Lisa dort par terre avec elle.* Je regrette aussitôt de leur avoir parlé de Lisa. Maintenant ils voudront peut-être lui parler à elle aussi et je n'ai aucune envie de l'entraîner là-dedans. L'inspecteur reprend :

— Je suppose que l'arrivée d'un super-héros en sang et agonisant a provoqué une certaine agitation. Il a dû y avoir des courses, de la précipitation. On m'a dit qu'il avait été placé sur un brancard et que les premières tentatives de réanimation ont eu lieu dans le couloir, son état étant si désespéré qu'ils n'ont pas eu le temps de l'emmener en salle d'opération. Vous avez certainement entendu quelque chose.

Voilà, cette fois j'y suis. Soit je suis fidèle au Power Club et je mens à la police, soit je suis honnête et je déclenche un ouragan sur le club. Mais après tout, je n'ai réellement rien entendu de ce qu'il me raconte. Pour une raison simple : Elizabeth Foster a menti sur l'heure d'arrivée de Jason pour couvrir le délai de réflexion qu'elle s'est accordé. Peut-être ont-ils rapatrié le corps pendant que j'étais dans les vapes à cause de l'anesthésie, ou bien plus tôt encore.

Mon esprit hésite pendant un instant entre le mensonge et l'honnêteté, et puis, sans vraiment m'en rendre compte, je prends une décision.

— Vous savez, l'hôpital du club occupe tout le vingtième étage, dis-je. Je n'ai rien entendu, ils ont dû le faire entrer de l'autre côté.

Les deux policiers me fixent en prenant leur temps. J'espère qu'ils ne voient pas que ma respiration s'est un peu accélérée. Tout comme la directrice du Power Club, ils savent que le silence est le plus grand incitateur de confessions. Beaucoup de gens dénonceraient père et mère pour combler un moment qui les met mal à l'aise.

— Vous dites que vous n'avez rien entendu du tout ?

— Non.

— Même pas l'hélicoptère qui s'est posé sur le toit de l'immeuble pour amener Jason ?

— Non. Les chambres sont très bien isolées. On n'entend rien de l'intérieur.

Il note à nouveau quelque chose dans son carnet, sans que je puisse dire s'il a gobé mes salades ou bien s'il écrit : *Fille raconte des bobards !*

— Vous n'aviez jamais rencontré Jason Baker ?

— Jamais, je viens juste d'arriver au club.

— Oui, je sais, me dit-il en concédant son premier sourire. J'ai vu la vidéo sur Internet.

— Quelle vidéo ?

— Votre intervention de cette nuit. Vous ne l'avez pas vue encore ? Allez-y, ça vaut le coup !

— Il y a déjà plus de deux cents millions de vues.

L'attitude des policiers a complètement changé. J'ai tout à coup devant moi deux fans excités comme des puces.

— Vous avez été formidable avec ces deux cambrioleurs.

— On voit très nettement qu'il y en a un qui s'est pissé dessus !

— L'opération est douloureuse ? Ça fait mal quand ils injectent les boosters ?

— En fait non, pas du tout, dis-je en m'amusant de leur brusque intérêt.

— Ils doivent être aux petits soins là-bas, c'est le grand luxe.

— C'est vrai, ils sont très bons.

— La décoration est très impressionnante aussi. Toutes ces sculptures, tous les tableaux ! C'est un vrai Picasso dans le couloir ?

— Oui. En fait il était juste en face de la porte de ma chambre.

— Ce qui place votre chambre du côté nord de l'immeuble, je me trompe ?

— Euh, c'est possible...

La petite variation dans son regard m'alerte immédiatement.

— L'ascenseur qui relie la plate-forme d'atterrissage de l'hélicoptère et l'hôpital se situe justement du côté nord. Cela veut dire que le brancard portant le corps de Jason est arrivé par là. Juste à côté de votre chambre, donc.

Je me suis fait avoir en beauté. Je ne suis une super-héroïne que depuis une dizaine de jours, et déjà je me laisse aveugler par mon orgueil.

— Je suis désolée, lui dis-je un peu vexée, peut-être qu'ils sont passés juste devant ma porte, c'est sûrement possible, mais je n'ai rien entendu. Lisa et moi, on avait discuté toute la nuit et on dormait profondément.

– Votre amie n'a rien entendu elle non plus ?

– Non. Elle me l'aurait dit sinon.

Les deux policiers échangent un regard puis décident d'un commun accord que l'interrogatoire est terminé.

– Très bien, mademoiselle Granville, nous allons vous laisser. Merci d'avoir répondu à nos questions.

Nous nous donnons une nouvelle poignée de main. Avant de partir, l'un d'eux me dit avec un clin d'œil :

– Vous devriez aller voir la vidéo quand même !

*

Sur la vidéo j'ai une classe folle, impossible de dire le contraire. Moi qui ne me suis jamais trouvée belle sur une photo, je dois dire que là j'en mets plein la vue. Mes parents sont penchés chacun sur une de mes épaules tandis que je fais défiler la vidéo sur mon ordinateur. Louis se glisse entre nous, passant sous le bras de papa.

– Ouah ! dit mon petit frère d'un ton admiratif. Qu'est-ce que t'es belle comme ça !

Francesca avait raison, ma robe déchirée fait un effet monstre. Je soupçonne le cameraman d'avoir retravaillé ses images. Il a dû ajouter des contrastes, des couleurs, peut-être même gommer des défauts, parce que la fille que je contemple à l'écran est parfaite. On me voit sortir de l'entrepôt en traînant les deux cambrioleurs comme s'ils ne pesaient rien. Quand j'avance ma jambe, ma robe déchirée laisse apparaître ma cuisse. Le mouvement est si harmonieux qu'on dirait que c'est fait exprès.

– Mais qu'est-ce qui est arrivé à ta robe ? demande mon père. Ce n'est pas toi qui l'as déchirée comme ça, quand même ?

– Non, papa, c'est à cause du coup de fusil. Et un peu du revolver aussi.

Mon père avale difficilement sa salive mais ne fait aucun commentaire.

Sur la vidéo, on me voit ensuite rejoindre le groupe du Power Club qui m'applaudit et me félicite. Le lieutenant Wright vient également me serrer la main pour me remercier. Plusieurs policiers en uniforme et des membres de la brigade d'intervention m'acclament.

Ensuite, le Power Club s'envole en montant droit dans le ciel nocturne de New York. Ma robe déchirée flotte au vent quand mes pieds quittent le sol. Une brise plaque le tissu sur le côté, ce qui dévoile presque la totalité de ma jambe nue. Je sens papa dans mon dos de plus en plus mal à l'aise.

– Quand même... Je trouve ça un peu...

– Un peu quoi ?

– La prochaine fois, mets un pantalon.

J'éclate de rire.

– Arrête de délirer, papa !

– Je crois que ton père a raison, Anna. Tu es très belle mais ce n'est pas une raison.

– Et puis on ne s'envole pas avec une robe ! continue mon père. Un peu plus et tout le monde voyait ta culotte !

— Il n'a pas tort, Anna.

— Non mais je rêve ! On a vraiment cette conversation ? J'ai arrêté deux hommes qui m'ont tiré dessus. En faisant ça, j'ai évité que des policiers soient blessés ou tués, et vous, tout ce que vous trouvez à dire, c'est qu'on aurait pu voir ma culotte ? C'est une blague ?

— Nous sommes tes parents, ma chérie, me dit maman, nous nous faisons du souci pour toi. C'est la moindre des choses, non ?

Je me tourne vers mon père pour voir sa réaction.

— Un pantalon, me dit-il. Pour me faire plaisir.

*

Le lendemain matin, je dois dire au revoir à ma famille qui rentre à Paris. Maintenant que leur fille est devenue officiellement une super-héroïne, ils doivent reprendre leur vie normale.

Je les accompagne à l'aéroport, comme je l'ai fait pour Lisa, mais l'ambiance est très différente. Entre-temps, je suis devenue aux yeux du monde la nouvelle super-héroïne du Power Club. Mon visage a rejoint celui des autres au sommet de la célébrité planétaire. Nous avons à peine fait dix mètres dans les couloirs qu'une masse de gens se précipite vers moi.

— Anna ! Anna !

— C'est Anna ! C'est la nouvelle du Power Club !

Des ados se mettent à crier de joie. Une forêt de téléphones portables pousse subitement devant mon visage.

La foule me prend en photo, appelle des amis, tourne des vidéos. De nouveaux venus, toujours plus nombreux, arrivent en courant depuis l'autre bout du hall. Mes parents sont repoussés loin de moi par cet afflux soudain. Un homme bouscule Louis qui s'étale de tout son long.

— Doucement ! Faites attention ! leur crie maman.

Mais ils ne l'écoutent même pas. Ils sont hypnotisés, irrésistiblement attirés vers moi comme si j'étais un aimant. Effrayé par cette violence soudaine, Louis se met à pleurer. Papa le prend dans ses bras pour le protéger d'un groupe de jeunes filles si excitées que l'une d'elles perd l'équilibre et s'écrase lourdement sur le sol. Les gens se piétinent et se poussent pour pouvoir s'approcher de moi.

Pour leur échapper, je m'élève hors de portée, vers le plafond. La foule se referme sous mes pieds, recouvrant le moindre espace vide, les bras et les visages tendus dans ma direction. Mes parents en profitent pour s'éloigner prudemment. Maman me fait signe de partir, que ce n'est pas la peine d'insister, on discutera plus tard. Elle mime un téléphone avec sa main. Le bruit de la foule est assourdissant dans le grand hall de l'aéroport.

Ma famille part à contre-courant en tentant de ne pas se faire écrabouiller. Louis en pleurs me regarde par-dessus l'épaule de papa.

Je n'imaginais pas les quitter de cette façon.

CHAPITRE 22

–Allô ?
– *Bonjour Anna, c'est Karen !*

Je suis encore sous le choc du départ de ma famille, et il me faut quelques secondes pour me rappeler qui est cette Karen qui m'appelle sur mon portable. Sa voix chantante et énergique m'aide à la retrouver parmi les souvenirs de tous les nouveaux visages rencontrés ces derniers jours. Mon attachée de presse.

– Euh... bonjour Karen. Qu'est-ce qui se passe ?

– *Nous avons des tonnes de choses à voir ensemble aujourd'hui. Peux-tu passer à l'immeuble du club dans la journée ?*

– Ben, c'est-à-dire que...

– *Et au fait, bravo ! Alors là, je dis chapeau !*

– Euh oui... Merci...

– *Tu es le rêve d'une attachée de presse. Je n'ai qu'à allumer mon ordinateur pour voir que mon boulot est déjà fait.*

– Oui…

– *Très bonne idée, la robe déchirée. Tous les forums ne parlent que de toi. J'ai plusieurs créateurs de mode qui veulent te rencontrer. En fait, ils m'ont déjà envoyé des dessins inspirés par ta robe déchirée. Attends, ne bouge pas !*

J'entends un bip signalant que je viens de recevoir un message. Karen m'a envoyé l'un des dessins. J'hallucine en voyant le croquis reprenant ma bretelle déchirée, la cuisse découverte, le nombril apparent. Je rebascule sur la ligne de Karen.

– Mais c'est carrément n'importe quoi…

– *C'est ab-so-lu-ment génial, oui ! Je n'ai jamais vu une super-héroïne ou un super-héros faire aussi vite le buzz auprès du public et des professionnels. Est-ce que tu peux venir pour quinze heures ? Ce serait parfait !*

Sa voix est un rouleau compresseur énergétique, je me sens épuisée rien qu'en l'écoutant.

– Bon d'accord, j'y serai.

– *Génial ! À tout à l'heure !*

*

À l'heure du rendez-vous, Karen me reçoit à l'étage des relations publiques avec un grand sourire.

– Viens avec moi, Anna, ils sont déjà arrivés !

– Qui ça ?

Un homme et une femme m'attendent dans le luxueux bureau de Karen. Ils se lèvent en me voyant entrer.

– Anna, c'est un plaisir de vous rencontrer !

Ils me serrent la main avec autant de dévotion que si je venais de découvrir le vaccin contre la rage.

— Nous avons vu votre exploit de cette nuit, c'était extraordinaire !

— Cela ne fait que renforcer notre opinion. Vous êtes la personne parfaite pour notre parfum star !

Je me tourne vers Karen qui est aux anges.

— Je te présente James et Jackie qui travaillent chez Harmony, m'explique-t-elle. Ils sont venus en personne pour te convaincre de devenir l'égérie de leur parfum.

— Mon petit doigt m'a dit que vous hésitiez, me dit James avec un coup d'œil complice en direction de Karen. J'ai tenu à venir moi-même pour vous en parler. Et je ne suis pas venu les mains vides.

Il me montre l'écran d'une tablette tactile.

— Nos graphistes ont travaillé dessus sans relâche, me dit-il avec fierté.

L'image représente un projet d'affiche publicitaire pour leur parfum. On me voit avec ma robe déchirée, les yeux perdus dans le lointain. La tour Eiffel est en arrière-plan. Ils ont utilisé une image de la vidéo retouchée pour m'intégrer dans ce nouveau décor. Encore une fois, je ne peux m'empêcher d'admirer la beauté de la fille sur la photo. Je sais que c'est moi et que ma réaction n'est pas saine. Si je tombe sous le charme de ma propre image, je suis vraiment mal barrée. Et pourtant, c'est plus fort que moi. J'ai toujours rêvé de devenir cette fille-là.

— Alors, Anna ? me demande Karen. Qu'en penses-tu ?

Je soupire doucement en me sentant succomber.

– Je ne sais pas…

– Nous pensons également à des films publicitaires pour la télévision et le cinéma, précise Jackie avec une dose d'énergie qui n'a rien à envier à celle de Karen. Avec vos pouvoirs, même pas besoin d'effets spéciaux ! Vous n'avez qu'à être vous-même et la planète entière sera fascinée comme elle l'est déjà avec votre vidéo.

– Oui, c'est tentant…

– Laissez-vous tenter, Anna ! Vous nous feriez tellement plaisir ! Et le contrat que nous vous proposons est extrêmement généreux.

– C'est-à-dire que je ne suis pas entrée au club pour gagner de l'argent, vous savez.

– Mais c'est tout à votre honneur, réplique Jackie. Nous pouvons tout à fait verser votre cachet à des associations caritatives de votre choix. Cela ne pose aucun problème.

Sachant que le Power Club encaisse cinquante pour cent de mes gains – c'est ce que nous a finalement confirmé Roland, l'avocat de papa –, cet argent ne sera pas perdu pour tout le monde. Mais de cette façon je peux faire une bonne action tout en m'amusant à poser pour des photos. Comme un vrai mannequin de mode ! Moi ! Je n'en reviens pas. Lisa serait encore plus morte de jalousie si elle savait ça. « Elle le saura de toute façon, me dis-je, quand elle découvrira mes photos sur les murs de Paris. »

– Bon… D'accord.

James et Jackie sont si heureux qu'ils m'applaudissent. Karen sort une bouteille de champagne de derrière son bureau. Cela prouve deux choses. Premièrement : elle savait à l'avance que j'allais accepter. Deuxièmement : le Power Club achète des bouteilles de champagne par palettes entières.

*

Après le départ de James et Jackie sur leur petit nuage, qu'ils viennent de se payer avec plusieurs centaines de millions de dollars, Karen me conduit au quinzième étage. Je suis accueillie par un jeune homme qui doit avoir à peine cinq ou six ans de plus que moi.

—Je te présente Shane Andrews, me dit Karen. Ne te laisse pas tromper par son jeune âge, il dirige toute la partie Recherche et Développement du Power Club. Les boosters n'ont aucun secret pour lui ! Figure-toi qu'à quatorze ans, il travaillait déjà comme assistant pour Howard Klein. C'est un vrai génie !

Le jeune homme accepte le déluge de compliments sans broncher. Il me serre la main, le regard dans le vague. Une profonde tristesse se dégage de lui. À vrai dire, je ne sais même pas s'il a entendu un seul mot.

Karen lui lance un petit regard inquiet qu'elle s'empresse de dissimuler sous son sourire éclatant.

—Je te confie aux bons soins de Shane. Il a quelque chose à te donner, n'est-ce pas, Shane ?

Après une courte pause, le regard du garçon se rallume légèrement.

– Oui, oui, bien sûr, finit-il par répondre. Excusez-moi, je ne suis pas très bien. La mort... L'accident de Jason... Je suis très... choqué par ce qu'il vient de se passer.

– Nous comprenons parfaitement, reprend Karen en se tournant vers moi, nous aussi nous sommes très tristes. N'est-ce pas, Anna ?

Je lui réponds que oui, moi aussi je suis très triste, tout en fixant son sourire éblouissant qui semble vouloir me vendre une cargaison de dentifrice.

– Bien. Alors à bientôt, Anna ! Je suis très heureuse de notre rendez-vous avec Harmony ! Nous allons accomplir de grandes choses ensemble, j'en suis persuadée.

Shane et moi, nous la regardons se diriger vers l'ascenseur en ondulant gracieusement des hanches. Cette femme semble complètement hermétique au malheur. Son métier de relations publiques lui a donné une capacité surhumaine à dégager de l'optimisme dans n'importe quelles circonstances.

Quand les portes de l'ascenseur se referment sur elle, Shane me dit sans grande conviction :

– Tu sais, elle cache bien son jeu mais elle est aussi bouleversée que moi. Chacun réagit à sa façon.

Il m'emmène ensuite jusqu'à son atelier au bout du couloir. Son bureau est couvert de composants informatiques, de fils électriques et d'outils de précision. Derrière une grande vitre, plusieurs techniciens du Power Club revêtus de la tête aux pieds de combinaisons de protection blanches travaillent activement dans un laboratoire.

Ils arrêtent ce qu'ils font et me dévisagent tous lorsque j'entre. Je suis devenue une curiosité pour absolument tout le monde.

— Voici ton GPS spécial Power Club, me dit Shane en me donnant la même montre que celle de Francesca. Il te permettra de te guider en vol sur toute la surface du globe. Il réagit à la voix. Tous les repères indiqués sont vus d'en haut. Il capte aussi la fréquence de la police et permet de communiquer avec elle.

— J'ai l'impression d'être James Bond, lui dis-je avec un sourire amusé. Le prochain truc que vous me donnez, c'est un stylo avec un rayon laser ?

— À vrai dire, me répond-il sérieusement, tu es mille fois mieux que James Bond. Tu es assez forte pour déculotter 007 et lui flanquer une fessée.

— C'est vrai !

J'appuie sur le bouton de mise en marche et un trajet préenregistré s'affiche automatiquement. Il est écrit : *Passer dire bonjour à Emily.*

— C'est qui, Emily ?

Le visage de Shane devient encore un peu plus pâle. Dans le club, il est celui qui semble le plus traumatisé par la mort de Jason. En tant que chef du labo, il doit se sentir responsable du dysfonctionnement des boosters.

— Il y a trois ans, j'ai programmé un trajet qui sert d'exemple, m'explique-t-il en se reprenant très vite. Il part de l'immeuble du Power Club et va jusqu'à une petite maison en banlieue. Si tu suis ce parcours, non seulement ce sera un bon entraînement, mais en plus tu feras une bonne action.

– Pourquoi ?

– Tu sais, des tas de gens écrivent au club. Pour demander des super-héros en mariage, les inviter à leur anniversaire, ce genre de stupidités principalement. Mais parfois on tombe sur des lettres émouvantes. Une petite fille de sept ans qui s'appelle Emily m'a écrit directement parce qu'elle avait vu un reportage sur moi à la télévision. Son rêve était de rencontrer un super-héros en vrai. Il y avait quelque chose dans sa lettre... Je ne sais pas, elle m'a touché. Pour lui faire plaisir, j'ai programmé le parcours d'entraînement des super-héros jusqu'à sa maison, pour qu'elle voie au moins une fois tous les nouveaux membres passer en volant au-dessus de chez elle. Tu n'es pas obligée d'y aller maintenant, mais pense à lui rendre une petite visite à l'occasion !

À cet instant, je remarque la photo d'une fillette au milieu du fatras de matériel empilé sur le bureau.

– C'est elle ?

– Oui.

– C'est vachement gentil d'avoir fait ça.

– Ben, des fois, on peut être sympa quand même, non ?

C'est la première personne du Power Club qui ne me parle pas d'argent, d'image publique ou de rentabilité. Ce génie avec des airs de lycéen est une vraie bouffée d'air frais au milieu de cet univers hypercontrôlé.

Shane indique ensuite du menton son ordinateur portable.

— J'ai vu ta vidéo. Tu as été géniale. On voulait te dire qu'on est tous très fans !

Il me désigne la grande vitre derrière laquelle les combinaisons blanches intégrales me font des signes enthousiastes. Je les salue en retour.

— Tu nous donnerais un autographe ?

Je lui réponds avec hésitation :

— Je ne sais pas si j'ai le droit. Les avocats du club m'ont fait la leçon à ce propos.

— Ne t'inquiète pas, ça ne sortira pas d'ici ! Dès que je suis arrivé au Power Club, j'ai mis en place une sorte de livre d'or au labo. Chaque super-héros a signé. Viens voir.

Il me conduit dans un petit salon attenant à l'atelier. L'un des murs est entièrement recouvert d'une épaisse plaque métallique. Une vingtaine de signatures sont gravées en creux dans le métal.

En examinant la plaque, je découvre le nom de Matthew Banks, le renégat.

— La directrice a accepté que vous gardiez l'autographe de Banks ?

— Attention, sujet sensible ! me dit-il en grimaçant. Matt est le seul super-héros qui soit devenu un vrai ami. C'était avant son exclusion du club, évidemment. Après ça, madame Foster m'a ordonné d'effacer son nom mais elle est trop occupée pour venir vérifier. Donc, pour l'instant, Matt reste avec nous.

En plus de faire parfois des choses gratuitement, Shane s'offre aussi le luxe de défier la directrice toute-puissante du Power Club. Décidément, ce garçon me plaît bien.

— Tu connais Matthew Banks, alors ? Il est comment ?

— Matt est un type génial, je ne comprends pas pourquoi ça fait toute une histoire. Je veux dire, il n'enlève rien au club. S'il veut prendre des risques avec sa santé, c'est son problème.

Il jette tout à coup des regards autour de lui.

— Mais bon, ce n'est pas recommandé de parler de Matthew entre ces murs. Je te conseille de ne pas le faire. Et absolument jamais en présence de la directrice.

— Mais pourquoi elle lui en veut autant ?

— Je crois que Matt était son chouchou. On n'est jamais autant trahi que par ceux qu'on aime, tu vois le truc ?

J'acquiesce en silence.

— Alors tu veux bien signer ?

— Oui, d'accord, mais je le fais avec quoi ?

— Avec ton doigt, comme les autres.

Mon index se pose sur la plaque et déforme le métal sous la pression de mon ongle. Je trace mon prénom aussi facilement que si je l'écrivais sur du sable.

CHAPITRE 23

Je quitte l'atelier sous les applaudissements silencieux des combinaisons blanches derrière leur vitre. En appuyant sur le bouton pour appeler l'ascenseur, je réalise soudain que je n'en ai pas besoin. Un homme en chemise boit un verre d'eau à la fontaine. Il me regarde en douce mais de façon peu discrète. Quand il s'aperçoit que je l'observe à mon tour, il écrase le gobelet en plastique entre ses doigts et commence à partir rapidement.

– Monsieur ! Attendez !

Il se fige et se retourne lentement.

– Euh... oui, mademoiselle...

Après avoir ouvert l'une des fenêtres du couloir en grand, je lui dis :

– Est-ce que vous pouvez la refermer derrière moi, s'il vous plaît ?

J'enjambe l'appui de la fenêtre et me jette dans le vide. Les boosters caressent l'air en l'obligeant à me porter, à me faire remonter selon une courbe d'une douceur infinie.

Par-dessus mon épaule, je vois l'homme, les yeux écarquillés, qui suit ma trajectoire, les deux mains posées sur le rebord, le cou tendu. Apparemment, même les gens qui travaillent au Power Club ne s'habituent pas à voir des gamins qui volent.

Je plane au-dessus de la ville en me sentant parfaitement à ma place. Je suis désormais dans mon élément. Le meilleur remède au vertige est de savoir qu'on ne peut pas tomber.

Vus d'en haut, les immeubles restent impressionnants mais ils donnent l'impression d'être plus fragiles. Je regarde en passant les autres humains enfermés dans ces cubes de bureaux et d'appartements. Certains me remarquent. Ils ouvrent de grands yeux ou me font des signes. Toute la ville de New York devient spectatrice de ma vie.

Soudain, j'entends en passant un cri déchirant. Les boosters compriment l'air devant moi pour ralentir mon élan et stopper mon vol. Dans un appartement du douzième étage dont la fenêtre est ouverte, un homme furieux s'en prend à une femme. Il l'insulte, lève son bras pour la frapper encore une fois. L'air se comprime dans mon dos, puis me projette en avant comme un ressort.

L'intérieur de l'appartement, une cuisine, semble bondir vers moi. Le souffle de mon arrivée renverse toutes les affaires posées sur la table. Je m'immobilise derrière l'homme, mes doigts se referment sur son poignet.

– Hein !

Il essaye de dégager son bras, sans comprendre ce qui le retient. En regardant par-dessus son épaule, il me découvre, en lévitation dans sa cuisine. La femme a les lèvres fendues et un bleu sur la pommette gauche.

— Ne touchez pas cette femme! lui dis-je.

La rage me donne envie de lâcher les boosters sur cette ordure. Mais je les retiens, je lutte contre la juste colère qui les secoue, je leur dis que tout va bien, que je contrôle la situation.

L'homme se met à hurler d'une voix aiguë :

— Lâchez-moi! Lâchez-moi!

Il tire de toutes ses forces pour desserrer mon étreinte.

— Arrêtez, lui dis-je, vous allez finir par vous faire mal!

Maintenant il panique complètement. Il me hurle des insultes. La femme s'y met aussi.

— Non, lâchez-le! S'il vous plaît! Par pitié!

L'homme agite tellement son bras qu'il s'inflige de vives brûlures entre mes doigts. J'ouvre d'un coup la main. Il part en arrière et se cogne le dos contre le frigo. À l'intérieur, une bouteille se casse et un tas de trucs dégringolent. Il tombe sur les fesses, à bout de souffle, son poignet sanguinolent. La femme est aussi terrifiée que lui.

— Vous allez bien, madame?

— Oui... Ça va...

— Vous voulez appeler la police?

Elle fait non de la tête.

— Ce n'est pas la peine. Je vais... je vais partir, me dit-elle.

— Allez-y, je reste là pour le surveiller.

J'entends la femme qui traverse l'appartement. Elle parle à des enfants en leur disant de ne plus avoir peur, et qu'elle va les emmener en voyage. L'homme ne me quitte pas des yeux.

Quand il comprend que je n'ai pas l'intention de le frapper, sa terreur fait peu à peu place à la haine. Il me sourit méchamment, avec l'air de dire : « Quand tu seras partie, je ferai ce que je veux à cette femme que tu crois avoir sauvée. »

Sans même y penser, je l'attrape par le col de sa chemise et le fais passer par la fenêtre. Suspendu au-dessus du vide, il se met à battre frénétiquement des jambes. Ses deux mains s'accrochent à mes poignets comme à une bouée.

– Non ! Non !

La rumeur de la rue monte jusqu'à nous. L'homme jette des regards affolés en direction de la circulation sous ses pieds. Une peur violente et animale déforme son visage.

– Qu'est-ce que tu feras si elle revient ?

– Non ! Non !

– Non quoi ?

– Ramenez-moi, m'dame… J'vous en supplie !

– Ne la frappe plus jamais, tu m'entends ?

– Oui, oui, m'dame, j'le jure ! J'le jure !

Je prends trop de plaisir à ça, je le vois bien. Cet homme a blessé et humilié une femme simplement parce qu'il a la force physique pour le faire. Mais au fond, est-ce que je ne suis pas en train de reproduire la même chose ?

J'aperçois plusieurs personnes qui me filment avec des téléphones depuis leurs fenêtres. L'un d'eux me crie :

– Ouais, vas-y, lâche-le !

Dès que je ramène l'homme dans l'appartement, il se jette dos au mur, comme pour s'assurer que le monde solide existe encore. La femme et les deux enfants sont debout sur le seuil avec plusieurs sacs dans les mains. Ils me fixent tous les trois avec frayeur.

— J'ai cru que vous alliez le tuer, me dit-elle.

L'homme sanglote, ratatiné par terre. J'ai brusquement envie de partir, de quitter cette cuisine où je n'aurais peut-être jamais dû venir. Mais au dernier moment, la femme me dit :

— Merci pour ce que vous avez fait. Je crois qu'il n'aurait pas pu s'arrêter cette fois-ci.

Elle s'éloigne sans rien ajouter. Les enfants la suivent en silence.

Le petit garçon regarde furtivement l'homme en pleurs. Je ne sais pas si c'est son père. Je ne sais même pas si je lis dans les yeux de l'enfant de la peur, de la tristesse ou, pire encore, la haine que l'homme lui aurait transmise comme un poison.

CHAPITRE 24

Le lendemain matin, la première phrase que Lisa me dit au téléphone est :

— *Alors tu en sais plus ?*

— De quoi tu parles ?

— *De quoi je parle ? Mais du meurtre de Jason Baker ! Tu as pu en savoir plus ? La réunion secrète et tout ça. C'est quoi leur complot ? Comment il est mort pour de vrai, ce pauvre gars ? Qui l'a tué ? Pourquoi ? Tout, quoi !*

Mon silence déplaît fortement à Lisa. Même à des milliers de kilomètres, je peux sentir sa contrariété. J'essaie aussitôt de changer de sujet.

— Tu as vu mes photos ?

— *Ah ben ça oui ! Je ne vois pas comment j'aurais pu y échapper, y en a partout sur le Net !*

— C'est drôle parce que ma robe déchirée en fait...

— *Anna, qu'est-ce que tu fais ?*

Nouveau petit silence et nouvelle contrariété.

— Qu'est-ce qu'y a ? je lui demande.

— *Tu déconnes à bloc. Tu devais essayer de savoir de quoi ils parlaient pendant leur réunion secrète ! Et puis c'est quoi ces conneries comme quoi il se serait suicidé ? Tout le monde a l'air d'y croire, en plus ! Tu as déjà vu un mec se tuer à force de se taper dessus ? Non mais c'est carrément du délire !*

— Écoute, Lisa, tu ne peux pas comparer la force d'un homme normal avec celle d'un super-héros. Ça n'a absolument rien à voir !

— *Attends ! Tu me dis quoi, là ? Que tu crois à leurs conneries ! Tu t'es laissé embobiner comme les autres ?*

— Mais non, c'est pas ça, je dis juste que les choses sont très différentes quand on a des superpouvoirs !

— *Ben oui, je vois ça...*

Le silence et la contrariété se répartissent maintenant de façon égale entre les deux côtés de l'Atlantique. J'ai appelé Lisa pour lui raconter ma nouvelle vie hyperexcitante et, à la place, j'ai droit à une leçon de morale.

Mais ce qui me contrarie le plus, je dois l'avouer, c'est le fait que les mensonges du Power Club m'étaient complètement sortis de la tête. Ces gens cachent à des parents le meurtre de leur fils et moi, pendant ce temps-là, je fais quoi ? Je pose pour des photos de mode, je parade dans le ciel de New York et je fais la fête avec mes copains super-héros. Lisa me balance tout ça à la figure depuis Paris, alors, forcément, j'ai les boules.

— On n'a jamais dit que je devais trouver la vérité.

— *Quoi ?* me demande-t-elle avec stupéfaction.

– Comment tu veux que je fasse ? Dans mes super-pouvoirs, y en a pas un qui me permette de lire dans la tête des gens !

– *Ouais, c'est ça...*

Sa colère fait place à de la déception, ce qui enfonce une pointe effilée et douloureuse encore un peu plus loin dans mon cœur.

– *Tu ne vas vraiment rien faire, alors ?* me demande-t-elle avec consternation. *Sans déconner ? Alors ils peuvent tout se permettre parce qu'ils vendent des super-pouvoirs, c'est ça le truc ?*

Je n'ose pas lui parler des deux policiers à qui j'ai menti. Le pire serait qu'ils la contactent pour avoir sa version. Je suis sûre qu'elle dirait la vérité. Elle serait même trop contente de tout balancer, ne serait-ce que pour me prouver que j'ai tort. Mais là, actuellement, je ne vois pas comment je pourrais la convaincre de confirmer mes mensonges.

– Laisse-moi un peu de temps, Lisa. Il faut que je m'habitue à tout ça. Et puis, tu sais, je ne vais pratiquement jamais dans l'immeuble du Power Club. Et quand j'y suis, il y a toujours une armée d'avocats et d'attachées de presse qui me collent au train. Je ne suis pas libre de mes mouvements !

Lisa ne prend pas la peine de répondre à mes justifications débiles.

Pendant une seconde, je pense lui raconter comment je suis entrée hier dans une cuisine pour sauver une femme. En présentant bien les choses, je pourrais donner un

aspect héroïque à cette histoire, après tout je lui ai probablement sauvé la vie. Mais l'envie me manque. Parce que,
si je commence, il faudra aussi que je parle du regard du
petit garçon, et ça, je ne m'en sens pas capable.

— *J'ai vu tes photos,* finit par dire Lisa.

— Ah oui ?

— *Tu es vraiment très belle dessus.*

— Tu trouves ?

— *Les mecs n'en reviennent pas. Je veux dire, ils te*
trouvaient jolie avant, mais là tu... tu es éblouissante.

— Ils retouchent les photos, tu sais. Ça aide.

— *Quand même.*

— Tu vas revenir me voir ?

— *Je ne sais pas, Anna...*

— Ça me ferait vachement plaisir.

— *Tu es sûre ?*

— Évidemment !

Je l'entends soupirer de l'autre côté de l'océan.

— *Tu es toute seule à New York ?* me demande Lisa.

— Depuis hier. Mes parents avaient trop de boulot, ils
ont été obligés de rentrer en France avec Louis.

Par la fenêtre, je regarde les buildings qui projettent
leur silhouette dentelée dans le ciel. Les courants d'air qui
tourbillonnent entre eux m'attirent irrésistiblement. Si je
le pouvais, je resterais en l'air toute la journée. Mes pieds
ne toucheraient plus le sol avant le jour de mes vingt-
cinq ans. Des années passées en suspension au cœur des
nuages, sans bouger, sans penser, figée dans la perfection

du moment. À me laisser bercer par les chuchotements amoureux des boosters.

*

Mon agenda se remplit de rendez-vous à la vitesse de la lumière. Mon attachée de presse ne veut pas attendre que l'intérêt suscité par la nouveauté de ma venue retombe. Internet a accéléré le passage d'une mode à une autre, il faut saisir le moment, comme dit Karen. Quand il s'agit de profiter d'un buzz, une campagne publicitaire est conçue et fabriquée en un rien de temps, puis diffusée sur la Toile le plus vite possible. Ensuite, les publicitaires croisent les doigts en guettant les premières parodies et copies. Plus une photo ou un film sont imités, plus le succès est grand.

Les créateurs de mode travaillent jour et nuit sur un modèle directement inspiré de ma robe déchirée. Il paraît qu'on a déjà vu dans les rues de Londres et de Paris plusieurs filles qui ont cousu elles-mêmes une robe similaire. Karen m'explique que les couturiers veulent me convaincre de signer très vite pour déposer le brevet avant les autres.

Ma vidéo bat des records de vues et il existe déjà des centaines de parodies, dont plusieurs ouvertement érotiques, et d'autres carrément incompréhensibles. Je regarde avec perplexité une vidéo japonaise hallucinante. Une fille, vêtue d'une robe déchirée comme la mienne, sort d'un entrepôt en traînant deux peluches de chats. On la voit ensuite pourchasser des peluches de chiens qu'elle attrape en se roulant par terre.

Les membres du Power Club font la fête quasiment toutes les nuits. Il faut dire que les boosters nous donnent une résistance extraordinaire. Certains n'ont pas dormi depuis plusieurs semaines sans ressentir de fatigue. Je comprends mieux l'importance de la limite des vingt-cinq ans. Nous avons une telle impression de puissance que nous perdons complètement de vue les limites de notre corps, surtout quand elles sont aussi lointaines.

Je les accompagne souvent mais je n'ai pas encore l'habitude de mes nouvelles possibilités. Mon corps est si habitué à dormir que j'éprouve toujours de la fatigue. Dans les boîtes de nuit, je me cache pour bâiller, de peur qu'on ne se moque de moi.

Ce samedi-là, un des sponsors du Power Club organise une soirée. Pour épater la galerie et faire plaisir aux actionnaires, nous avons prévu d'arriver tous en volant. L'immeuble du club est choisi pour qu'on se regroupe dix minutes avant le décollage.

Les uns après les autres, nous nous retrouvons sur le trottoir devant le gratte-ciel. Les lettres géantes du club s'étalent sur la façade au-dessus de nos têtes.

Nous sommes habillés en tenue de soirée. On pourrait nous appeler la Ligue de justice de la haute couture. Les passants commencent à s'attrouper en nous voyant. On nous réclame des autographes, on nous prend en photo avec des téléphones portables, on nous filme. Dans deux minutes maximum, toutes ces images se retrouveront sur Internet.

Quand tout le monde est là, Adam Linkford donne le signal. Il s'élève majestueusement en tendant les bras en avant. La foule applaudit en criant de plaisir. Les garçons s'envolent dans leur smoking impeccable. Dès que le dernier a quitté le sol, les filles suivent. Je n'avais jamais remarqué jusqu'à maintenant que les traditions du Power Club étaient très machos. Les garçons d'abord, les filles ensuite.

Notre envolée déclenche une nouvelle série d'acclamations.

Quand nous avons pris de la hauteur, Kirsten se tourne vers moi et me détaille de la tête aux pieds.

— Ben alors, Anna, me demande-t-elle, tu ne déchires pas ta robe ?

Le sponsor du club a déployé une grande banderole sur la terrasse de l'immeuble où a lieu la fête. On peut lire en lettres fluorescentes : *Le Power Club est avec nous !* La même photographie de Jason Baker barrée par la bande de tissu noir est là aussi.

Nous exécutons une courbe parfaite pour préparer notre descente vers la foule massée sur les bords, les yeux au ciel. Des projecteurs sont braqués sur nous. Les robes et les smokings se détachent sur la nuit qui recouvre New York. Les cris et les bravos montent aussitôt. Une fois encore, des dizaines de téléphones portables se lèvent dans notre direction. Quand on fait partie du club, on ne peut plus voir une seule personne normale sans téléphone à la main, pointé comme un flingue sur notre visage.

Nous nous posons en souplesse sur l'estrade prévue à cet effet. L'homme qui paye la soirée nous attend avec impatience. Il a investi des millions pour associer l'image de son entreprise au Power Club, et nous voir d'aussi près fait partie des privilèges qu'il achète. Il serre la main des garçons, fait la bise aux filles, pendant que les flashes crépitent. Il se fait prendre en photo avec chacun de nous. Il me garde pour la fin et se dirige vers moi à grands pas, suivi par une meute de photographes.

– Vous êtes Anna Granville, la nouvelle, c'est ça ?

Son bisou baveux tape sur les nerfs des boosters mais je leur dis de laisser tomber.

– J'ai vu votre vidéo, me dit-il avec gourmandise. Vous étiez magnifique ! Somptueuse !

– Merci.

– Je suis vraiment désolé pour ce qui est arrivé à votre ami Jason. J'étais un grand admirateur ! Vous devez être dévastée de chagrin !

– Euh... oui...

– Mais ce n'est pas la soirée pour penser à des choses tristes. Nous sommes là pour nous amuser, n'est-ce pas ! Savez-vous que mon fils vous adore ? Tenez, il est juste là !

Il me désigne un garçon de treize ans qui attend sur le bord de la scène.

– Si vous acceptiez de lui faire une bise, ce serait le plus beau jour de sa vie !

– Euh oui... Si vous voulez.

– Oliver ! Viens ici !

Il fait signe au garçon de nous rejoindre.

– Regarde, lui dit son père, elle est là comme je te l'avais promis. Tu peux lui faire une bise, vas-y !

Je me penche pour embrasser le garçon sur les joues. Le gamin en profite pour mater mon décolleté sans gêne.

– Tu pourrais au moins être discret, lui dis-je avec mauvaise humeur.

– De toute façon, c'est pas toi ma préférée, me répond-il. Je préfère l'Italienne, elle est carrément trop bonne.

Son père n'a rien entendu, trop occupé qu'il est à harceler les photographes pour qu'ils ne ratent pas la photo de son fils en train d'embrasser une fille du Power Club. L'image sera rapidement encadrée pour rejoindre sur le mur ses autres trophées de chasse.

CHAPITRE 25

Francesca met le feu sur la piste de danse. Je ne peux pas en vouloir au sale gamin de la trouver plus sexy que moi. Elle a une façon bien à elle d'utiliser les boosters pour allumer les garçons. Quand elle danse, ses pieds s'élèvent parfois à quelques centimètres au-dessus du sol. Elle passe les mains dans ses cheveux et tourne doucement en apesanteur.

Mon intention était de participer aux fêtes pour m'intégrer plus facilement, mais je continue à me sentir en décalage avec les autres membres du Power Club. Je ne comprends pas comment ils font pour résister à l'appel des boosters. Je les sens bouillonner en moi, ils réclament de l'action. Les rues sont remplies de bêtes sauvages qui ne connaissent que le langage de la violence. Nous pouvons leur faire face et les neutraliser. Nous avons le pouvoir d'améliorer le monde mais nous passons notre temps à danser et à boire de l'alcool.

Kirsten quitte la piste et revient s'asseoir à côté de moi. Elle s'enfile une bouteille de vodka en deux fois. J'ai presque l'impression de voir les boosters lutter en elle contre le liquide. Ils neutralisent les premiers effets mais finissent par être submergés par la quantité, pour finalement laisser passer un peu d'alcool dans le sang de leur maîtresse. Elle se tourne vers moi, les yeux brillants.

– Tu ne danses pas, Anna ?

Je hausse les épaules puis je lui demande :

– C'est quand la dernière fois que tu as arrêté des criminels ?

Elle fait un geste vague de la main.

– Je ne sais plus...

– Ça ne te manque pas ?

– Quoi donc ?

– Ben tout ça... D'arrêter des gangsters. D'utiliser tes pouvoirs pour sauver des gens.

– Mais pourquoi tu me parles comme ça ? Je n'ai pas dit que je ne le faisais pas !

– Non, je sais bien, mais on pourrait faire plus, non ? Tu ne crois pas ?

– Plus que quoi ?

– Plus que ça, lui dis-je en désignant la grande pièce où les gens boivent, dansent, s'amusent et rigolent devant nous.

– T'es qui, toi ? me demande-t-elle en souriant. Une sorte de nonne ?

– Tu comprends ce que je veux dire.

À cet instant, Stanislav nous rejoint en courant.

– Hé les filles, venez, ça va chauffer !

– Qu'est-ce qui se passe ?

– Le traître est ici !

– Qui ça ?

Stanislav ne prend pas la peine de me répondre, il replonge aussitôt dans la foule des danseurs. Kirsten me donne l'explication en se levant du canapé moelleux.

– Putain, j'y crois pas ! dit-elle. Matthew Banks est ici ! Il a le culot de ramener sa sale gueule de traître dans une fête du Power Club ! Allez, viens, Anna, on va lui botter le cul !

Kirsten avance à grands pas décidés au milieu des invités. Ceux qui ne se poussent pas assez vite sont bousculés sans ménagement. Adam s'élève dans les airs. Il émerge des têtes sautillantes des danseurs et reste en suspension à la hauteur du plafond.

– Le Power Club ! crie-t-il pour couvrir la musique assourdissante. Avec moi !

Son cri de ralliement fait surgir les autres membres du club. Ils sortent un à un de la foule en montant jusqu'au plafond. Les danseurs lèvent tous la tête, éblouis par ce spectacle fascinant. Après quelques secondes passées à regarder la scène comme spectatrice, je me rends compte que je suis censée répondre à l'appel moi aussi.

Heureusement pour moi, ils sont si excités qu'ils ne m'attendent pas. Les sept membres du Power Club se dirigent en volant vers un coin de la pièce fermé par un grand rideau. Cinq types en costard de la sécurité gardent l'entrée. Le Power Club se pose devant les gorilles qui ne bronchent pas. Adam s'avance vers eux et se plante sous leur nez pour les dévisager. Le garçon paraît minuscule à côté des cinq énormes mecs.

— Qui est caché là-dedans ? demande-t-il.

— Personne ne se cache, monsieur Linkford, répond celui qui semble être le chef. Vous devriez retourner vous amuser, comme tout le monde ici.

— Mon ami Bobby que vous voyez là me dit qu'il a entendu la voix de ce salopard de Matthew Banks. Alors vous allez vous pousser de mon chemin pour que j'aille vérifier par moi-même.

Adam fait un pas en direction du rideau, mais l'homme de la sécurité l'arrête en posant sa grosse main sur sa poitrine.

— Je suis désolé, monsieur Linkford, mais je ne peux pas vous laisser passer.

La tension monte d'un cran. La musique continue à résonner mais un attroupement se crée rapidement autour de nous. Adam regarde avec un grand sourire l'homme qui le domine d'une bonne quinzaine de centimètres. En temps normal il serait en très mauvaise posture mais, bien sûr, le Power Club a refaçonné le monde à sa façon.

— Mais non, mec, lui dit Adam, la phrase n'est pas : « Je ne peux pas vous laisser passer. » C'est : « Je ne peux pas vous empêcher de passer. » Tu vois la nuance ?

— S'il vous plaît, monsieur Linkford, retournez faire la fête avec vos am...

Il n'a pas le temps de finir sa phrase. Adam l'éjecte d'un revers de la main. L'instant d'avant, l'homme paraissait aussi immuable qu'une montagne, mais là il décolle du sol et voltige comme une poupée de tissu. Un deuxième homme vient à la rescousse. Il est stoppé net dans son élan par Stanislav qui le cloue contre le mur avec un seul doigt. Le craquement produit par sa clavicule gauche n'augure rien de bon. Les trois autres gardes ne bougent pas, la démonstration est suffisante.

Les téléphones portables refont leur apparition et ne perdent rien de la scène. Francesca les repère et se recoiffe rapidement. Je la vois même qui change discrètement de place pour exposer son meilleur profil. L'organisateur de la soirée rapplique en trottinant et en agitant les bras.

— Messieurs ! Messieurs ! dit-il. Calmez-vous, voyons !

Il observe avec angoisse les portables qui vont donner au monde entier une image catastrophique de sa fête. Voilà exactement le genre de publicité qu'il veut éviter.

— Allons, monsieur Linkford, qu'est-ce qui vous arrive ?

— C'est vrai que Matthew Banks est ici ?

— Est-ce qu'on vous a donné les petits cadeaux que j'ai préparés pour vous ? Vous trouverez tout un assortiment de...

— Répondez à ma question, s'il vous plaît !

Adam le fusille du regard. L'homme a maintenant les jambes qui tremblent. Ce n'est pas tous les jours qu'on se retrouve face à un gamin de dix-neuf ans capable de vous tuer d'un seul geste. Les autres commencent aussi à s'énerver.

— Vas-y, Adam, dit Bobby, dégage-le de là, qu'on défonce la tête de cet enfoiré de Banks !

Les garçons s'échauffent en se lançant des cris d'encouragement. L'alcool qu'ils se sont envoyé par litres entiers n'arrange pas les choses. Les boosters ont fait ce qu'ils ont pu mais ils ont été submergés par la quantité. Adam esquisse un petit sourire et je comprends à la seconde que ça va mal tourner.

Je m'envole d'un bond et me pose entre Adam et l'homme tremblant.

— Adam, lui dis-je, je crois que c'est une mauvaise idée.

Il stoppe son élan et regarde autour de lui. Tous les gens sont massés avec leurs téléphones braqués sur nous. Il comprend tout à coup ce que je veux dire. D'ici quelques secondes, Internet sera inondé d'images du Power Club en train de terroriser un pauvre gars.

— Et puis, lui dis-je en posant la main sur son avant-bras, cela ne te ressemble pas. Tu vaux mieux que ça.

Je sens les boosters massés au bout de mes doigts s'agiter avec frénésie au contact de l'avant-bras d'Adam. Ils sentent leurs frères qui bouillonnent par-delà la fine membrane de notre peau.

Pendant un court instant, un étourdissement me saisit. Je résiste de toutes mes forces à l'impulsion subite qui me pousse à me jeter sur le garçon pour l'enlacer. Les boosters produisent une énergie insensée. Ils sont capables de soulever des montagnes, ils émettent un chant continu de joie et de plénitude. Si je les écoutais, je ferais tout ce qu'ils me dictent, ne serait-ce que pour leur faire plaisir et les pousser à continuer de m'aimer.

Mais je reprends vite mes esprits et rappelle à l'ordre mon armée personnelle. Les boosters refluent hors de ma main, la tête basse et la queue entre les jambes. Je suis leur maîtresse et je ne les laisse pas discuter mon autorité.

Tout cela ne dure qu'une seconde, c'est le temps qu'il faut pour qu'Adam revienne à la réalité. Je le vois dans ses yeux. Ses boosters me filent un coup de main en détruisant les derniers grammes d'alcool dans son sang. Sa conscience revient aussitôt en place. Le brave garçon que les médias appellent Superboy-scout refait son apparition. Adam se dirige vers l'homme qu'il a jeté dix mètres plus loin. Il lui tend la main pour l'aider à se relever. Le gars est extrêmement vexé, cela se voit à sa tête, mais il est assez professionnel pour savoir quand il vaut mieux calmer le jeu.

– Je suis désolé, lui dit Adam avec son sourire le plus désarmant. Je me suis laissé emporter par la colère et je n'aurais jamais dû.

L'homme se relève sous les applaudissements des spectateurs qui apprécient cette réconciliation comme s'ils étaient au cinéma. Il boite légèrement de la jambe gauche mais, beau joueur, fait signe que ce n'est rien. En réponse à autant de bonne volonté, Adam fait semblant d'avoir la main écrasée par la poigne du grand type baraqué. Les gens éclatent de rire. Son numéro de séduction est tellement au point qu'il arrive même à tirer un petit sourire de sa victime. Il a retourné la situation comme un maître. Il est si convaincant que je suis incapable de dire si le vrai Adam est celui que l'alcool a laissé surgir, ou bien ce charmant jeune homme qui met la foule dans sa poche.

Grâce à son tour de passe-passe, les gens verront sur le Net un super-héros assez magnanime pour épargner un type qui l'a provoqué. Adam me fait un clin d'œil pour me remercier.

*

Le reste de la soirée se déroule sans problème. Le club fait semblant de ne plus voir le grand rideau qui le nargue à l'autre bout de la pièce. Adam est le leader naturel du groupe et, maintenant qu'il a lâché l'affaire, les autres font de même.

Francesca redevient le centre de l'attention en dansant sans toucher terre. Bobby fait rire tout le monde en faisant le clown. Des centaines de photos sont prises, des milliers d'autographes signés. Ce soir, l'usine à potins s'est enrichie d'une nouvelle histoire, ce qui est le signe d'une fête réussie.

Les membres du club s'éclipsent les uns après les autres. D'autres fêtes les attendent ailleurs. Ils s'éparpillent dans le ciel nocturne sous les cris d'admiration des pauvres humains scotchés par la gravité sur la terrasse.

Au bout d'un moment, il ne reste plus que moi. Je ne m'amuse pas particulièrement, et les incessantes photographies que l'on fait de moi sont pénibles à supporter, mais ma curiosité l'emporte. Je suis extrêmement intriguée par l'homme derrière le rideau. Matthew Banks. L'homme qui défie la mort et le Power Club.

Matthew Banks a la réputation d'être un beau gosse excentrique, une sorte d'adolescent attardé qui refuse de vieillir. Je profite de l'arrivée fracassante d'une star de cinéma qui attire à elle les gens comme des mouches pour me diriger vers le rideau. En me voyant approcher, le garde qui a été bousculé par Adam serre les dents. Il se demande s'il ne va pas recevoir une nouvelle raclée de la part d'une gamine de dix-sept ans. Je lui demande avec douceur :

— Votre jambe va mieux ?

— Merci pour tout à l'heure, mademoiselle.

— Vous travaillez pour Matthew Banks ? C'est vraiment lui qui est derrière le rideau ?

— Écoutez, je vous suis sincèrement reconnaissant, mais je pense que vous devriez retourner faire la fête avec les autres.

— Ne vous inquiétez pas, je n'ai rien contre Matthew Banks. J'aimerais le rencontrer, c'est tout. Vous pouvez lui dire ça ? Et s'il ne veut pas me voir, je m'en irai.

Le garde pousse un soupir résigné puis disparaît derrière le rideau. Les autres me surveillent en essayant de cacher leur peur. Ils me scrutent comme si j'étais un engin explosif à retardement dont le détonateur pourrait être un regard déplacé, un mot de travers, ou tout simplement un caprice.

Après quelques instants, l'homme refait son apparition en soulevant à peine le rideau.

— C'est bon, mademoiselle, vous pouvez entrer.

CHAPITRE 26

Je passe derrière le rideau qui dissimule une alcôve. Une douce lumière feutrée éclaire l'endroit. Mes yeux se posent immédiatement sur Matthew Banks, négligemment vautré sur un divan recouvert de coussins. Les deux filles à ses côtés n'ont visiblement pas réussi à trouver de vêtements à leur taille. Leur décolleté donnerait le vertige à un alpiniste et leurs jupes sont si courtes que, à ce niveau-là, autant ne rien mettre du tout.

Matthew leur glisse un mot à l'oreille. Les filles pouffent de rire et s'éclipsent en me détaillant de la tête aux pieds, sans se gêner, histoire de bien me faire sentir que leur superpouvoir à elles n'est pas à ma portée.

— Bonsoir, mademoiselle Granville, me dit Matthew avec un grand sourire chaleureux. On m'a dit que vous m'aviez sauvé des griffes du Power Club ce soir. Vous savez, je n'ai pas besoin qu'on me protège, je le fais très bien tout seul.

— Je vais considérer que c'est votre façon de me dire merci.

Son sourire s'élargit encore un peu plus. On dirait que je l'intrigue énormément.

— Non, vraiment, qu'est-ce que vous venez faire ici ? Vous ne savez pas que je suis le traître le plus infâme sur Terre ? Personne ne vous a mise au courant ?

— J'aime bien vérifier les choses par moi-même, lui dis-je en haussant les épaules.

Matthew se lève du divan et, à côté de lui, avec sa carrure, son sourire éclatant et son assurance qui lui sert de charme, je ressemble vraiment à ce que je suis : une gamine de dix-sept ans.

— Je ne plaisante pas, me dit-il avec conviction. En venant ici, vous prenez de gros risques. Si Elizabeth Foster l'apprend, vous êtes cuite. Elle me déteste tellement qu'il pourrait lui prendre l'envie de vous exclure.

Je hausse une nouvelle fois les épaules, mon langage corporel semblant se limiter ce soir à ce geste désinvolte. Matthew s'approche de moi en me tendant la main.

— Dans tous les cas, je suis enchanté de vous rencontrer, mademoiselle Granville. Cela fait des années que je n'ai pas vu de près une super-héroïne !

Nous échangeons une poignée de main. Mes boosters jaugent les siens. Nos deux technologies intimes se reniflent, s'apprivoisent et, comme pour Adam, se désirent brutalement. « Calmez-vous, les gars, dis-je en pensée à mon armée surexcitée. Je ne peux pas sauter sur tout ce qui bouge et possède des boosters, faites-vous une raison ! »

Nos deux mains se séparent, Matthew ne paraît pas avoir ressenti la même chose que moi. Adam non plus d'ailleurs. Est-ce qu'il s'agit d'un effet secondaire personnel ? Les boosters ont-ils augmenté mon quotient érotique ? Si je perds la boule comme Jason Baker, est-ce que je vais devenir la première arme vivante de destruction massive et nymphomane ? Cette idée saugrenue me fait sourire malgré moi.

— Venez vous asseoir, si vous le voulez bien.

Je m'installe à côté de lui sur le canapé, puis je lui demande :

— Pourquoi êtes-vous venu ici ce soir ? Vous saviez que le Power Club serait là, ça ne pouvait pas se passer autrement.

— Je suis le super-héros le plus âgé de la planète mais pas forcément le plus sage. On s'amuse comme on peut. Quand je vois tous ces gamins du Power Club, tellement innocents, tellement convaincus de leur bon droit, ils me font rire. Il faut bien que quelqu'un les secoue un peu.

— Mais si Adam était passé derrière le rideau, ça aurait pu très mal finir, non ?

Matthew hausse à son tour les épaules, comme si je lui avais refilé mon tic.

— Alors, me demande-t-il avec une bonne humeur légèrement forcée, pas trop déçue ? Je veux dire, vous vous attendiez à quelque chose de plus spectaculaire en me rencontrant, non ? Après tout, je suis le renégat, l'odieux personnage ! Un vrai numéro de cirque à moi tout seul !

Une chose est sûre, sa tirade est bien rodée. Trop bien même. Je sens tout de suite qu'il l'a répétée tant de fois que les mots ne signifient plus rien pour lui. Il doit s'en rendre compte lui-même car un voile de tristesse obscurcit son regard pendant une fraction de seconde.

— Vous ne ressemblez pas aux autres, dit-il en me fixant droit dans les yeux. Vous devriez vous méfier.

— Me méfier de quoi ?

— De vous-même. Quand on croise votre regard, on devine tout de suite ce qui vous démange. Vous avez envie de poser des questions. Voilà ce que l'on voit sur votre joli visage avec son air si intelligent. Dès que vous êtes entrée dans cette pièce, je me suis dit : « Matthew, cette fille ne va pas durer longtemps au Power Club. Un jour elle posera la question qu'il ne faut pas ! »

Son sourire désarmant accompagne sa déclaration, sans que je sache si cela rend ses propos plus légers ou plus menaçants.

— Qu'est-ce que vous voulez dire ?

— Le club adore les secrets, les mensonges, les intrigues. Ce qu'il déteste en revanche, ce sont les curieux. Les gens qui posent des questions. Vous, quoi !

— Je ne comprends pas de quoi vous parlez, lui dis-je bêtement en croisant mes bras.

— Depuis mon exclusion, pas un seul super-héros n'a eu le courage de venir me rencontrer. Et vous, vous êtes là devant moi, comme si de rien n'était. Comme si tout était normal. Je n'arrive pas à croire qu'Elizabeth Foster ait pu faire une pareille erreur de casting. Vous savez comment elle compose son équipe de super-héros ? Elle choisit des personnalités qui interagiront le mieux ensemble, comme pour une émission de télévision. Bobby, la brute sans cervelle opposée à Dominic, l'impassible gentleman anglais. La fille de mormon très pieuse, Kirsten, qui côtoie le beau gosse californien dragueur impénitent, etc.

— Et moi alors ? Je suis quoi au milieu de tout ça ?

— Vous, vous êtes là pour apporter un peu de piment. Elizabeth Foster s'est sûrement dit qu'une jeune fille naïve manquait à son panel. Par rapport aux autres, votre candeur fait tache. Et puis balancez une idéaliste dans un milieu où règnent le pouvoir et la célébrité, il se passera forcément quelque chose d'intéressant.

Il m'observe en plissant les yeux, ce qui est sans aucun doute sa façon de charmer les femmes.

— Non vraiment, me dit-il, vous êtes très atypique, mademoiselle Granville. Vous êtes à ma connaissance la première personne du club qui essaye de penser par elle-même. Et je m'inclus dedans. Si vous m'aviez vu à votre âge ! Il a fallu que je m'oppose directement à Elizabeth Foster pour commencer à remettre en question ses paroles. Elle a perdu toute crédibilité à mes yeux le jour où j'ai gagné mon procès. J'ai vu qu'elle pouvait perdre. Cette découverte a été particulièrement douloureuse pour elle. J'avais beau me savoir invulnérable, le regard qu'elle a pointé sur moi m'a fait froid dans le dos.

— En tout cas, les nouveaux avocats ont compris la leçon, ils nous obligent maintenant à signer un contrat. Ils veulent être certains que nous rendrons bien nos pouvoirs à nos vingt-cinq ans.

— Je sais, me dit-il avec fierté. Au club, ils l'appellent entre eux le contrat Banks ! Après ma victoire en justice, Elizabeth Foster a viré l'intégralité de son équipe d'avocats. Elle a fait jouer toutes ses relations pour qu'aucun d'eux ne puisse retrouver du travail à New York. Il ne vaut mieux pas décevoir la directrice du Power Club.

En plus de plisser les yeux, Matthew Banks incline la tête sur le côté tout en m'examinant. Sa panoplie de tombeur contient un tas de petits tics censés faire craquer les filles. Il faut dire qu'il est vraiment beau gosse. Tous les efforts qu'il fait pour plaire sont aussi agaçants qu'irrésistibles.

— Dites-moi, mademoiselle Granville, pourquoi osez-vous braver la colère de votre directrice en venant à ma rencontre ? Vous avez vu au Power Club quelque chose qui ne vous a pas plu ?

Pendant une seconde terrifiante, je pense que Matthew Banks a un pouvoir en plus, celui de lire dans les pensées. Mais je me raisonne vite et lui réponds :

— Je ne veux pas prendre parti pour ou contre vous. C'est juste que, instinctivement, je me méfie des gens qui se mettent en meute contre quelqu'un d'isolé.

— C'est tout à votre honneur, me dit-il en se resservant un verre.

— Est-ce que je peux vous poser une question indiscrète ?

— Entre collègues super-héros, on peut tout se dire !

— La mort de Jason Baker ne vous fait pas peur ? C'est la preuve que les boosters peuvent être dangereux dans certaines circonstances, non ? Et vos boosters à vous, ils ont dépassé la date limite d'utilisation. C'est une circonstance aggravante, vous ne pensez pas ?

Matthew m'observe sans arrêter de sourire.

— Vous avez la trouille. Comme les autres. Elizabeth Foster est très forte pour installer la peur dans la tête des gens.

— Pourquoi dites-vous ça ? Vous pensez qu'elle n'a pas dit la vérité ?

— Je ne sais pas si ce qu'elle a dit est vrai ou non. Je n'en sais pas plus que vous sur la mort de ce garçon. Mais ce que je sais avec certitude, c'est que le Power Club choisit toujours la vérité qui l'arrange le plus.

— Parce que vous trouvez que les boosters en pleine crise suicidaire sont une bonne publicité pour le club ?

— Pas vraiment, je vous l'accorde. Espérons donc qu'ils n'ont rien de pire à cacher.

Puis il ajoute avec son sourire charmeur :

— Vous voyez que j'ai raison à votre sujet. Vous posez trop de questions ! Pensez-vous qu'un seul de vos petits copains du club ait douté même deux secondes des paroles de leur chère directrice ?

Matthew se penche vers moi et pose délicatement la main sur mon bras, ce qui affole dans le même temps mes boosters de super-héroïne et mes émotions de jeune fille.

— Aaron m'a dit qu'il vous avait rencontrée.

— C'est qui, Aaron ?

— Aaron Freeman, le journaliste que votre gorille a secoué. Vous savez, le gars avec des lunettes.

Je revois aussitôt le visage du journaliste qui m'a abordée dans le magasin de vêtements. Celui dont j'ai gardé la carte de visite.

— J'ai longtemps servi de source à Aaron, m'explique Matthew. Cela fait des années qu'il cherche à connaître les secrets du club. Lui aussi il a une sonnette d'alarme qui se déclenche quand les gens se regroupent en meute. Grâce à moi, il sait pas mal de choses sur le fonctionnement du club, mais maintenant mes infos datent un peu. Il vous a contactée parce qu'il espérait que vous pourriez l'aider dans ses recherches. Savez-vous qu'il n'existe aucune source d'information indépendante sur le Power Club ?

— Vous connaissez ce journaliste ?

— On est devenus amis. L'amitié est une denrée rare pour les parias, on ne crache pas dessus dans ma situation. Aaron est la seule personne qui ne guette pas avec impatience le moment de ma mort. Comme vous d'ailleurs. On dirait même que vous avez complètement oublié que mes boosters peuvent me faire exploser la cervelle à chaque instant.

L'image est si forte pour moi que je ne peux me retenir d'avoir un petit mouvement de recul. Matthew éclate de rire.

— N'ayez pas peur, c'est juste une façon de parler. En réalité, ces charmantes bestioles vont plutôt me tuer à coups de cancers mutants. Beaucoup moins spectaculaire mais tout aussi horrible.

Matthew se lève d'un coup du canapé.

— Je ne veux pas vous chasser, mademoiselle Granville, votre compagnie est très agréable, mais pour votre propre bien vous devriez partir. Il vaudrait mieux que personne ne se rende compte que vous êtes venue me voir.

Je me lève à mon tour. Matthew me domine presque d'une tête. Il ajoute :

— Aaron a un point de vue très différent de tous les autres gens sur le club. Vous devriez le rencontrer, il peut vous apprendre plein de choses. Ne laissez pas les questions qui vous trottent dans la tête s'afficher sur votre visage. Elizabeth Foster s'est peut-être trompée sur vous, mais elle n'est pas le genre de personne à commettre deux fois la même erreur.

*

Ma mère m'appelle le lendemain matin. Elle est très inquiète et n'essaye même pas de me le cacher.

— *Tu es sûre que ça va ?* me demande-t-elle. *Tu te sens bien ?*

La vraie question qu'elle n'ose pas me poser est : « Est-ce que tu te sens devenir folle comme Jason Baker au point d'avoir envie de te frapper toi-même à mort ? »

— Arrête de flipper, maman, tout va très bien.

— *Si jamais tu ressens le moindre truc un peu bizarre, n'importe quoi, tu vas tout de suite consulter les médecins du club. Et, s'il le faut, tu leur demandes d'enlever les boosters que tu as dans le corps, c'est d'accord ?*

– Oui maman, je n'ai aucune envie de mourir, rassure-toi.

– *Mais tu le feras s'il le faut, hein ? Tu me le promets ?*

– Oui, oui et oui. Je te le promets.

– *Et puis je voudrais te parler de la rentrée aussi, Anna. Nous devons prendre une décision. Si tu restes à New York, tu dois t'inscrire sans attendre au lycée français.*

– Je ne sais pas encore... Tu sais, maman, c'est quand même énorme ce que je suis en train de vivre, j'ai besoin de temps.

– *Je comprends, ma chérie, mais fais attention, tu ne peux pas passer une année sans rien faire.*

En l'écoutant, je me rends compte de la distance qui s'est installée entre nous. Sa fille est invulnérable, dispose de la superforce, peut s'envoler comme un oiseau, et tout ce qui l'inquiète c'est que je passe mon bac.

– Tu as raison, maman, je vais y penser sérieusement.

– *Très bien, tu es raisonnable.*

J'entends Louis qui trépigne à côté d'elle.

– *Passe-la-moi !* dit-il. *J'veux lui parler !*

– Je te passe ton frère.

– *Anna ? Bonjour !*

– Salut, Louis ! Tout va bien, frérot ?

– *Tout le monde parle que de toi ! Mes copains, y te trouvent trop forte et trop belle !*

Pendant les cinq minutes suivantes, sans reprendre son souffle ni marquer la moindre pause, Louis me détaille toutes les photos et les vidéos qu'il a vues de moi. Il parle d'Anna la super-héroïne comme s'il s'agissait d'une personne entièrement différente d'Anna sa grande sœur. Au bout d'un moment, j'arrive tout de même à glisser un mot :

– Est-ce que papa est là ?

– *Juste à côté.*

– Tu me le passes, s'il te plaît ?

– *D'accord ! Au revoir Anna !*

– Salut Louis, bisous.

Un petit moment de flottement me permet de visualiser, à travers l'espace et le temps séparant la France des États-Unis, le téléphone portable qui change de main.

– *Comment tu te sens, ma puce ?* me demande mon père.

– Très bien. Et vous, vous allez comment ? Maman m'a l'air complètement stressée, non ?

– *Elle se fait du souci, c'est normal. Tu sais, moi aussi je suis inquiet. Ce n'est pas rassurant tout de même, cette histoire.*

J'entends la voix de papa qui résonne soudain de façon plus lointaine. Il s'est tourné vers maman qui se tient tout près de lui, à des milliers de kilomètres de moi.

– *Je lui dis juste que tu es inquiète et que moi aussi je suis inquiet, c'est tout.*

Sa voix retrouve sa place dans le creux de mon oreille.

– *Je disais à ta mère que je te disais qu'on était inquiets.*

– Ouais, j'ai bien compris la situation, pas de problème. Est-ce que tu as des nouvelles de Roland ?

J'ai failli dire : « Roland, le Grand Avocat Blanc. »

– Oui, il va te contacter très bientôt. Il n'a pas voulu m'en dire plus, il veut te parler d'abord. C'est quoi, ces cachotteries ?

– Ben j'en sais rien ! Je lui ai juste envoyé le papier que les avocats du club m'ont fait signer le jour de ma visite médicale.

– Tu as signé quelque chose ? On t'avait dit de ne surtout pas le faire !

– Mais j'ai pas eu le choix !

Une fois encore, la voix de mon père prend de la distance pour expliquer la situation à ma mère.

– Appelle-moi dès que Roland t'en aura parlé, d'accord ? Je veux savoir ce que tu as signé.

– C'est juste un papier disant que je m'engage à rendre mes superpouvoirs au plus tard le jour de mes vingt-cinq ans, c'est tout. Tu vois, on le savait déjà, ça. Et puis c'est pour ma santé, non ? Parce que, après, les boosters vont me tuer.

Je regrette aussitôt d'avoir employé ce mot. Ce n'est pas avec ce genre de vocabulaire que je vais les rassurer.

– Ouais, bon, dit-il d'un air contrarié, on verra ça.

– Il faut que j'y aille, papa. J'ai un tas de trucs à régler avec mon attachée de presse.

– Oui, oui, on te laisse. Passe une bonne journée et rappelle-nous vite, d'accord ?

– D'accord.

– Bisous, ma puce.

– Bisous, papa.

Je coupe le cordon ombilical qui me relie à mes parents par-dessus l'océan Atlantique. Mes yeux s'égarent un instant parmi les silhouettes des gratte-ciel. Mes boosters me supplient d'ouvrir la fenêtre et de me jeter dans le vide. Ils me racontent comment les vents deviendront pour moi une texture douce et confortable en me portant dans le ciel. Je leur dis de patienter un peu tandis que je les sens frétiller dans les profondeurs de mon ventre.

La carte du journaliste Aaron Freeman est soigneusement rangée dans mon sac. Je la regarde en réfléchissant. Lentement. Posément.

Pendant que je m'accorde un temps de réflexion, mon ouïe augmentée perçoit la pulsation de la ville de l'autre côté de la fenêtre. Le souffle de la circulation, les sirènes de police, le boucan habituel des rues de New York.

D'autres sons s'ajoutent au tableau sonore : les talons des chaussures sur les trottoirs, les mots criés ou susurrés. Si je me concentre, je peux même percevoir le bruissement des vêtements contre les peaux, le petit sifflement de l'air entrant dans les narines et en sortant. Un océan de bruits que produit l'humanité.

La carte de visite ne pèse rien entre mes doigts. Mes boosters ne lui accordent pas une seconde de leur attention. Ils ont tort. Ils se laissent abuser par l'apparente insignifiance du bout de carton. Mais moi je sais que certaines décisions ouvrent des portes qu'on ne peut plus jamais refermer.

TROISIÈME PARTIE

« En cas de litige avec le Power Club, le membre déchu s'engage à restituer l'ensemble de ses boosters sous peine d'une saisie de quatre-vingt-dix pour cent (90 %) du patrimoine immobilier et financier de ses ascendants et descendants directs. »

Extrait du contrat d'adhésion au Power Club

L e quartier où vit Aaron Freeman ne figurera jamais sur les brochures touristiques de la ville de New York. La plupart des magasins sont fermés, les vitrines soit murées, soit brisées en morceaux. Des immeubles aux murs couverts de longues traînées noires, souvenirs d'incendies plus ou moins récents, restent debout par habitude, attendant un courant d'air pour s'écrouler.

À la tombée de la nuit, j'arrive à pied, comme tout le monde, pour que personne ne se demande ce qu'un membre du Power Club vient faire ici. Côté anonymat, ça fonctionne bien, personne ne s'écrie : « Regardez, c'est Big City ! » En revanche, côté discrétion, j'ai encore du boulot.

Pour me fondre dans le décor, j'ai mis un sweat-shirt avec une capuche rabattue sur ma tête. Mais, après avoir fait à peine trois pas dans le quartier, je me rends compte de ma stupidité et de ma naïveté. Ce qui correspond pour moi à un sweat-shirt miteux a valeur de vêtement de marque pour les habitants d'ici. Je vis dans une bulle surprotégée si bien que, même sans mes pouvoirs, je ne touche pas terre. Ces gens qui me dévisagent me sont aussi étrangers que des Martiens.

Des jeunes se tiennent à chaque coin de rue, comme de véritables distributeurs automatiques de drogue. Tout le monde baisse la tête pour ne pas échanger de regards qui déclencheraient un accès de violence. Mis à part les membres de gangs qui eux, au contraire, défient tous ceux qu'ils croisent d'oser les regarder.

Pendant un instant, je me surprends à accélérer le pas. Mon cœur bat plus vite sous l'effet de la peur d'être agressée. Une fille marchant seule le soir dans un quartier mal famé est le prototype même de la victime. Certains lieux semblent d'ailleurs avoir été conçus dans ce but. Un parking souterrain désert, un chemin isolé en forêt, un hall d'immeuble tard le soir. Des trucs dans ce genre qui vous rappellent que les humains, comme les animaux, fonctionnent parfois sur le principe brutal du chasseur et de sa proie.

Mais aussitôt mes boosters entrent en action. Ils sentent ma peur et viennent à mon secours. Leurs voix caressantes me rappellent qu'ils sont là pour moi. Qu'au moindre de mes désirs, ils peuvent tout détruire autour de moi ou me faire décoller du sol. Ils peuvent tordre la réalité à ma guise. Pas la peine d'avoir peur.

Comme je m'y attendais, trois mecs m'emboîtent le pas. Mes oreilles attentives les écoutent murmurer avec la subtilité d'un hurlement.

— On se la fait au prochain tournant. Tu la plaques contre le mur.

— Qu'est-ce qu'elle fout dans le quartier, elle est conne ou quoi ?

— C'est juste une connasse bourrée de fric qui veut s'envoyer en l'air. On va lui donner ce qu'elle veut.

Je m'arrête net sur le trottoir et me tourne vers eux.

— Tirez-vous, les gars, foutez-moi la paix.

Ils sont surpris une demi-seconde puis éclatent de rire.

— C'est quoi cet accent pourri ?

Ils viennent tout près de moi pour m'empêcher de m'échapper. Jusqu'ici, ils suivent à la lettre le manuel du parfait petit prédateur. L'un d'eux passe dans mon dos. Leurs regards sont aussi épais que de la boue. Ils me détaillent, me jaugent, estiment à l'avance ce qu'ils vont pouvoir me prendre, à tous les points de vue.

— Laissez-moi partir, d'accord ?

Celui derrière moi enlève d'un coup la capuche qui recouvre ma tête. Ils examinent mon visage comme un objet de valeur de plus à se mettre dans la poche.

— T'as un accent pourri mais t'es bien foutue.

Mon cœur s'emballe à nouveau mais, cette fois-ci, il ne s'agit plus de peur. Les boosters me supplient de les laisser faire. Ils savent ce que méritent ce genre de brutes. Mais je les retiens, les laissant bondir d'excitation au bout de leur laisse. J'ai besoin de voir jusqu'où ces types sont capables d'aller. Je joue avec une idée délicieuse et effrayante. Et si je n'avais pas mes pouvoirs, ils me feraient quoi ?

Le mec à ma droite me pousse d'un coup sur l'épaule. Je joue le jeu et pars sur le côté en trébuchant. J'atterris contre un mur dans une allée entre deux immeubles. Là encore, l'agression se déroule tout à fait dans les règles. Maintenant que nous sommes à l'abri des regards, on va pouvoir passer aux choses sérieuses.

Je décide de tenter une dernière fois de faire appel à leur bon sens, ne serait-ce que pour dire, plus tard, que je leur ai laissé une chance.

– J'ai rien sur moi ! J'ai pas d'argent ! Soyez sympas, laissez-moi tranquille !

Le plus grand passe les mains le long de mon sweat-shirt pour vérifier. Mes poches sont vides, ce qui n'a pas l'air de lui plaire. Le troisième, toujours dans mon dos, décide de se servir à un autre niveau. Il glisse sa main entre mes jambes. Cet imbécile ne doit la vie sauve qu'à l'entraînement que m'a donné le club. Mes boosters projettent mon coude à une vitesse qui va lui faire traverser son crâne comme un obus. Je parviens à les arrêter à temps, et me contente de lui casser le nez en le projetant trois mètres plus loin.

Le garçon tombe lourdement sur le dos, puis continue de glisser sur le sol taché d'huile de vidange et de papiers gras. Son nez ressemble à une bouillie rosâtre. Il se tord de douleur, les mains posées sur son visage d'où jaillit un flot de sang.

L'un de ses copains réagit aussitôt en sortant un revolver qu'il pointe sur moi. Sans hésitation, il me tire une balle dans le front. Les boosters se massent à l'endroit de l'impact et repoussent le projectile mortel qui rebondit mollement à mes pieds, comme une balle en mousse trempée d'eau. Je lui fais mon plus beau sourire innocent, puis je saisis son revolver et le pulvérise en serrant le poing. Des restes de la crosse et du canon rebondissent lourdement sur le sol.

— Mais t'es qui, toi ? crie-t-il d'une voix suraiguë.

Les deux garçons me fixent avec épouvante. Je fais tomber de ma paume les résidus poussiéreux de l'arme mortelle.

— Dégagez d'ici avant que je m'énerve pour de bon. Et ramassez vos ordures en partant, leur dis-je en désignant le garçon au nez fracassé qui se tortille sur le sol.

Sans me quitter des yeux, ils passent chacun un bras sous les aisselles de leur copain pour le remettre sur ses jambes. Leur allure piteuse me fait extrêmement plaisir. Voir des brutes goûter à leur propre médecine est toujours très satisfaisant.

Le petit groupe s'éloigne rapidement. Je sens mes boosters bouillonner en moi. Ils en veulent encore, un simple coup de coude et une balle en plein front ne leur suffisent pas. « Nous pouvons les mettre en pièces, me susurrent-ils de leur voix suave. Nous pouvons les faire supplier à genoux en brisant un par un tous les os de leur corps. »

Je réunis toute ma volonté pour ne pas me laisser dominer par ma colère. La haine alimente les boosters plus puissamment que l'énergie produite par un réacteur nucléaire. Elle est une source d'énergie quasiment inépuisable.

*

Aaron Freeman habite au septième étage d'un immeuble plutôt pas mal si on le compare au standing général du coin. Depuis le toit voisin, je le vois qui se plante devant sa télé. L'agitation de la rue me contraint à attendre encore un peu si je ne veux pas être repérée. Le journaliste va se coucher. Il s'installe sur son lit avec un bouquin. Un lampadaire judicieusement cassé à la hauteur de son immeuble me permet de rester discrète.

Je bats le rappel des boosters pour qu'ils soulèvent mes pieds du sol. Ils me portent dans les airs comme une déesse antique. En planant sans bruit, je franchis l'espace séparant les deux immeubles pour m'arrêter en suspension juste devant la fenêtre de sa chambre. Je donne deux petits coups sur la vitre.

Aaron Freeman sursaute, me voit et bondit hors de son lit. Il disparaît de ma vue en s'étalant de tout son long de l'autre côté du matelas. Son visage ahuri revient aussitôt. Je lui fais un signe impatient pour lui dire de se bouger un peu. Redressant ses lunettes, il se dépêche de venir m'ouvrir la fenêtre.

– Mademoiselle Granville... Vraiment... J'm'attendais pas...

Il fixe avec fascination mes pieds qui flottent dans l'air puis se posent avec douceur sur son plancher.

– C'est... Enfin j'aurais jamais cru... C'est vraiment... bredouille-t-il.

Son regard quitte enfin mes pieds pour remonter jusqu'à mon visage. Ses mains tremblent légèrement.

– Je vous fais peur, monsieur Freeman ?

Après une hésitation, il me dit :

— Un peu... J'veux dire que j'm'attendais pas à... À cette heure-ci en plus ! Alors, hein... C'est pas...

— Ça va, lui dis-je. Moi aussi je me fais peur de temps en temps.

Son petit rire nerveux m'indique que ma tentative de détendre l'atmosphère ne marche que modérément.

— J'ai rencontré un ami à vous, lui dis-je. Matthew Banks.

Le nom de Matthew le rassure aussitôt. Il ne m'était pas venu à l'idée qu'il pouvait croire que je venais lui mettre une raclée. Je suppose qu'on ne sait jamais trop ce qui peut passer par la tête d'une adolescente boostée aux superpouvoirs.

— Vous avez vraiment discuté avec Matt ? En général, les membres du Power Club ont plutôt tendance à le détester, si vous voyez ce que je veux dire ?

— Les autres pensent ce qu'ils veulent, ce n'est pas mon problème. Matthew m'a dit de m'adresser à vous si je voulais en savoir plus sur le Power Club. Vous préparez un livre, c'est ça ?

Ce petit bout de conversation normale permet à Aaron Freeman de retrouver son assurance.

— Avant d'entamer la moindre discussion avec vous, me dit-il d'un ton très professionnel, j'ai besoin de savoir à qui je m'adresse.

Devant mon air surpris, il ajoute :

— Est-ce que je parle à Big City, la nouvelle recrue du Power Club ? Ou bien à Anna Granville, la jeune fille ?

— Alors, premièrement, je déteste ce surnom stupide. Et deuxièmement, je ne savais pas qu'il y avait une différence.

— Vous avez vraiment cru qu'en entrant au Power Club vous pourriez rester vous-même ?

— Mais c'est le cas !

Le jeune homme m'examine avec curiosité.

— Vous semblez sincère, me dit-il.

— Ben oui.

— D'accord, reprend-il après réflexion, on dirait que vous êtes mûre pour jeter un coup d'œil de l'autre côté du miroir.

*

Nous nous installons à la table de la cuisine, et Aaron Freeman commence à me parler. Dès les premiers mots, je me rends compte de deux choses : le journaliste connaît parfaitement le Power Club, et il est passionné par son travail. Les indiscrétions de Matthew Banks lui donnent une bonne vue d'ensemble du club, des conditions d'adhésion aux visites médicales, en passant par l'armée d'avocats qui veulent à tout prix vous faire signer leurs papiers. En revanche, il ignore à peu près tout de ce qui concerne la direction du club. Elizabeth Foster est une femme qui cultive la discrétion, pour ne pas dire le secret.

— Le plus important pour vous maintenant, me dit Aaron, c'est de rencontrer les gens.

— Quels gens ?

— Un ou deux parmi ceux que j'ai déjà interrogés pour mon livre. Je peux facilement organiser un rendez-vous dès demain. Je les connais bien et ils me font confiance.

— Mais de qui parlez-vous ?

Avec le bras, il fait un grand geste englobant tout son appartement. Mais en fait non, je me trompe, il désigne en réalité la Terre entière.

— De tout le monde en dehors de vous-même et du petit univers du Power Club. Est-ce que vous vous êtes déjà demandé ce que pouvaient ressentir les êtres humains vivant dans le même monde que vous ?

— Je sais très bien ce que ça fait de vivre avec les super-héros quand on est normal. Je ne suis une super-héroïne que depuis quelques semaines !

Il m'adresse un petit sourire triste.

— Non, mademoiselle Granville, vous m'avez mal compris. Je voulais dire en vivant dans le même monde que vous, les très riches.

Sur le coup, sa réflexion me vexe un peu et je me ferme en croisant les bras. Aaron hésite, il a peur que je ne me braque et ne change d'avis. Mais visiblement il ne retirera pas un seul mot de ce qu'il vient de dire.

Je le laisse mijoter dans son jus pendant encore quelques secondes de silence, puis je lui dis :

— D'accord, expliquez-moi.

Depuis quelques années, Aaron a recueilli dans les quartiers où les super-héros sont intervenus assez de témoignages pour remettre en cause les déclarations officielles. Le Power Club a le droit d'intervenir dans toute situation mettant en péril les personnes ou les biens. Il peut se servir de la force au nom de l'ordre public. Nous entrons donc ici dans une zone grise où le bien-fondé de l'usage de la violence est laissé à l'appréciation du super-héros. Et à la tolérance de la justice vis-à-vis de ces actions brutales.

Pour le journaliste, ces passe-droits ne datent pas de la naissance des super-héros. Depuis toujours, ceux qui ont le pouvoir se permettent des actions qui feraient condamner le reste de la population. Vous pouvez commettre les pires crimes, vous vous en sortirez toujours mieux si vous êtes riche. Et si vous êtes exagérément riche, c'est encore mieux. L'argent donne tous les privilèges dans notre monde. Les superpouvoirs en sont l'expression ultime.

Quand un super-héros entre en action, plusieurs voitures sont mises en pièces. Des murs sont fracassés à coups de poing. Sans parler des immeubles qui tremblent sur leurs fondations. Des innocents peuvent être blessés par accident.

Le Power Club s'est toujours montré très généreux en indemnisant un passant qui avait perdu une main ou une jambe. Cela arrive. Tout le monde le déplore, mais que voulez-vous, les premiers responsables sont les criminels, non ?

Même si je fais partie du Power Club depuis peu de temps, un sentiment de fierté et d'appartenance me pousse à le défendre :

— Si vous voulez dire qu'il y a parfois des blessés, je le sais déjà. Le club a des tas d'avocats pour régler tous ces problèmes. Il paye des fortunes en dommages et intérêts.

— Vous voyez que vous pensez déjà comme eux ! s'exclame Aaron. Je vous parle de gens amputés, blessés dans leur chair, pas d'argent !

— Si on laissait faire les truands, il y aurait encore plus de blessés ou de morts. C'est notre devoir d'intervenir !

— Écoutez-moi, mademoiselle Granville, le nombre de blessés dépasse de très loin le chiffre officiel. Les généreuses compensations financières distribuées par le club ne sont que de la poudre aux yeux. Le club fait la charité quand ça l'arrange, pour redorer son image. Les cas les plus litigieux sont rapidement balayés sous le tapis.

— Vous ne voyez que le mauvais côté des choses. On fait tout ce qu'on peut pour protéger les gens ! C'est vrai ! Nous ne sommes pas complètement idiots, quand même !

Sans prévenir, Aaron saisit un couteau posé sur son évier. Il plante la lame dans ma cuisse. Le métal se casse avec un bruit sec, ne laissant qu'un petit trou dans mon jean.

— Imaginez ce qui se passerait si je faisais la même chose sur ma jambe à moi. Le sang, la douleur, la peur, et un tas d'autres émotions et de pensées traumatisantes vous sont épargnées. Voilà pourquoi il est indispensable pour vous de rencontrer ces victimes. Pour ne pas perdre votre capacité à vous mettre à leur place.

Le silence s'installe entre nous. Au bout d'un moment, Aaron détourne les yeux. Il baisse le regard sur mon jean à l'endroit où il a planté le couteau.

Avec un petit sourire gêné, il me dit :

– Désolé pour le trou dans votre pantalon.

CHAPITRE 28

J e retrouve Aaron le lendemain en fin de matinée au pied de son immeuble. La capuche rabattue sur ma tête l'empêche de me reconnaître tout de suite.

— Oh, c'est vous !

— J'ai essayé de trouver un sweat-shirt plus en accord avec le quartier. C'est mieux, non ?

Son petit sourire désolé tient lieu de réponse.

— Ah bon ? Pourtant cette fois-ci je croyais que j'avais tout bon.

— Ce n'est pas grave, ça ira très bien comme ça. Mais enlevez votre capuche, on dirait que vous allez braquer un drugstore.

— Personne ne va me reconnaître ?

Il me tend une casquette de base-ball.

— Mettez ça.

— Vous croyez que ça va suffire ?

— Superman se contente de mettre des lunettes pour changer de tête, non ? Et vous savez pourquoi ça marche ?

À cause du contexte. Le visage du président des États-Unis est l'un des plus connus au monde. Mais si les trois quarts des gens le croisaient dans le hall de leur immeuble, ils se diraient : « C'est dingue, ce type ressemble trait pour trait au président des États-Unis ! »

Je pose la casquette sur ma tête en souriant.

— C'est parfait ! s'exclame-t-il. Vous allez pouvoir tester sans attendre votre déguisement, nous devons prendre le métro pour notre premier rendez-vous.

Bon, je suis obligée de dire que le métro n'est pas mon moyen de transport favori. En fait, je ne me souviens même pas de la dernière fois où je l'ai pris. Quand on dispose de son chauffeur personnel, d'un jet privé et de plusieurs yachts, le métro n'est pas le premier moyen de transport qui vous vienne à l'esprit.

Pendant le trajet, alors que les soubresauts du wagon sur les rails ballottent les corps à droite et à gauche, je guette les réactions des autres voyageurs. Comme l'avait prédit Aaron, personne ne fait attention à moi. Mon anonymat est favorisé par tous les téléphones, tablettes et autres appareils électroniques qui vampirisent les regards.

Mon téléphone portable se met à sonner.

— Allô ?

— *Anna, bonjour, c'est Karen ! Nous avions rendez-vous il y a une demi-heure, où êtes-vous ?*

Mon attachée de presse personnelle n'aime pas savoir sa tirelire en vadrouille.

— Désolée, Karen, j'avais complètement oublié. Vous n'avez qu'à prendre un autre rendez-vous.

— Mais ces gens viennent de Los Angeles ! Vous savez, c'est à propos de l'émission Inside Power Club. *Ils aime-raient beaucoup que vous participiez. Une Française, ça fait toujours rêver, c'est chic ! Ils ont des tas d'idées très glamour. Et puis il y aurait un partenariat avec les parfums Harmony puisque vous avez...*

— Mais je vous ai déjà dit que je ne veux pas faire leur émission ! Je vous rappelle plus tard.

Je raccroche, furieuse. Aaron me fait signe que nous descendons à la prochaine.

— Vous avez des ennuis ? me demande-t-il, tandis que nous grimpons les escaliers pour retrouver la surface.

— Mais non, c'est juste mon attachée de presse ! Elle veut m'essorer jusqu'à la dernière goutte. Je m'étonne qu'elle ne m'ait pas coupé des mèches de cheveux pour les vendre sur Internet !

— Si vous voulez un conseil, ne lui donnez surtout pas cette idée-là...

Sans être très reluisant, le quartier est plus accueillant que celui d'Aaron. Après cinq minutes de marche, nous entrons dans un bar encore peu fréquenté à cette heure.

Comme si c'était fait exprès, une télévision allumée dans un coin est branchée sur *Inside Power Club*. L'épisode du jour concerne l'histoire d'amour entre Adam Linkford et Jessica Barnes, l'actrice hollywoodienne. Il lui fait sa demande en mariage au sommet de l'Empire State Building. Un hélicoptère tourne autour d'eux pour ne rien perdre de la scène. La voix d'Adam nous parvient distincte-ment, ce qui veut dire qu'il porte un micro pour l'occasion.

Aaron fait signe à un jeune homme maigre d'une vingtaine d'années, assis dans un box dans le fond de la salle.
Nous nous glissons sur la banquette face à lui.

– Bonjour, Eddie. Voici Anna, la personne dont je t'ai
parlé.

Il me fait un signe de tête en guise de salut. Ses yeux
sont vifs et nerveux. Son regard reste rarement posé longtemps au même endroit.

– Personne d'autre ne sait que je suis ici ? demande-t-il.

– Bien sûr que non, rassure-toi.

– Parce que j'ai déjà bien assez de problèmes comme ça.

– J'en suis très conscient, Eddie. Mais tu peux faire
confiance à Anna, elle travaille avec moi. J'aimerais beaucoup que tu lui montres ce que tu as vu.

Eddie pose son téléphone portable sur la table. Il le fait
pivoter dans ma direction.

– J'ai filmé ça il y a six mois.

La vidéo montre une bagarre générale en pleine rue.
Une dizaine de jeunes hommes s'affrontent violemment à coups de battes de base-ball et de barres de fer.
Plusieurs s'écroulent, durement touchés. Une femme est
prise à partie par l'un des émeutiers. Un homme d'une
cinquantaine d'années s'interpose pour la protéger. À cet
instant, Bobby tombe du ciel comme la foudre, en prenant
la pose, comme d'habitude. Le super-héros règle vite le
problème avec ses poings. Les assaillants tombent comme
des quilles autour de lui. Une batte de base-ball se casse
en deux sur son crâne.

Sans faire de distinction, Bobby frappe ensuite l'homme qui a protégé la femme. Son poing l'atteint en pleine poitrine. L'homme s'écroule d'un bloc et reste à terre.

— Cet homme s'appelait Gavin, m'explique Eddie, c'était mon ami.

— Il est mort ?

— Arrêt cardiaque. Direct. Le coup a stoppé net son cœur.

— Je suis vraiment désolée.

— Vous avez bien vu, hein ? s'emporte-t-il brusquement. Gavin ne faisait pas partie des deux bandes qui s'affrontaient ! Il voulait juste aider cette femme, c'est tout.

— Eddie a posté la vidéo sur Internet le jour même, intervient Aaron.

— Mais je n'en ai jamais entendu parler ! lui dis-je avec étonnement.

— L'argent du Power Club est partout, m'explique Eddie. Aucun média n'a relayé l'information pour ne pas lui déplaire. Ma vidéo s'est retrouvée noyée au milieu de millions d'autres avec des super-héros, beaucoup plus positives et spectaculaires. Autant dire que personne n'y a fait attention. Je l'ai diffusée pour rendre justice à Gavin, mais ça n'a servi à rien. Au contraire, même ! On s'arrange pour me le faire regretter tous les jours.

— Depuis la publication de la vidéo, intervient Aaron, certains membres de la police de New York harcèlent Eddie. Beaucoup de policiers à la retraite travaillent pour le Power Club comme agents de sécurité. Et ceux qui sont en exercice doivent parfois la vie aux super-héros. Critiquer le club est très mal vu.

Le jeune homme reprend avec sa voix tendue :

— Je vis chez ma mère et ils la terrifient en débarquant au milieu de la nuit. Pendant leur ronde, ils viennent frapper à la porte en prétextant qu'un voisin s'est plaint du bruit. Les flics du coin me bousculent en passant et m'accusent de vendre de la drogue. Je me suis déjà retrouvé deux fois en garde à vue pour rien. Sans parler des avocats du club qui épluchent toute ma vie pour trouver une faille et salir ma réputation.

Il récupère rapidement son téléphone et le fait disparaître dans sa poche.

— De toute façon, je vais partir, dit-il. Me tirer d'ici pour refaire ma vie ailleurs. Je n'ai pas d'autre choix. Si vous pouvez faire connaître l'histoire de Gavin, tant mieux, mais moi j'ai déjà donné.

Eddie nous dit au revoir et se dirige rapidement vers la sortie. Je reste un instant sans réaction, pour digérer ce que je viens d'apprendre.

Sur l'écran de télévision, Adam vole au-dessus de New York en portant sa fiancée dans ses bras. Une voix féminine commente les images avec un enthousiasme débordant :

« Adam est un amoureux transi ! Jessica est une bénédiction pour lui. Depuis qu'il a officialisé sa relation avec elle, le jeune homme rayonne de bonheur. Les superpouvoirs n'empêchent pas de tomber amoureux, et c'est bien comme ça ! »

*

Pour notre prochain rendez-vous, Aaron m'emmène dans la petite boutique d'un fleuriste, coincée entre un lavomatic et un fast-food. Une vieille dame au regard triste nous reçoit avec un sourire.

– Bonjour, Aaron, lui dit-elle en le serrant dans ses bras.

– Bonjour, madame Davis. Voici Anna, elle travaille avec moi.

La dame me dévisage longuement en plissant légèrement les yeux. Après une hésitation, elle me serre la main.

Nous nous installons dans un coin de l'arrière-boutique. Madame Davis nous désigne deux seaux renversés qui nous serviront de chaises. J'ai à peine fini de m'asseoir qu'elle me dit sur un ton glacial :

– Je vous ai vue à la télé, je sais qui vous êtes.

Cela jette un froid. À côté de moi, Aaron très mal à l'aise se racle la gorge.

– Vous êtes bien la nouvelle, je ne me trompe pas ? La Française. Big City.

– Je suis navré, madame Davis, dit Aaron, j'aurais dû vous prévenir. En fait, j'avais peur que vous ne refusiez de la rencontrer. Anna est venue pour entendre ce qui est arrivé à Michael, votre fils. Je crois que c'est important.

La vieille dame m'examine avec sévérité, puis elle me demande :

– Qu'est-ce que vous êtes venue faire ici, mademoiselle ? Que cherchez-vous exactement ?

– Rien. La vérité.

– La vérité ou rien ? Il faut choisir.

– La vérité.

– Vous en êtes sûre maintenant ?

– Oui, madame.

Elle marque un temps de pause, comme si elle prenait son souffle avant de se replonger dans des souvenirs douloureux.

– Avec moi, commence-t-elle, Michael était un bon garçon. Avec les autres, c'est une autre histoire. Je l'ai élevé seule, comme j'ai pu, mais je n'ai pas réussi à l'éloigner de ses mauvaises fréquentations. Toute sa vie, il m'a vue travailler dur pour une misère. Alors, quand ses amis débarquaient avec de l'argent plein les poches, la tentation était forte de les suivre. Ce n'était pas un ange. Il a volé des petites choses, à droite à gauche.

Son regard s'assombrit encore un peu plus quand elle ajoute :

– Ce jour-là, un de ses copains était venu le chercher dans une voiture volée. La police les a repérés, et ils ont été pris en chasse par un super-héros du Power Club. C'était Stanislav, le Russe. Il a écrabouillé la voiture entre ses bras, comme si c'était une boule de papier. Les corps de Michael et de son ami ont été compressés avec la carrosserie, les pneus et tout le reste. Quand j'ai voulu enterrer mon fils, il ne me restait plus rien. Les gens se sont arraché les morceaux. Ils se sont fait beaucoup d'argent en les revendant sur Internet. Les débris avaient encore plus de valeur parce qu'il y avait deux corps humains comprimés à l'intérieur.

– C'est... c'est vraiment horrible, lui dis-je. Je ne savais pas...

– Mais si, vous le saviez ! s'énerve-t-elle. Vous n'avez pas vu la vidéo ? Parce que quelqu'un a tout filmé, évidemment !

Cette vidéo est effectivement très connue dans le genre. Il existe même des affiches, des tee-shirts, des cartes postales de la voiture compressée.

Comme tout le monde, je me place toujours du côté du super-héros. Quand on voit ce garçon triomphant, qui fait respecter la loi d'une manière aussi cool, on ne pense qu'à applaudir. Les pauvres gars à l'intérieur de la voiture ne comptent pas. On pense même que c'est bien fait pour eux, et on passe vite à autre chose.

– Michael n'avait que quinze ans, reprend madame Davis. Malgré ses erreurs, il pouvait changer, se racheter, et devenir quelqu'un de bien. Beaucoup de gens connaissent des débuts difficiles dans la vie, non ? Mais il faut leur donner une chance de s'améliorer. Mon fils méritait d'être puni pour son vol, je ne prétends pas le contraire. Mais est-ce que des gens comme vous avaient le droit de le tuer ? Dites-moi franchement, est-ce qu'il méritait de mourir comme ÇA ?

Je fais non de la tête, lentement.

– Pouvez-vous le dire à voix haute ? me demande-t-elle comme une supplication. S'il vous plaît.

– Non. Il ne méritait pas ça.

Pendant une seconde, madame Davis a l'air soulagée, et puis, tout à coup, elle me crache au visage. Ma respiration se bloque un instant tandis que je sens sa salive tiède sur ma joue.

Le sentiment de honte qui me frappe laisse mes boosters désarmés. Ils ne comprennent pas ce qui me met dans cet état. Ils cherchent quelque chose à détruire, à pulvériser. Malgré toute leur intelligence et la somme fabuleuse de haute technologie qui les constitue, ces foutues bestioles n'ont pas le plus petit début de commencement d'idée de ce qu'est un être humain.

CHAPITRE 29

Nous sommes à peine sortis de la boutique qu'Aaron me demande :

– Ça va ?

Même après avoir essuyé ma joue, je sens encore le crachat sur ma peau.

– Non, lui dis-je. Je me sens très mal en fait.

– Je suis vraiment désolé, j'aurais jamais cru...

– Le contexte, hein ?

– Pardon ? me demande-t-il avec un air étonné.

– Le contexte. Les lunettes de Superman. Le président dans le hall d'immeuble.

– Ah oui...

– Je suppose que Superman ne s'est jamais fait coincer parce que Lois Lane est juste complètement conne.

– Ouais, dit-il tristement. Ça doit être ça.

Je m'assois sur les marches devant l'entrée du lavomatic, la tête basse. Les effluves chimiques se mêlent aux odeurs de graisse venues du fast-food d'à côté. Aaron s'approche de moi, l'air embêté.

– Je ne voyais pas les choses comme ça quand je suis entrée dans le club.

– Je sais, me répond-il. C'est pour ça que je voulais que vous rencontriez ces gens. Si vous voulez mon avis, ça devrait même faire partie de l'examen d'entrée.

Il s'assoit à côté de moi.

– Mais ce n'est pas de votre faute, tout ça. Le système était en place avant que vous arriviez.

– Qu'est-ce que je dois faire maintenant ? Tout laisser tomber ?

– Non, au contraire ! Nous avons besoin de gens comme vous dans le Power Club. Des gens sensés, qui se posent des questions, qui doutent.

– J'ai besoin... j'ai besoin de réfléchir.

– Écoutez, mademoiselle Granville, je dis juste que le Power Club a beaucoup trop de pouvoirs. On ne peut pas laisser ces gens qui n'ont été élus par personne devenir des justiciers et prendre le droit de blesser ou de tuer.

– Mais vous voudriez quoi au juste ? Qu'on interdise les super-héros ?

– C'est trop tard pour ça. Mais ce n'est pas une raison pour qu'ils se permettent tout et n'importe quoi. Au nom de quoi agissent-ils ? Qui représentent-ils ? Ils défendent les intérêts de qui ? Nous n'avons que la version officielle du club sur toutes ses actions. Ni la justice ni le gouvernement n'ont jamais mis en place d'organismes de contrôle et de surveillance. Pas d'enquêtes indépendantes, rien.

Madame Davis a voulu porter plainte pour la mort de son fils. Les avocats du Power Club lui sont tombés dessus deux heures après. Ils ont tenté de négocier un accord financier, mais elle a refusé. Ils sont alors passés à l'intimidation en fouillant dans ses comptes, les problèmes judiciaires qu'elle a pu avoir avant, les retards de paiement sur des crédits, les découverts. En moins d'une semaine, madame Davis ne pouvait plus se servir de sa carte bancaire. Les avocats du Power Club sont très efficaces et leur réseau de connaissances est immense. S'ils vous ont pris pour cible, vous n'avez pas plus de chances qu'un bout de steak dans une mer remplie de requins.

Après un court instant de réflexion, alors que mon esprit fonctionne à toute allure, pesant le pour, le contre, ce qui est bon pour moi et ce qu'il convient de faire si je veux rester fidèle à ce que je crois, après tout ce temps-là qui ne dure que quelques secondes, je lui dis :

— Aaron, j'ai quelque chose de très important à vous révéler. En tête à tête. On peut retourner chez vous ?

— Vous avez l'air inquiète. Quelque chose ne va pas ?

— On peut y aller tout de suite ?

Le retour en métro se passe en silence. Quand nous retrouvons le trottoir devant son immeuble, je fixe mes pieds qui avancent sur le sol. Je me dis qu'avec une seule pensée je pourrais m'envoler. Je pourrais continuer à regarder mes pieds et voir la ville disparaître au loin sous moi. Pourtant je suis sûre que cela ne mettrait aucune distance entre moi et le profond malaise que je ressens.

— Vous voulez boire quelque chose ? me demande-t-il en ouvrant la porte de chez lui.

— Un verre d'eau, s'il vous plaît.

Je m'assois sur une chaise tout en examinant son appartement à peine plus grand que ma chambre à Paris.

— Tenez.

Il me donne le verre d'eau que je bois d'un trait avant qu'il ait le temps de s'asseoir.

— Alors ? me demande-t-il. Vous vouliez me dire quoi ?

— Le Power Club a menti sur la mort de Jason Baker. Il a été assassiné.

Mes mots ont un effet immédiat sur son regard. Les yeux du journaliste se mettent d'un coup à briller sous l'effet d'une intense curiosité et, sans aucun doute, de la peur. Lui qui a toujours voulu trouver le point faible dans la carapace du club vient de tomber sur un gouffre. Un abîme sans fond. Je suis certaine qu'une part inconsciente de lui doit me maudire à cette seconde. Il faut toujours faire attention à ce que l'on désire le plus.

Il prend son élan, et son souffle, pour me demander :

— Vous voulez dire... vous voulez dire que la mort de Jason Baker est en réalité un meurtre ?

— Oui. J'ai surpris la directrice en pleine conversation secrète avec les avocats du club. Elle a dit que Jason avait été assassiné mais qu'ils ne pouvaient pas dire la vérité à sa famille. Ils ont cherché un moyen d'éviter un procès. Tout ce qu'ils ont raconté au monde entier, et aux parents de Jason, c'est juste pour préserver la réputation du club. En affirmant que Jason a utilisé ses boosters d'une manière inadaptée, il devient responsable de sa propre mort, l'accident est causé par la victime. La responsabilité du club n'est pas engagée dans ce cas-là, vous comprenez ?

Le regard d'Aaron reste absent, perdu quelque part sur le sol de son salon.

– C'est la première fois que j'ai un témoignage direct qui prouve que le Power Club manipule la vérité, conclut-il. Ça change tout.

– Houlà ! Non, on se calme ! Je ne vais pas témoigner contre le club !

La déception que je lis dans ses yeux me fait mal. D'autant plus qu'elle ressemble terriblement à celle de Lisa.

– On les laisse faire alors, Anna ? On les laisse dissimuler un meurtre sans savoir qui est le coupable ? Et pourquoi ? Et comment le meurtrier s'y est pris pour tuer un super-héros invulnérable ?

Je le fixe sans avoir de réponse valable à lui fournir. Si je n'avais pas autant peur, j'arriverais sûrement mieux à réfléchir. Me voyant hésiter, Aaron lance ses derniers arguments :

– Le Power Club profite de sa richesse et de son influence pour glisser sous le tapis tout ce qui le gêne. Mais cette fois-ci il risque gros. Le monde entier voudra savoir la vérité. L'argent et le pouvoir du club ne seront pas suffisants pour étouffer un truc pareil. Cacher un meurtre à la justice est un crime. Le club agit comme si tout lui était permis. C'est une pente glissante qui peut conduire jusqu'au totalitarisme.

Les mots d'Aaron m'obligent à regarder la vérité en face. Tout ce qu'il dit, je l'ai pensé à un moment ou à un autre. Mais j'ai fait disparaître ces doutes et ces questions avec la puissance surhumaine que les boosters me donnent. Rien ne peut résister face à la sensation enivrante que l'on ressent en s'arrachant à la pesanteur. On peut même oublier jusqu'à son propre nom. Les êtres humains cloués au sol paraissent si petits et si lointains qu'on doute d'appartenir encore à la même espèce qu'eux.

— Mais si je témoigne, lui dis-je, je vais me faire exclure du club. Je vais perdre mes pouvoirs. Je serai chassée et encore plus mal considérée que Matthew Banks.

— Je comprends que ce sacrifice soit énorme, Anna. Vous connaissez mon point de vue, mais il n'a pas d'importance. Tout ce qui compte, c'est ce que vous pensez, vous. Personne ne peut décider à votre place parce que, vous avez raison, si vous exposez les sales petits secrets du club, ils vous le feront payer.

Je reste silencieuse pendant un long moment, mais mon esprit est incapable de prendre une décision. Soit je me laisse ronger de l'intérieur en gardant le secret, soit je me retrouve broyée de l'extérieur par les conséquences de mes actes. J'ai beau regarder d'un côté ou de l'autre, je ne vois pas d'endroit idéal où continuer ma vie.

Je prends donc la seule décision possible, celle qui me permettra dans les moments difficiles de me dire que j'ai fait ce que je devais faire.

– D'accord, je vais vous aider à montrer le vrai visage du Power Club. Si les gens apprennent que le club a menti sur la mort de Jason, leur regard changera.

– C'est tout ce que je demande, me dit Aaron avec excitation. Cette révélation mettra fin à l'impunité du Power Club. Ces super-héros ne sont jamais qu'une bande de gosses de riches à qui leurs parents ont acheté des pouvoirs. Il ne faut jamais l'oublier !

Se rendant compte de ce qu'il vient de dire, il ajoute :

– Désolé, Anna, je ne dis pas ça pour vous ! Vous êtes différente, hein ?

Je ne lui réponds pas mais, au fond de moi, je pense que non, je ne suis pas différente. Moi aussi on m'a acheté mes superpouvoirs. Depuis que je suis née, je voyage dans l'avion privé de ma famille, je vis dans des palaces, dans une abondance et un luxe si banals qu'ils sont devenus invisibles à mes propres yeux.

– La première urgence est de se débarrasser de l'espion du club, me dit Aaron.

– Quel espion ?

– La puce GPS de la balise de sécurité qui se balade dans votre corps. Ils ont créé ces puces après l'acte de désobéissance de Matthew. La directrice n'a pas aimé perdre le contrôle. Elle leur dit tout sur vous. Où vous vous trouvez, où vous êtes allée, à quelle heure. À chaque seconde, vous laissez des milliers d'informations dans leurs ordinateurs. C'est comme si le Petit Poucet, au lieu de déposer des cailloux, construisait au fur et à mesure une autoroute pour retrouver son chemin. Si le club repère votre venue chez moi, je suis grillé.

— Mais j'y peux rien, moi ! Ils m'ont injecté ce truc sans me demander mon autorisation ! Je n'étais même pas au courant !

— Je sais, je connais leurs méthodes, me répond Aaron. Matthew m'a raconté certains de leurs tours. L'implantation de ce qu'ils appellent des puces de sécurité fait partie des annexes du contrat d'adhésion.

Devant ma mine défaite, il s'empresse d'ajouter avec un petit sourire :

— Vous savez, personne ne lit les petits paragraphes en bas de page, quoi qu'on achète. C'est même pour ça qu'ils ont été inventés.

CHAPITRE 30

Aaron me demande de l'accompagner chez Max. Nous retrouvons le petit homme chétif dans son garage. Son allure est toujours aussi peu soignée, comme s'il dormait avec les vêtements qu'il a sur le dos.

Au moment où nous entrons, Max est penché sur un établi, en train de faire une soudure sur un circuit imprimé. Il ouvre de grands yeux étonnés en me voyant. Pendant une seconde, je crois même lire un peu de frayeur dans son regard, mais un sourire apparaît rapidement sur ses lèvres.

— Bonjour, mademoiselle Granville, me dit-il. Comment allez-vous ?

Je me contente de soupirer sans lui répondre, mais cela n'entame pas sa bonne humeur. Il se penche vers moi en chuchotant :

— Vous savez, je me suis fait un peu d'argent de poche avec votre autographe !

Il me fait un clin d'œil de connivence puis ajoute :

—Je l'ai vendu quelques heures seulement après la diffusion de votre vidéo sur Internet. J'ai fait monter les enchères jusqu'à vingt mille dollars. Très jolie d'ailleurs, la robe déchirée, bravo !

— Bon, l'interrompt Aaron, on n'est pas là pour ça. Anna est de notre côté.

Le regard du quinquagénaire change subitement à ces mots, perdant une partie de son caractère jovial et inoffensif pour faire place à quelque chose de plus perçant.

— Qu'est-ce que tu veux dire, Aaron ?

— Tu sais très bien ce que je veux dire.

— Tu es sûr de toi ? Elle fait partie du Power Club quand même !

Puis il ajoute à mon intention :

— Le prenez pas mal, hein ?

Je me contente de hausser les épaules.

— Max, lui dit Aaron, je t'assure qu'Anna est de notre côté. Elle m'en a donné la preuve, et elle prend de gros risques rien qu'en discutant avec nous. C'est pour ça qu'il faut que tu lui dises, pour la puce. Ton truc, là.

Le petit bonhomme chauve me fixe avec un air très content de lui, et me dit :

— Je sais comment vous pouvez vous en débarrasser.

— Mais... comment pouvez-vous savoir ça ? Vous êtes qui au juste ?

Il me tend la main comme pour me dire bonjour.

— Je m'appelle Max Minkowski. Je suis ingénieur en informatique génétique. J'ai reçu une formation spéciale dans le domaine d'application humaine de la biorobotique.

Il me serre la main avec chaleur tandis que je bredouille :

— Mais… On dirait pas… Je veux dire, je ne savais pas…

— Non, bien sûr que vous ne saviez pas ! J'ai l'air d'un comptable fatigué à quinze jours de la retraite. Je le sais bien, c'est exactement ce que m'a dit ma femme le jour où elle m'a quitté. Vous voyez, vous n'êtes pas la première !

— On n'a pas de temps à perdre, intervient Aaron. Tu peux lui expliquer en vitesse, s'il te plaît ?

La méthode de Max est compliquée techniquement mais simple dans son application. Selon lui, si je soumets mon corps à des conditions extrêmes, les boosters vont décupler leurs efforts pour me protéger. Arrivés à un certain stade de vigilance, même la puce leur apparaîtra comme une menace, un objet extérieur à l'organisme, qui n'a rien à faire là. Ils la détruiront donc eux-mêmes.

— D'accord, lui dis-je avec un peu d'inquiétude. Qu'est-ce qu'il faut que je fasse alors ? Que j'aille en Antarctique ? Que je plonge au cœur d'un volcan ? Un truc délirant comme ça ?

Aaron et Max échangent un regard embêté.

— Quoi ? C'est encore pire que ça ?

— Il faut que vous alliez dans l'espace, me dit Max.

Le petit homme me contemple avec un grand sourire, visiblement très content de son effet. Comme il n'ajoute rien, je finis par bredouiller :

— Que je… ? Pardon, je crois que j'ai mal compris.

– Dans l'espace, confirme Max en écartant les bras. Il n'y a pas mieux comme condition extrême, pas vrai ?

– Au club, on nous a précisé qu'il ne fallait SURTOUT PAS aller dans l'espace ! Vous vous fichez de moi, c'est ça ?

– Anna, restez calme, je vous en prie, me dit Aaron.

Je pointe un doigt rageur en direction du petit bonhomme chauve qui me destine à une mort horrible.

– Lui, là ! Il vient de me dire de faire le truc le plus débile et le plus dangereux que j'aie jamais entendu ! J'ai le droit de m'énerver un peu quand même !

– Vous gobez vraiment tout ce qu'on vous raconte ! ricane Max en faisant une petite grimace dédaigneuse. Des boosters qui se retournent contre leur hôte ? N'importe quoi ! Et puis, je vous signale que ce n'est pas le séjour dans l'espace qui peut vous mettre en danger, c'est le manque d'oxygène si vous y restez trop longtemps. Ils ne vous l'ont pas expliqué, ça, vos amis du Power Club ?

– Qu'est-ce que vous en savez, gros malin ? Ce n'est pas vous qui allez jouer avec votre vie là-haut !

– Je le sais justement parce que je suis un gros malin, ma petite mademoiselle ! J'étudie la robotique génétique depuis avant votre naissance, alors hein ? Je ne peux pas me payer de boosters, mais je sais comment ils marchent, moi !

Voyant que le ton de la discussion est en train de monter, Aaron s'interpose :

– Allez, calmez-vous ! Pas la peine de s'énerver, d'accord ?

Puis il ajoute en guise d'excuse pour Max :

— Max est très susceptible pour tout ce qui concerne son travail. Il déteste qu'on remette en cause ses théories.

*

Max me fait maintenant ouvertement la gueule. Il boude dans son coin en sirotant son café. Aaron, lui, tente de me convaincre avec une voix de plus en plus paniquée.

— Le temps presse, Anna, vous devez agir vite ! À chaque minute qui passe, nous prenons le risque que le club nous repère. Vous seriez déchue, vous perdriez vos pouvoirs, et moi je ne pourrais plus rien faire. La vérité serait morte et enterrée pour de bon !

Je jette un regard irrité en direction du petit bonhomme chauve qui me tourne ostensiblement le dos.

— Et s'il se trompe ? Si les boosters ne supportent vraiment pas les voyages dans l'espace et qu'ils perdent la boule ?

— Je connais Max depuis longtemps. C'est un génie de la biorobotique, je ne l'ai jamais vu se tromper. Il sait ce qu'il fait.

— Mais s'il est si doué que ça, pourquoi est-ce qu'il bricole dans son garage au lieu de travailler dans les labos du Power Club ? La dernière fois que je l'ai vu là-bas, il était chargé de passer la serpillière.

Aaron fait une petite grimace gênée.

— Max a eu, comment dire, des petits problèmes de boisson...

343

Je m'écrie, scandalisée :

— Vous êtes alcoolique en plus !

— En plus de quoi ? s'énerve Max en se retournant vivement vers moi.

— En plus d'avoir un caractère de chien !

— Je n'ai pas bu une goutte d'alcool depuis plus de quinze ans, ma petite demoiselle ! Ça m'donne le droit au respect, il me semble !

Complètement démoralisée, je m'assois sur un carton posé contre le mur du garage. Aaron s'agenouille près de moi.

— Anna, je sais que je vous en demande beaucoup, mais vous devez faire confiance à Max. Ce n'est pas le moment de baisser les bras ! Le Power Club est prêt à inventer n'importe quel mensonge pour servir ses intérêts. C'est vous-même qui me l'avez dit !

— Oui, je sais bien, mais là c'est ma vie qui est en jeu. Je ne pourrais pas avoir une preuve que Max sait de quoi il parle ? Même une petite, hein ?

Nous nous tournons en même temps vers le petit bonhomme mal sapé qui nous fixe avec un regard noir.

— Je suis particulièrement vexé par ce manque de foi.

— S'il te plaît, le supplie Aaron, mets-toi à sa place. Elle ne te connaît pas aussi bien que moi, c'est normal. T'as rien à lui montrer ? Juste pour la rassurer ?

Max fait une grimace pendant qu'il réfléchit.

— Mouais, j'ai bien un petit truc. Un gadget.

Aaron l'encourage en faisant oui de la tête.

— Je dois avoir ça...

Après avoir remué une dizaine de cartons enfouis sous autant de couches de poussière, Max déniche un petit objet brillant.

– ... Ici !

Il se dirige vers moi et tient l'appareil à une dizaine de centimètres au-dessus de ma main.

– Qu'est-ce que c'est ?

Sans me répondre, il fait passer le petit tube brillant le long de mon bras. Je sens immédiatement les boosters s'agiter à l'intérieur de moi. Ils émettent une série de vibrations. On dirait même qu'ils... ils chantent ! Une petite mélodie se diffuse dans mon organisme, glissant sur mes organes, rebondissant sur mes os. Ces bestioles hallucinantes m'étonnent chaque jour un peu plus.

– C'est... c'est incroyable ! Comment vous faites ça ?

– J'ai découvert en laboratoire que les boosters étaient très friands d'ultrasons. Ils adorent ça !

Sous ma peau, les boosters continuent de se trémousser de joie au rythme du passage de l'appareil. Ils se calment aussitôt quand Max l'éloigne de mon bras. Leur chant s'éteint doucement en moi.

– Voilà, c'est tout ce que j'ai à vous offrir, ma p'tite dame. Un peu de poésie appliquée à la nanotechnologie. Sans aucune application commerciale ! Inutile de vous dire que mes anciens employeurs n'ont pas apprécié la plaisanterie. J'ai eu droit à une retenue d'un mois de salaire pour avoir perdu mon temps aux frais de la société.

Le petit objet brillant s'en va rejoindre les autres trésors inutiles de Max, empilés en vrac dans les cartons.

– Une chose est sûre, Max, vous savez parler aux filles.

Pour appuyer mes mots, je me lève du carton. Les deux hommes me fixent avec attention.

– Vous êtes décidée ? me demande Aaron.

– Oui, même si je suis morte de trouille. Alors il faut que je le fasse tout de suite avant de changer d'avis.

Aaron m'accompagne sur la petite pelouse à l'arrière de la maison. Un grand mur d'usine nous isole commodément du reste du quartier. En décollant d'ici, à une bonne vitesse, personne ne me verra. Aaron me serre la main pour me stimuler.

– Vous êtes une fille très courageuse, Anna. Je vous admire.

– Oui... Euh, bon... Merci.

Max se précipite en courant dans notre direction.

– Attendez ! Attendez !

Il arrive à bout de souffle près de moi.

– Prenez ça, me dit-il.

Il dépose une médaille dans le creux de ma paume.

– Qu'est-ce que c'est ?

– Ma médaille porte-bonheur.

– Un porte-bonheur ? C'est une blague ? En quoi c'est scientifique, ça ? Je croyais que vous étiez sûr de vous !

L'angoisse dans ma voix ne le perturbe pas plus que ça puisqu'il me dit, en haussant les sourcils :

– Et alors ? Ça ne peut pas faire de mal, non ?

Aaron et Max s'écartent de moi comme s'ils allaient être grillés par les réacteurs d'une fusée. Je lève les yeux en direction du ciel bleu au-dessus de ma tête. Je visualise le noir infini qui se cache derrière, le vide mortel où l'on m'a bien recommandé de ne pas aller.

Je dis à mes boosters : « C'est votre heure, les petits gars. Vous avez toujours voulu me montrer de quoi vous étiez capables, eh bien, allez-y, épatez-moi ! »

Répondant à mes pensées, mon armée se mobilise dans mes jambes. Je les entends ronronner de bonheur. Ils grouillent dans la plante de mes pieds et vibrent à une vitesse folle, provoquant plusieurs vagues d'ondes dans mon corps qui donnent l'impression de résonner jusque dans le centre de la Terre.

« C'est parti ! »

Ma vitesse de départ est si rapide que j'ai l'impression de ne pas bouger. La terre est propulsée par mes jambes loin en arrière. Le sol s'éloigne de moi à une allure démentielle. Les boosters gonflent l'ensemble de mon corps. Ils dressent une barrière invisible entre ma peau et le frottement de l'air.

Au plus fort de ma concentration, je me visualise comme une flèche traversant l'espace. La ville rétrécit sous mes pieds, devenant une masse de plus en plus confuse de lignes et de couleurs. Je traverse une première couche de nuages.

La température de mon corps ne cesse d'être ajustée par mes boosters. Ils s'adaptent constamment aux conditions extérieures pour me permettre de survivre. Je bloque ma respiration en atteignant une deuxième couche de nuages.

Le ciel est encore plus bleu à cette hauteur. Sa pureté est saisissante.

Je continue à monter, sans ralentir.

Les boosters exultent. Ils jouissent de leur puissance. Ils me remercient, crient mon nom et chantent ma gloire. Leur promesse de protection m'incite à accélérer encore un peu plus. La courbure de la Terre apparaît au fur et à mesure de mon ascension. Les boosters donnent à l'atmosphère terrestre la consistance d'un océan élastique. Mon corps prend appui sur le vide, montant toujours plus haut, toujours plus vite.

Le bleu bascule dans le noir. L'apparition brusque des étoiles provoque une hésitation de ma part. Mes boosters me supplient de continuer à monter. Si je les écoutais, je filerais droit dans l'espace pour ne plus jamais revenir. Mais je leur dis « non » et ils m'écoutent docilement. Mon corps ralentit progressivement tandis que le vide sidéral se resserre sur moi comme un poing.

Je pensais qu'une fois ici, sans oxygène et sans atmosphère pour assurer ma survie, je me sentirais plus seule et plus petite que jamais. En réalité, je ressens l'inverse. Les boosters sont si merveilleux qu'ils me permettent de me fondre dans l'immensité. La lumière qui traverse l'espace sans aucun obstacle pour l'arrêter dessine la silhouette de mon corps sur un univers entier. Je me sens autant à ma place que les lumineuses étoiles mortes.

Comme prévu par Max, mes boosters sont confrontés à un défi de taille pour me maintenir en vie. Je les entends crier leur extase à travers mon organisme, pénétrant mon ADN, traversant mes muscles, tapissant de leurs organismes microscopiques la face interne de ma peau. Ma respiration est bloquée depuis plusieurs minutes maintenant. J'attends avec appréhension le moment où ils se désespéreront de ne pouvoir me sauver et préféreront se donner la mort.

Mais cet instant n'arrive pas. Après quelques hésitations et plusieurs doutes, les boosters stabilisent mon organisme dans le vide spatial.

Leur vigilance extrême trouve la puce. Ils la pulvérisent en une fraction de seconde. Ils me racontent en rigolant comment ils mettent en pièces cette arrogante petite intruse. Leurs rires m'amusent et, dans le silence le plus total qu'on puisse concevoir, j'éclate de rire à mon tour.

CHAPITRE 31

Cela ne traîne pas. Cinq minutes à peine viennent de passer depuis mon retour sur la terre ferme que je reçois un appel du club.

— *Anna ?* me dit la voix de Karen, mon attachée de presse. Tu vas bien ?

— Ben oui, bien sûr, je vais très bien, pourquoi ?

— *Il faut que tu viennes de toute urgence au club. Madame Foster te convoque dans son bureau.*

— Pour quelle raison ?

— *Je ne suis pas autorisée à en parler avec toi, je ne fais que transmettre le message. Peux-tu venir immédiatement ?*

— Oui, j'arrive.

Aaron et Max m'interrogent silencieusement du regard.

— La directrice du Power Club veut me voir. Tout de suite.

— Ça, c'est la confirmation, s'il nous en fallait une, que la puce est neutralisée, dit Max avec un sourire satisfait.

– Et qu'est-ce qui va les empêcher de m'en mettre une autre ?

Nouveau sourire radieux de Max.

– Vos boosters, ma chère ! Maintenant qu'ils ont enregistré que cette puce est indésirable, ils n'en laisseront aucune autre s'installer. Sans parler du fait que nul ne peut plus couper votre peau invulnérable. Ils le savent très bien au club. Ils vont juste vous taper sur les doigts, et même ça vous ne le sentirez pas !

Aaron se tourne vivement vers Max en disant :

– Anna va se retrouver dans le bureau de la directrice dans cinq minutes, tu ne crois pas que c'est l'occasion idéale ?

Max claque des doigts en écarquillant les yeux.

– Tu as raison, Aaron, je vais chercher le gobeur !

Il part en courant en direction de son garage. Je marmonne entre mes dents :

– Qu'est-ce qu'il a inventé encore ?

– Je sais que je vous en demande beaucoup, reconnaît Aaron, mais l'occasion est trop belle !

– Pour faire quoi ?

Max revient en trottinant. Les quelques mètres qu'il a parcourus en se dépêchant l'ont mis à bout de souffle.

– Voici mon gobeur, dit-il en déposant un petit boîtier dans le creux de ma main. Il suffit que vous soyez dans un rayon de vingt mètres autour de la cible. Vous appuyez sur le petit bouton, là, et mon bébé décode, copie et décrypte tout ce qui est disque dur, téléphone portable et autre matériel informatique en cinquante secondes top chrono !

Une nouvelle bouffée de fierté illumine le visage de Max. Ce type à l'air inoffensif a décidé de me pourrir la vie jusqu'au bout.

— Vous délirez ? Vous voulez que je pirate l'ordinateur de la directrice du Power Club ? Avec ce truc ?

— Anna, s'il vous plaît, me supplie Aaron, c'est maintenant ou jamais ! Elizabeth Foster possède des traces de ses mensonges, et elles sont forcément dans son ordinateur.

Je pousse un soupir de lassitude. L'impression de ne plus rien contrôler me submerge. J'ai la sensation de dévaler une pente à toute allure, sans pouvoir m'arrêter. Je ne sais pas où je vais mais, une chose est sûre, je ne peux plus faire marche arrière.

Je glisse le petit appareil dans la poche de mon jean. Max est si content qu'il applaudit. Aaron pose sa main sur mon poignet.

— Vous êtes quelqu'un de bien, Anna.

Puis il recule de quelques pas. J'ordonne en pensée à mes boosters de se rassembler sous la plante de mes pieds. L'excitation que je sens vibrer en eux me réconforte pendant un instant. Leur joie de me servir est si pure, si absolue que pendant une seconde, alors que je décolle du sol et que mon corps plonge dans la lumière du soleil, je leur dis merci.

*

Mon voyage jusqu'à l'imposant immeuble noir du Power Club est rapide. Je me pose en douceur sur le toit, près de l'aire d'atterrissage réservée aux hélicoptères. Karen m'attend avec le visage fermé.

— Viens vite, me dit-elle en guise de salut, madame Foster s'impatiente.

Je ne dis rien et nous montons ensemble dans l'ascenseur. Karen n'ose pas me regarder en face, ce qui me donne une bonne idée de l'ambiance qui doit régner dans le bureau de la directrice.

Elizabeth Foster est debout derrière son bureau. Elle m'accueille sans un bonjour, sans un sourire. Un homme à la carrure impressionnante se tient en retrait, les bras croisés dans le dos. Il me désigne la chaise devant le bureau.

— Bonjour, mademoiselle Granville, me dit-il. Asseyez-vous, s'il vous plaît.

J'obéis sans dire un mot. Elizabeth Foster me fusille du regard. Son ordinateur trône à la place centrale. L'homme fait un geste vague de la main à l'attention de Karen, restée sur le pas de la porte.

— Vous pouvez nous laisser.

Pendant une seconde, la directrice dirige son regard vers la porte qui se referme doucement. J'en profite pour appuyer sur le bouton de mise en marche du gobeur. Il ne me reste plus qu'à espérer que les cinquante prochaines secondes se passent comme prévu.

La directrice du Power Club pose les deux mains à plat sur son bureau et se penche vers moi. Son ton de voix glacial et puissant me fige sur place.

– Mais qu'est-ce qui vous est passé par la tête, petite sotte ? Vous êtes débile ou quoi ?

Prise de court, j'ouvre la bouche pour répondre mais je ne peux que bredouiller deux ou trois débuts de phrases sans suite. Je retire précipitamment la main de ma poche. Elizabeth Foster tend le bras en direction de l'homme et me dit :

– Warren est le chef de la sécurité du Power Club. Il dispose des derniers relevés envoyés par votre balise de détresse.

Warren fait un pas en avant et lit le papier avec sa grosse voix professionnelle :

– Selon la puce, mademoiselle Granville, vous êtes montée jusqu'à une hauteur de plus de huit cents kilomètres à la verticale de la Terre. C'est-à-dire que vous avez quitté l'atmosphère terrestre. Ensuite, la puce a brutalement interrompu l'envoi de vos données. À ce moment-là, tous vos voyants biologiques étaient dans le rouge. Pression sanguine élevée, rythme cardiaque rapide, température du corps en chute libre, irrigation sanguine du cerveau compromise.

Elizabeth Foster s'assoit dans son fauteuil en croisant les bras.

– Est-ce que vous avez pu imaginer, ma petite demoiselle, que pendant plusieurs minutes nous vous avons crue morte ? Ou bien le souci que les autres se font pour votre personne vous laisse-t-il complètement indifférente ?

Comme je ne sais toujours pas quoi dire, je réponds simplement :

— Je suis désolée.

— Est-ce que vous avez voulu vous suicider, mademoiselle Granville ? me demande Warren.

— Hein ? Quoi ? Mais non !

— Pourtant, vous savez parfaitement que Jason Baker est mort dans les conditions exactes auxquelles vous vous êtes soumise, me précise Elizabeth Foster. En toute connaissance de cause, vous vous êtes donc mise en danger de mort.

— Mais non !

— Alors pouvez-vous me dire ce qui vous a pris ? Je suis persuadée que vous aviez une idée derrière la tête. Le monde entier sait que les boosters ne supportent pas les voyages dans l'espace, et vous, vous faites quoi ? Vous allez dans l'espace ! Pouvez-vous me jurer que vous êtes saine d'esprit, et que vous n'avez pas cherché à vous donner la mort ? Quel était votre objectif alors ?

Ma liberté soudainement retrouvée rend la directrice du Power Club folle de rage. Apparemment, tous ceux qui échappent à son contrôle deviennent automatiquement ses ennemis. Contrairement aux prévisions de Max, je ne vais pas m'en sortir avec une simple réprimande.

Elizabeth Foster me soupçonne fortement d'avoir détruit la puce volontairement. Mais elle doute. Comment une gamine comme moi pourrait-elle prendre un risque aussi grand sans connaître le fonctionnement des boosters ? Quelque chose ne colle pas, elle le sent, et cette constatation ne fait que renforcer sa colère contre moi. Les autres membres du club ne l'ont pas habituée à autant d'incertitude. Ils agissent tous comme on leur demande d'agir. Un bon super-héros discipliné écrabouille les gangsters, pose pour la photo afin de satisfaire son sponsor, puis va faire la fête devant les caméras. Je suis tout à coup très contente à l'idée que le petit appareil dans ma poche soit en train de voler le contenu de son ordinateur. Cette discrète vengeance me redonne un peu de confiance en moi. Assez en tout cas pour lui répliquer :

— J'ai fait ça pour rien. Pour voir l'espace. Les étoiles et tout ça.

— Et les étoiles vous ont plu ? me demande-t-elle sans sourire.

— Oui, c'était magnifique, lui dis-je en la défiant du regard.

— J'espère que la vue en valait la peine, mademoiselle Granville, car vous allez passer en conseil de discipline. Le comité de direction doit apprécier si vous êtes encore apte mentalement à faire partie du Power Club. Pour ma part, je donnerai un avis défavorable. Je vous rappelle également qu'une utilisation inappropriée des boosters peut entraîner une exclusion définitive. Vous comprenez que le Power Club a une forte responsabilité vis-à-vis de l'opinion publique, et qu'il ne peut se permettre d'avoir des membres dotés de superpouvoirs qui se conduisent comme des imbéciles !

Elizabeth Foster me jauge du regard. Elle semble me dire : « Tu veux me défier ? D'accord, tu vas voir de quoi je suis capable. » J'essaie de lui cacher que mes mains tremblent, mais c'est peine perdue. Elle se délecte de me voir me ratatiner devant elle car elle a le pouvoir ultime : celui de me retirer mes boosters.

Évidemment, elle ne peut pas le faire sur un coup de tête, pas avec le prix que mes parents ont payé pour les obtenir. Elle va être obligée de trouver un prétexte, un recours juridique que son armée d'avocats se fera un plaisir de dénicher pour elle. Je ne doute pas qu'ils seront aussi efficaces et inventifs que pour le mensonge sur la mort de Jason.

La directrice échange avec moi un long regard silencieux. Je mobilise toutes mes forces pour ne pas baisser les yeux. Sans doute lassée par notre face-à-face, elle rompt d'un coup le silence :

— Maintenant, Anna, vous allez suivre Warren, il a quelques questions à vous poser.

— À quel sujet ?

— Vous verrez bien, me répond-elle en compulsant négligemment une pile de feuilles sur son bureau, comme si je ne l'intéressais déjà plus.

Warren me dit :

— Mademoiselle Granville, si vous voulez bien venir avec moi.

Je me lève lentement de ma chaise. Les cinquante secondes dont avait besoin le gobeur de Max sont écoulées depuis longtemps. La confrontation a été si pénible que j'ai l'impression d'être dans ce bureau depuis plusieurs heures. Je me sens vidée, épuisée, et même un peu triste.

Elizabeth Foster fait beaucoup d'efforts pour m'ignorer. Malgré tout, je sens sa haine qui déferle jusqu'à moi.

Même mes boosters la perçoivent. Ils tournent en rond sur eux-mêmes, déboussolés, ne comprenant toujours pas comment une émotion, cette chose abstraite et intangible au-delà de leur champ d'action, peut être si nocive pour l'organisme humain qu'ils ont juré de protéger.

Au moment où je sors, Elizabeth Foster m'appelle :

– Anna ?

Je me retourne vers elle.

– Oui ?

Elle garde son visage penché sur le tas de feuilles, comme si me regarder lui était devenu insupportable.

– Vous m'avez extrêmement déçue, me dit-elle.

Warren pose la main sur mon épaule, signifiant que cette fois-ci l'entrevue est définitivement terminée. Le dernier mot est dit.

*

Je marche dans les couloirs derrière la silhouette massive de Warren. Les gens que nous croisons sur notre passage me regardent à peine. Visiblement, je suis déjà devenue une pestiférée.

Mes pouvoirs devraient m'empêcher de me sentir essoufflée et pourtant j'ai du mal à respirer. Je me vois déjà rejetée du club, humiliée en public devant ma famille et la Terre entière. Si on enlève mes boosters de mon corps, je ne le supporterai pas. Ils font partie de moi maintenant. J'ai appris à aimer leurs voix, leur passion délirante qui fait plier le monde devant le moindre de mes désirs.

Le chef de la sécurité me conduit jusqu'à une petite pièce grise qui ressemble à ce qu'elle est, une salle d'interrogatoire. Deux chaises se trouvent de part et d'autre d'une table. Nous nous asseyons sans rien dire. Une fois installé, Warren attaque direct :

— Avant d'être détruite, la balise GPS nous a communiqué les dernières adresses où vous vous êtes rendue. Notamment celles d'Aaron Freeman et de Max Minkowski.

— Je ne savais pas qu'il existait des adresses où je n'avais pas le droit d'aller. D'ailleurs, je ne savais même pas qu'il était légal que je sois espionnée.

— Vous confondez plusieurs choses, mademoiselle. Il ne s'agit en aucun cas d'espionnage. En adhérant au Power Club, vous avez accepté son règlement intérieur. Celui-ci stipule que le club doit tout mettre en œuvre pour protéger la santé mentale et physique de ses membres. L'usage de superpouvoirs contraint à une surveillance médicale de tous les instants. Cette puce est là pour nous aider à vous porter secours si quelque chose se passe mal.

— Eh bien, lui dis-je avec un petit sourire, on peut dire que votre truc a marché à fond pour Jason Baker !

Warren me lance un regard glacial, puis il revient au sujet qui l'intéresse.

— Après examen, nous avons découvert que ce monsieur Minkowski s'était fait embaucher sous un faux nom en tant qu'agent d'entretien au Power Club. C'est vous-même qui avez révélé sa présence en signalant qu'il vous avait fait signer un autographe. Pourquoi avoir fait ça si vous étiez sa complice ?

– Sa complice ? Mais non ! Pas du tout ! Je ne le connaissais pas à ce moment-là. Vous vous trompez complètement.

– Avouez qu'il y a de quoi être troublé, tout de même. Il ne fait pas de doute que monsieur Minkowski était ici pour recueillir des informations pouvant nuire au club, afin de les communiquer à son complice, monsieur Freeman. Nos avocats sont en ce moment sur le point de déposer une plainte contre lui, pour espionnage industriel. S'il s'avérait que vous avez participé d'une manière ou d'une autre à une conspiration contre le club, cela conduirait évidemment à des poursuites judiciaires à votre encontre.

Warren laisse planer sa menace dans l'air pendant quelques instants.

– Aaron Freeman, quant à lui, est bien connu de nos services de renseignements. Il milite depuis des années pour salir la réputation du club. Je suis surprise que vous vous abaissiez à fréquenter un individu pareil.

Sur le coup, j'ai envie de lui parler de madame Davis, de son fils et de tout ce que j'ai découvert grâce à Aaron. Mais je me retiens à temps. Je suis déjà considérée comme une ennemie, ce n'est pas la peine de charger encore plus mon dossier en lui donnant raison.

– Que lui avez-vous raconté, mademoiselle Granville ?

– Moi ? Rien du tout.

– Dois-je vous rappeler que vous avez signé une clause de confidentialité ? Si vous divulguez la moindre information sur le Power Club, nous sommes en droit de porter plainte. Et les conséquences judiciaires et financières seraient désastreuses pour vous et votre famille.

– Je vous interdis de me menacer. J'ai discuté avec Aaron, j'ai écouté ce qu'il avait à dire, et c'est tout.

– Qu'avait-il à dire ?

– Cela ne vous regarde pas. Si vous vouliez le savoir, vous n'aviez qu'à équiper la puce GPS avec un micro.

Warren me fixe une nouvelle fois avec dureté.

– Vous avez tort de le prendre sur ce ton, mademoiselle Granville. Vous pouvez encore vous en sortir sans mal. Si vous persistez dans cette attitude, je ne pourrai plus rien faire pour vous.

– Parce que vous êtes en train de m'aider, là ?

Warren change subitement d'attitude, il essaye une autre tactique pour me faire parler. Je ne doute pas que sa simple présence physique soit impressionnante pour n'importe qui. Enfin, n'importe qui sans superpouvoirs. Parce que là, si je le voulais, je pourrais le décalquer contre le mur avec mon petit doigt.

– Écoutez, je ne suis pas votre ennemi. Madame Foster est furieuse, je ne l'ai jamais vue dans cet état. J'ai plaidé votre cause parce que je suis sûr que vous êtes une jeune fille très bien. Tout le monde peut subir une mauvaise influence, se laisser entraîner malgré soi. Il n'est pas trop tard pour faire marche arrière.

Il se penche légèrement vers moi, et se met à chuchoter pour créer une intimité entre nous, révélant ainsi que nous sommes filmés et enregistrés depuis le début de l'interrogatoire.

— Je comprends ce que vous ressentez, Anna, j'ai été jeune moi aussi. À votre âge, on a envie d'être libre, on supporte mal la surveillance des adultes. Mais vous êtes quelqu'un d'intelligent. Je suis sûr que vous comprenez qu'on ne peut pas lâcher une armée de gamins dotés de superpouvoirs dans la nature. Quand vous vous promenez en ville, vous n'êtes pas choquée par la présence de policiers. Considérez ces puces comme un garde-fou. Elles servent à la fois à protéger votre santé et à nous assurer que tout se passe bien. Savez-vous que certains membres du club causent parfois de dramatiques dégâts collatéraux dans le cadre de l'usage de leurs pouvoirs ? Qu'ils peuvent infliger sans le vouloir de terribles blessures physiques et psychiques aux passants ?

Je me raidis aussitôt et vois dans le regard de Warren qu'il est heureux d'avoir touché juste.

— Je suis sûr qu'Aaron Freeman vous a parlé de ces cas déchirants, continue-t-il. Ce jeune homme veut faire croire que le club se désintéresse de cet aspect tragique de la pratique des superpouvoirs. Sa théorie du complot est très attirante, comme toutes les histoires extraordinaires, mais elle n'est rien d'autre que ça : une théorie fausse et diffamatoire. Sa carrière journalistique ne décolle pas, et il espère se faire un nom sur le dos du Power Club. Il utilise sans états d'âme ces pauvres gens pour parvenir à ses fins. Ses motivations ne sont pas nobles. Ne vous laissez pas entraîner dans sa croisade délirante. Les super-héros sauvent des milliers de vies chaque année. Ils contribuent à rendre notre société plus sûre. Vous vivez vous-même tout cela de l'intérieur, vous savez que je dis la vérité. En quoi le monde serait-il meilleur si vous êtes obligée de rendre vos pouvoirs ? Que deviendront les gens que vous auriez pu sauver ?

Le discours de Warren est très au point. Il me touche exactement là où je suis faible. Je ne peux m'empêcher d'être d'accord avec lui. Aaron ne peut pas être un saint, personne ne l'est. J'ai vu l'endroit où il vit, son quartier et son appartement. Son envie de gagner plus d'argent doit sûrement être aussi forte que son éthique de journaliste. Ma naïveté fait de moi une cible idéale. Mais être naïf n'a jamais empêché d'avoir raison de temps en temps.

— Vous avez la possibilité de limiter les dégâts, reprend Warren avec sa voix normale, celle perçue par les micros. Acceptez de témoigner contre Aaron Freeman devant un tribunal, et je suis convaincu que madame Foster reconsidérera sa position. Ce soi-disant journaliste répand des rumeurs contre le club depuis trop longtemps. Nous avons décidé de mettre un terme à ses agissements. Et votre témoignage est décisif. Vous pourrez dire que vous avez pris contact avec lui dans l'intention de découvrir ses véritables motivations. Et que, après avoir compris que tout ce qu'il racontait était un tissu de mensonges, vous avez pris vos distances.

Les visages d'Eddie et de madame Davis, marqués par la peur et le chagrin, me reviennent aussitôt en mémoire. Les motivations d'Aaron sont ce qu'elles sont, mais leurs histoires à tous deux sont bien réelles. Tout comme les mensonges du Power Club sur la mort de Jason. Je ne peux pas faire comme si je ne savais rien. En salissant la réputation d'Aaron, le club veut le décrédibiliser. Tout ce qu'il pourra dire par la suite sera suspect aux yeux du grand public. En démocratie, il est difficile de faire taire les gens, en revanche on peut les rendre inaudibles.

Je me lève de ma chaise.

— Où allez-vous ? me demande Warren d'un air surpris.

— Je m'en vais.

Je me dirige vers la porte tandis qu'il pivote sur sa chaise en me suivant du regard.

— Vous ne pouvez pas faire ça, me dit-il. Nous n'avons pas fini.

— Si, c'est fini.

Je tourne la poignée de la porte et je m'aperçois que la serrure est fermée.

— C'est une blague ? dis-je à Warren en souriant.

Le chef de la sécurité me retourne mon sourire. Il sait très bien que je peux arracher la porte de ses gonds. Ce que je m'apprête à faire jusqu'à ce que je réalise qu'il n'attend que ça.

Tout ce qui se passe dans cette pièce est enregistré et filmé. La vidéo me montrant en train d'arracher la porte servira à me discréditer aux yeux du conseil de discipline. Ce sera une preuve de plus que je suis colérique et instable. Personne n'a envie qu'une ado avec des superpouvoirs réagisse mal à l'autorité.

Warren me désigne de sa main ouverte la chaise que je viens de quitter.

– Pouvons-nous poursuivre ? me demande-t-il, l'air très content de lui.

Je prends sur moi, ravale ma colère et retourne m'asseoir.

À cet instant, mon téléphone portable se met à sonner.

– Ne répondez pas, m'ordonne Warren.

Je porte le téléphone à mon oreille et dis :

– Oui ?

Sous le regard furieux de mon interrogateur, j'entends la voix nerveuse de Dominic, l'Anglais du club.

– *Anna ! Il faut que tu viennes tout de suite, ça chauffe ici !*

– Mademoiselle Granville, rangez tout de suite ce téléphone ! s'énerve Warren.

– Dominic ? Qu'est-ce qui se passe ?

– *Une prise d'otages est en cours dans un centre commercial ! Je suis tout seul, les autres ne répondent pas, je ne sais pas ce qu'ils font ! Il faut que tu viennes, j'y arriverai pas tout seul, y a trop de gens en danger. Je t'envoie les coordonnées sur le GPS du club.*

Le petit appareil se met à biper dans ma poche.

– *Viens le plus vite possible ou il y aura des morts !*

Dominic raccroche. Warren me fixe durement. Je me lève une deuxième fois de ma chaise.

– Je dois y aller, lui dis-je.

– Mademoiselle Granville, ne venons-nous pas de vivre exactement la même scène ?

– Des gens sont en danger de mort. Si je n'y vais pas, je pourrais être accusée de non-assistance à personnes en danger. Je dois faire mon travail de super-héros, sinon à quoi servent mes superpouvoirs et le Power Club ? À faire de la publicité ? À vendre des tee-shirts et des émissions de télévision ?

La contrariété s'affiche sur le visage de Warren. Il comprend que je viens de dire tout ça pour les micros et les caméras, et donc pour le conseil de discipline. Pendant une seconde, j'ai l'impression d'être mon propre avocat devant un tribunal. Apparemment ma plaidoirie est bonne, puisqu'il s'avoue vaincu et me fait signe de sortir.

— Allez-y. Mais nous reprendrons cette discussion plus tard.

Je désigne la porte avec la tête.

— Vous pouvez m'ouvrir, s'il vous plaît ?

Warren pousse un soupir, sort une carte magnétique de sa poche, et déverrouille la porte.

— Merci, dis-je en passant devant lui.

CHAPITRE 32

Une fois de retour sur le toit de l'immeuble du Power Club, j'inspire profondément. Mes jambes et mes mains tremblent. En quelques secondes, je suis passée du statut de nouvelle recrue chouchoutée à celui d'ennemie à abattre. Je ne fais pas le poids face à Elizabeth Foster. Elle va me pulvériser de la même manière que j'ai réduit en poussière le diamant dans ma paume. Mais, pour le moment, je dois me concentrer. Dominic compte sur moi, sans parler des gens dont la vie est en jeu.

J'accroche le GPS du club sur mon poignet. Une vue aérienne de New York s'affiche, avec le trajet que je dois suivre jusqu'à l'endroit de la prise d'otages.

Je sens mes boosters qui, comme d'habitude, brûlent d'impatience d'entrer en action. Ils ont mal vécu ma confrontation avec la directrice et le chef de la sécurité. Ils m'ont vue subir la situation, souffrir d'angoisse, de colère, et même de honte. Pendant tout ce temps, ils sont restés ratatinés dans un coin de mon organisme, roulés en boule dans les circonvolutions de mon ADN, avec l'impression d'être punis.

Les boosters me propulsent dans l'air en répondant à mes ordres. Je vole si vite que le GPS n'a pas le temps de suivre. L'écran affiche des immeubles que je viens de laisser loin derrière moi.

J'ordonne aux boosters de se calmer un peu. Ils me stoppent en plein ciel, laissant au GPS le temps de rattraper ma trajectoire. Quand les immeubles sous mes yeux apparaissent à l'écran, je me remets en route.

La police a bloqué tout un quartier pour isoler le centre commercial. Des voitures de police et des camions sont immobilisés en travers de la route. La scène ressemble tout à fait à ce que l'on voit dans les films d'action, ce qui la rend un peu irréelle. Des hommes lourdement armés, vêtus de casques et de gilets pare-balles attendent derrière un camion blindé. Un parfum de catastrophe se dégage de l'ensemble, une panique contenue qui ne demande qu'à exploser à la première étincelle.

Dominic se tient près d'une voiture de police. Il est en pleine discussion avec le lieutenant Wright, l'officier chargé d'assurer la liaison et la coordination avec le Power Club. Je descends doucement me poser sur le sol.

— Anna ! s'exclame Dominic en me suivant des yeux jusqu'en bas. Tu as des nouvelles des autres ? Tu sais où ils sont ?

— Ben non, je ne les ai pas vus. J'étais au club, là.

Les visages de Dominic et du lieutenant Wright affichent une mine soucieuse.

– Pourquoi ? Qu'est-ce qu'y a ? C'est si grave que ça ?

Wright prend la parole :

– Trois hommes sont entrés dans une bijouterie au premier étage pour la braquer, m'explique l'officier de police. Un vigile a appelé toute son équipe en renfort. L'opération a mal tourné. La fusillade a repoussé les voleurs à l'intérieur de la boutique en laissant deux vigiles morts sur le carreau. Les braqueurs sont encore retranchés dans la bijouterie avec plusieurs otages, on ne sait même pas le nombre exact. Ces types sont extrêmement nerveux. On a essayé de les contacter mais ils refusent de répondre.

– Si toi et moi on débarque là-dedans, il y aura des morts ! s'alarme Dominic. On a besoin de tout le club sur ce coup-là. On ne peut pas s'en occuper à deux, c'est trop risqué !

Je me tourne vers le lieutenant Wright.

– Qu'en pensez-vous ? On a une chance ou pas ?

– J'ai reçu des ordres de mes supérieurs. Ils ne veulent pas que le Power Club soit mêlé à une intervention qui tourne mal. Vous ne faites pas partie de la police, juridiquement tout ça pourrait déboucher sur des procès sans fin.

– On ne peut vraiment rien faire, alors ?

– Ma hiérarchie est en contact en ce moment avec votre directrice. Ils sont en train de peser le pour et le contre.

Le téléphone du policier sonne à cet instant-là. Il décroche aussitôt et fronce les sourcils en écoutant son interlocuteur.

– Vous en êtes sûr ? demande-t-il, l'air peu convaincu.

Après avoir raccroché, il s'adresse de nouveau à nous.

– Bon, j'ai eu mon chef. Vous avez le feu vert pour agir.

Je lui demande :

– La directrice est d'accord ?

– Oui. Mais je dois vous avertir que je ne crois pas que ce soit une bonne idée. On vous envoie au casse-pipe, là. Si ça tourne mal, tout le monde vous tombera dessus.

J'imagine très bien Elizabeth Foster dans son bureau, en train de se dire qu'ajouter une mission ratée et tragique à mon dossier faciliterait mon éviction du club. Que mon échec entraîne la mort de quelques personnes au passage serait probablement un bonus, de son point de vue.

– On y va, dis-je.

Devant l'air hésitant du policier, j'ajoute :

– De toute façon, si nous ne faisons rien, ce sont les brigades d'intervention de la police qui vont être obligées de donner l'assaut. Vous croyez que ces types sont prêts à se rendre sans blesser personne ?

Le silence du lieutenant Wright est très éloquent. Il finit par baisser les yeux en faisant doucement non de la tête.

– D'accord, dit-il. Je n'aime pas ça, mais vous avez raison, on n'a pas le choix.

*

Un policier nous escorte dans le centre commercial. Les couloirs sont déserts, les magasins vides avec leurs vitrines éblouissantes de lumière. Nous marchons jusqu'à un poste de commandement provisoire installé au pied d'un escalier. Un officier de police nous désigne l'étage supérieur.

— Ils sont juste au-dessus de nous, dans la bijouterie au fond à droite.

Tous les policiers présents nous regardent avec ce que je crois percevoir comme une forme de mépris. Ils ne doivent pas apprécier que des gamins viennent faire leur boulot. Ils ont l'air coincés dans leurs épais gilets pare-balles, alors que Dominic et moi sommes simplement vêtus de tee-shirts et de jeans. Difficile pour eux de ne pas se sentir rabaissés en nous voyant débarquer comme ça, prêts à sauver le monde sans transpirer ni nous mettre en danger. Nous sommes les preuves vivantes qu'ils ne sont pas indispensables. Qu'ils sont fragiles et faillibles. De simples humains, quoi.

Nous montons l'escalier côte à côte. Je demande à Dominic :

— Comment on s'y prend ?

— J'en ai pas la moindre idée, avoue-t-il.

— Tu n'as pas peur qu'ils tuent des otages quand ils nous verront arriver ?

— J'en sais rien, répète-t-il. Je ne suis pas policier, je ne sais rien de rien.

Nous arrivons à l'étage. Plusieurs policiers armés de fusils d'assaut attendent en se protégeant derrière des piliers ou dans des renfoncements à l'entrée des magasins. La bijouterie est au bout d'un couloir, sur la droite. Tout est extrêmement silencieux. Les lumières de la boutique sont éteintes, on ne peut rien distinguer à l'intérieur. Les reflets aveuglants des néons alentour font briller sa vitrine.

— Je ne le sens pas, me dit Dominic. Ils ont peut-être leurs armes braquées sur la tête des otages, ça va être un massacre.

— Oh non, je crois que j'entends un bébé !

— Tu as raison. Écoute bien, ils sont tous affolés là-dedans.

Je sollicite mes boosters pour qu'ils me fassent entendre ce qu'il se passe à l'intérieur. En me concentrant, je peux distinguer sept battements de cœur. Si on ne compte pas les trois braqueurs, cela fait quatre otages, dont un nouveau-né, le seul dont le rythme cardiaque soit apaisé. Il a dû s'endormir dans les bras de sa mère.

— Bon, Dominic, on laisse tomber la tactique du je-fonce-dans-le-tas. Il va falloir être plus prudents.

— Je suis d'accord. Si tu as une idée, je te suis.

Nous marchons doucement en direction de la bijouterie. Les preneurs d'otages ont sans aucun doute les yeux braqués sur nous. Cela se confirme quand nous ne sommes plus qu'à une vingtaine de mètres de l'entrée.

— Arrêtez-vous ! crie une voix paniquée. Ou on tue un otage ! J'vous préviens, on va le faire ! On va vraiment le faire !

Dominic et moi levons les mains en l'air en signe d'apaisement. Nous nous asseyons côte à côte en tailleur sur le sol.

—Nous ne sommes pas venus pour vous faire du mal, répond Dominic. On veut simplement que tout le monde sorte vivant d'ici.

—Vous êtes le Power Club, hein ? T'es l'Anglais, toi ?

—Oui, c'est moi.

—Et elle, c'est la Française ?

—Oui, c'est Anna, leur dit-il. Les autres ne sont pas là. Vous ne craignez rien avec nous, nous sommes les plus civilisés du groupe.

La tentative d'humour de Dominic tombe à plat. Le silence s'installe pendant quelques secondes.

—Alors ? demande Dominic. On peut discuter ?

—Si on se rend, vous n'allez pas nous tuer ?

—Je vous le promets.

Mes boosters discernent une légère variation dans les battements de cœur des trois braqueurs. Ils sont toujours autant stressés, mais l'acceptation de leur échec commence à adoucir leur rythme cardiaque. Je les entends chuchoter. Ils savent que de toute façon ils ne s'en sortiront pas. Ils soupèsent leurs chances et finissent par réaliser que, en continuant à menacer les otages, ils risquent de se prendre deux super-héros furieux en pleine figure. Pour l'instant, Dominic et moi avons l'air parfaitement calmes et raisonnables, tranquillement assis par terre comme pour une veillée autour d'un feu.

—On va sortir avec les otages, nous crie l'un d'eux. Ne nous faites pas de mal ou on crève tous ensemble !

Les portes vitrées coulissent et les otages sortent en premier, la femme tenant son bébé dans ses bras en tête.

Elle est terrifiée, au bord des larmes. Ses mains tremblantes semblent avoir du mal à tenir son enfant.

Les trois braqueurs se sont placés derrière les otages, qu'ils ont déployés comme un bouclier pour se protéger d'une éventuelle attaque. Dominic et moi nous levons très lentement, en essayant d'adopter l'attitude la plus détendue possible.

— Tout va bien se passer, dit Dominic d'une voix calme.

Un frisson glacé me parcourt le dos quand je vois qu'un des braqueurs tient une grenade dégoupillée dans la main. Il empêche l'explosion en la maintenant serrée entre ses doigts.

— Si vous nous faites du mal, on meurt tous, répète-t-il.

— Ce n'est pas au programme, le rassure Dominic.

Mais la femme avec le bébé ne résiste pas plus longtemps. Je perçois un raté dans ses battements de cœur. Une crise cardiaque la foudroie sur place. Son regard se vide, puis elle bascule sur le côté comme une poupée de chiffon. Son bébé glisse tout doucement de ses mains.

Croyant à une attaque, le braqueur cède à la panique et laisse tomber la grenade pour saisir son fusil à pompe. Pendant une seconde qui me paraît interminable, je vois la femme, le bébé et la grenade tomber ensemble avec une lenteur inimaginable.

Dominic réagit le premier. Il s'envole et fonce sur la grenade. Je fais le même mouvement en direction de la femme et du bébé. Dominic s'empare de la grenade et décolle aussitôt vers le haut du centre commercial pour nous mettre hors de portée de l'explosion. Les braqueurs ouvrent le feu au moment où je recouvre la mère et l'enfant avec mon corps. Mes boosters absorbent l'impact des balles et les repoussent en se moquant d'elles. Je les entends rire comme des gamins.

Je dépose la mère et son enfant sur le sol. Du plat de la main, je frappe la poitrine de la femme de deux coups secs pour faire repartir son cœur. J'appelle mes boosters dans ma paume pour que le choc fasse l'effet d'une décharge électrique.

Tout en agissant, je suis émerveillée de voir la vitesse à laquelle les connexions se font dans mon cerveau. Les ordres formulés par mon esprit traversent mon corps avec la vitesse et la force de la foudre. Mes pensées glissent le long de ma colonne vertébrale, jaillissent dans mes mains et mes jambes.

Mes boosters commentent en même temps mes décisions. Ils me félicitent, me complimentent, me disent que je suis belle et que je brille comme une étoile. Ces sales petits flatteurs me couvrent de louanges et de caresses. Ils sont tous de parfaits objets d'amour et de destruction.

Des balles se faufilent entre mes cheveux, heurtent mon crâne et retombent mollement sur le sol. L'une d'elles reste bloquée dans une de mes mèches. Au même instant, une violente explosion résonne loin au-dessus de nous, vers le quatrième étage du centre commercial, là où Dominic a emporté la grenade.

En mobilisant mes boosters dans mes jambes, je me propulse vers l'avant. Du bout des doigts, je repousse les deux derniers otages pour les sortir de la trajectoire des balles. Ils glissent sur le sol comme sur une patinoire.

J'entoure les trois braqueurs avec mes bras. Le plus paniqué tire un coup de feu qui lui arrache une partie de la main. Ils ne peuvent plus bouger, immobilisés contre moi comme par des liens d'acier. Nos visages se touchent presque et je sens leur souffle paniqué, l'odeur de leur sueur, toute leur humanité qui se débat contre l'idée de mourir. Je ne les lâche pas, je les regarde droit dans les yeux, l'un après l'autre.

– C'est fini, leur dis-je d'une voix douce. Je ne veux pas vous tuer.

Les boosters ne sont pas du même avis. Ils meurent d'envie de broyer entre mes bras les corps fragiles de ces hommes. Ils voudraient réduire en bouillie leurs os et leurs muscles. Ils aimeraient tant voir le sang jaillir de leurs oreilles, de leurs yeux et de leur bouche, mais je refuse de leur céder, une fois de plus. Je leur dis : « Ça suffit les morts pour aujourd'hui. »

CHAPITRE 33

Quand je viens retrouver Aaron chez Max, les images tournent déjà en boucle à la télévision et sur Internet. On peut voir sous plusieurs angles Dominic et moi sortant du centre commercial sous les applaudissements des policiers. Après le sauvetage des otages, le mépris que j'avais lu dans leurs yeux avait complètement disparu. L'hommage qu'ils nous rendaient n'en était que plus émouvant. Je regarde la scène filmée par des téléphones portables, avec l'étrange impression de revivre un souvenir qui ne date que de quelques minutes.

Voilà quelque chose qui ne doit pas faire plaisir à la directrice du Power Club. Je suis devenue encore plus populaire qu'avant. Ce n'est pas bon pour l'image du club de renvoyer une super-héroïne adorée du public. Et les annonceurs publicitaires qui ont investi des millions de dollars sur mon image ne vont pas être très contents non plus. Néanmoins, je ne me fais aucune illusion, Elizabeth Foster parviendra à ses fins.

Aaron et Max me regardent avec un air très impressionné.

— C'est vrai, ce qu'ils disent à la télé? me demande Aaron en ouvrant de grands yeux ébahis. Vous avez arrêté trois criminels à vous toute seule, tout en sauvant deux otages et un bébé? Et en faisant un massage cardiaque à une femme?

Je hausse les épaules en étant parfaitement consciente de jouer la fausse modestie.

— Je n'étais pas toute seule, Dominic m'a aidée.

— Oui mais quand même! continue Aaron qui n'en revient toujours pas. Et le massage cardiaque, vous avez appris ça où?

— J'ai fait un stage une fois avec la Croix-Rouge en France. J'ai mon brevet de secouriste.

Sa tête d'ahuri est trop drôle, et je finis par rire en lui disant:

— Tu as raison, je suis la plus grande super-héroïne de tous les temps!

Max se penche vers moi en me faisant un clin d'œil appuyé.

— Alors, Anna, si je tombe dans les pommes, en tant que secouriste vous allez me faire du bouche-à-bouche?

— Peut-être, lui dis-je, mais attention, Max, je peux entendre les battements de votre cœur. Je le saurai si vous simulez.

— Vous pouvez entendre ce qui se passe dans ma poitrine? me dit-il en ouvrant de grands yeux pétillants. Je trouve ça encore plus érotique!

— T'es vraiment un gros dégueulasse! lui dit Aaron sans pouvoir s'empêcher de rire malgré tout.

— Vous avez pu utiliser mon gobeur?

— Oui, il est là, dans ma poche.

J'extrais le petit appareil de la poche de mon jean.

— Oh non!

Le gobeur ressemble maintenant à un chewing-gum longuement mâché. Apparemment, il n'a pas supporté la rencontre musclée avec les trois braqueurs. Une balle perdue a laissé une rayure profonde sur toute la longueur du boîtier.

— Je suis vraiment désolée, Max!

Max récupère entre ses gros doigts le gobeur en piteux état.

— Ce n'est peut-être pas trop tard, j'ai déjà sauvé des machins encore plus salement amochés. Mais ça va me demander du boulot, j'en ai pour un bon moment!

Devant ma mine attristée, Aaron me réconforte:

— Ce n'est pas grave, Anna, le plus important de toute façon était de sauver ces gens, non?

Je fais oui de la tête sans parvenir à me débarrasser de mon envie de pleurer. Mes superpouvoirs concernent mon corps. Mes émotions de jeune fille de dix-sept ans sont, elles, parfaitement normales. Et là, je suis en train de craquer.

J'ai quand même des excuses. En quelques heures, je suis passée d'une engueulade avec la directrice, qui m'a menacée de me virer du club, à une opération de sauvetage extrêmement délicate. Dire qu'avant je trouvais que le lycée nous demandait trop de travail !

– Je vais rentrer chez moi, Aaron. Je suis complètement nase, j'en peux plus, là. Il faut que je me repose.

– Vous avez raison, Anna. De toute façon, il faut laisser le temps à Max de récupérer les informations. Si c'est possible !

Nous sortons dans le jardin. Aaron et Max me regardent partir. Aaron me dit :

– Je vous appelle dès que j'ai du nouveau. Reposez-vous, vous en avez besoin !

Je suis tellement exténuée que j'ai à peine la force de commander à mes boosters de me faire décoller du sol. Ils m'obéissent cependant avec leur enthousiasme habituel, propulsant mon corps épuisé comme une fusée à travers le ciel.

*

À peine suis-je arrivée à mon appartement que mon téléphone se met à sonner. J'hésite à répondre. Mais en voyant que l'appel provient de Roland, mon avocat, je me dis que j'ai plutôt intérêt à décrocher.

– Allô ?

– *Bonjour, Anna, c'est Roland à l'appareil. Comment vas-tu ?*

– Eh ben, on fait aller.

– *Tu ne m'as pas appelé.*

– Quand ça ?

– Quand tu as eu des problèmes. Tu ne te souviens pas ? Avant ton départ de Paris, je t'ai expressément demandé de me contacter au moindre souci. Et dans le mot « souci », j'englobais notamment un conflit avec la directrice du Power Club. En fait, c'était même précisément à ce genre d'ennuis que je pensais.

– Oh... ça.

– Tes parents sont avec moi dans mon bureau. Je vais mettre le haut-parleur.

Aussitôt, les voix de mes parents parviennent jusqu'à mon oreille.

– Hello, ma puce, me dit mon père.

– Bonjour, ma chérie, dit maman. *On s'inquiète pour toi, Anna. Est-ce que tu vas bien ?*

– Mais oui, maman, je suis juste fatiguée, c'est tout.

– Fatiguée ? Mais je croyais que les boosters évitaient tout ça.

Je me retiens à temps de lui dire que le cerveau humain, boosté aux superpouvoirs ou pas, a besoin de souffler un peu après avoir évité de justesse un bain de sang. Je me dépêche de changer de sujet.

– Est-ce que Louis va bien ? J'ai l'impression de ne pas l'avoir vu depuis des années ! Je pense souvent à lui ici.

– Mais oui, il va très bien. Nous évitons de lui expliquer tout ce qu'il se passe, mais tu sais ce que c'est... Entre la télé, Internet, et les copains à l'école, il en sait déjà beaucoup.

Roland reprend la parole pour ramener la conversation dans la bonne direction.

— *Anna, j'ai été contacté officiellement par le Power Club. Comme la directrice te l'a dit, tu es sous le coup d'une mesure disciplinaire pouvant entraîner la résiliation de ton contrat de membre.*

Une jolie formule d'avocats pour dire à leur façon brutale et feutrée qu'ils ont la ferme intention de me contraindre à rendre mes boosters. L'idée de les perdre est si violente que je ressens un brusque vertige. Mes jambes sont en coton et je dois m'asseoir pour ne pas m'écraser par terre. Mes boosters paniqués parcourent l'intérieur de mon organisme à une vitesse folle. Ils cherchent avec leur zèle habituel la menace qui me met dans cet état. Je leur murmure :

— Calmez-vous, les petits gars... Vous ne pouvez rien faire pour moi pour l'instant...

— *Qu'est-ce que tu dis ?* me demande Roland.

— Rien.

— *Tu m'as bien entendu, Anna ? Tu comprends ce que cela signifie ?*

— Ben oui.

— *Cela veut dire,* continue Roland sur un ton très patient et très pédagogique, *que tu dois être extrêmement prudente. Le moindre faux pas va te retomber dessus. Ils ne manqueront pas une occasion de t'enfoncer et de bétonner leur dossier contre toi.*

— Et si je viens d'arrêter trois braqueurs et de sauver un nouveau-né, ça compte ?

— *De quoi tu parles ?*

— Vous ne m'avez pas vue à la télé ou sur le Net ?

J'entends un téléviseur s'allumer dans le bureau de Roland à Paris. Une chaîne d'infos en continu diffuse le moment où les policiers nous ont escortés avec des applaudissements à notre sortie du centre commercial.

Pendant plusieurs secondes, seul le son de la télévision me parvient par l'intermédiaire du téléphone. Puis Roland recommence à me parler :

— *On est tous sidérés ici par ce que tu as fait, Anna. C'est incroyable !*

Ma mère au bord des larmes me dit :

— *Je suis si fière, mon bébé !*

— *Bravo*, me dit mon père. *Je ne sais pas ce que la directrice te reproche, mais moi je te trouve extraordinaire !*

Je fais oui de la tête, mécaniquement, et je m'aperçois en voyant tomber une larme entre mes deux pieds que je suis en train de pleurer.

— Papa, maman, je suis vraiment crevée, là. On ne peut pas discuter de ça demain ?

— *Je n'en ai pas pour longtemps*, reprend Roland. *J'ai examiné en détail le papier que tu as signé le jour où tu as rencontré les avocats du club, avant ton opération. Ce n'est pas bon, Anna, tu avances en terrain miné. L'une des clauses du contrat d'adhésion au Power Club t'oblige à rendre les boosters en cas de litige avec la direction. Si tu refuses, cela entraînera la saisie judiciaire de quatre-vingt-dix pour cent du patrimoine immobilier et financier de ta famille. C'est-à-dire la vente de toutes vos résidences, la saisie de vos actions, et ainsi de suite. Je n'ai jamais vu un truc pareil, même la mafia ne prend pas autant ! Je sais qu'il est trop tard pour le dire, mais j'aurais vraiment aimé que tu écoutes mon conseil quand je t'ai demandé de ne rien signer sans mon accord.*

– Je sais... Je sais... Je suis désolée...

Mon père prend aussitôt ma défense.

– *Ne lui reproche rien, Roland, ils l'ont eue à l'intimidation. Tu ne peux pas demander à une gamine de dix-sept ans d'être plus maligne que les avocats de la plus grosse boîte commerciale du monde !*

Roland continue sur sa lancée, avec dans la voix une gravité qui ne lui est pas habituelle :

– *Je ne vais pas enrober la réalité pour la rendre plus douce, vous avez besoin de savoir exactement où nous en sommes. Cette clause est abusive, elle tient plus du chantage que d'autre chose. Mais le Power Club est extrêmement puissant. Il frappe fort parce qu'il sait qu'il a le soutien total du gouvernement fédéral. En signant ce document, Anna a aussi accédé à la nationalité américaine. Cela la rend particulièrement vulnérable dans le cadre d'une procédure d'exception concernant la législation des États-Unis. La technologie du Power Club étant du domaine de la sécurité du territoire américain, tout ce qui lui porte atteinte, d'une manière ou d'une autre, peut être considéré comme du terrorisme. Je ne pense pas que nous en arrivions là, mais si nous devions aller jusqu'au procès, le résultat pourrait être catastrophique. Anna, je te rappelle que si tu es déchue de ton statut de membre, tu as l'obligation légale de restituer immédiatement les boosters qui sont dans ton corps.*

Ils sont la propriété du Power Club. Après la rébellion de Matthew Banks, qui a bénéficié d'un vide juridique, le club s'est arrangé pour faire voter une loi spécifique par les sénateurs. Conserver les boosters en cas de rupture du contrat revient à être considéré comme détenteur d'armes de destruction massive. Ils n'ont rien laissé au hasard, Anna, il faut bien que tu le comprennes.

– Je le sais... Je le sais bien...

La voix angoissée de ma mère se fait entendre :

– *Mais qu'est-ce qu'il se passe, Anna ? Pourquoi la directrice t'en veut-elle autant ? Tu as fait quelque chose de mal ?*

– Non, maman, je te jure que non. C'est juste que j'ai...

– *Anna, je t'arrête tout de suite, je préfère que nous ne discutions pas de ça au téléphone.*

– *Pourquoi ?* demande mon père avec agacement. *Tu crois qu'Anna a été mise sur écoute ?*

– *On ne va pas prendre le risque. De toute façon, j'ai prévu de prendre l'avion pour New York dès demain matin. Je pourrai discuter de vive voix avec Anna.*

– *Non mais c'est carrément n'importe quoi !* s'emporte mon père. *Ma fille ne peut même pas m'expliquer pourquoi on veut la renvoyer comme une malpropre ?*

– *Ma chérie,* me dit ma mère, *nous allons venir nous aussi. Nous partirons dès cette nuit et puis nous...*

– Non, s'il vous plaît, non ! Pas maintenant. Je vous le dirai si j'ai besoin de vous. Mais là, je dois me débrouiller. C'est trop important, j'ai besoin de rester concentrée. Toute seule.

Je ne peux pas leur avouer que je ne serais pas rassurée de les savoir ici. Je ne veux pas qu'ils mesurent à quel point le Power Club est en train de me rendre parano. Je tente de prendre ma voix la plus calme pour leur dire :

— Ne vous faites pas de souci. Je ne peux pas entrer dans les détails mais il faut que vous me fassiez confiance. Quand vous saurez tout, je suis sûre que vous serez d'accord avec moi et avec ce que j'ai fait. C'est tout ce qui compte, non ? Et s'il le faut, je leur rendrai mes boosters et puis ce sera fini, on reprendra notre vie d'avant ! Je suis désolée, papa et maman. Je sais que vous avez payé une fortune pour ça, et je vais sûrement être obligée de...

— *Anna, ce n'est pas le plus important. Arrange tes affaires à ta façon, puisque c'est ce que tu veux, et reviens à la maison. On ne te demande rien d'autre, d'accord ?*

Nous échangeons quelques derniers mots. Je rassemble tout mon courage pour ne pas m'effondrer en larmes tandis que je leur dis au revoir.

Indifférents à ce qui se passe dans mes pensées, les boosters dansent d'excitation à l'intérieur de moi. Ils m'invitent à m'envoler, à sauter par la fenêtre et à tout abandonner, mais je suis bien trop fatiguée pour les écouter. Je leur dis de se calmer. Je leur dis qu'ils me fatiguent avec leur énergie inépuisable et leur foi en moi. Je ne suis pas à la hauteur de leur amour, voilà ce que je leur dis. Mais ils ne veulent rien entendre. Ils éclatent juste de rire en croyant à une bonne blague.

*

Après avoir raccroché, je file immédiatement sous la douche. Je pensais pouvoir me détendre sous l'eau chaude mais mon esprit est trop agité pour me laisser tranquille. Je revois en boucle la femme qui s'écroule par terre en entraînant son bébé dans sa chute. Nous sommes passés si près de la catastrophe que j'en ai des tremblements dans tout le corps. Mes mains ont même du mal à tenir la serviette pendant que je m'essuie en sortant de la douche.

Je me laisse tomber sur mon lit en enfouissant la tête dans l'oreiller. Pendant une seconde, je crois que je vais m'endormir immédiatement, mais cette fois-ci la vision de la grenade roulant sur le sol s'impose derrière mes paupières fermées. J'ai l'impression d'être forcée de regarder un film contre ma volonté.

Les moindres instants dans le centre commercial défilent dans ma tête. Je ne peux pas me retenir de visualiser les corps qui auraient pu être déchiquetés par l'explosion de la grenade. Notre magnifique prestation n'est passée qu'à un cheveu du désastre. Si Dominic n'avait pas réagi aussi vite... Si je n'avais pas réussi à protéger la mère et son enfant avec mon corps... Il aurait suffi qu'une balle perdue se faufile dans un minuscule espace entre deux de mes doigts...

J'ouvre les yeux. Impossible de dormir.

Je m'assois sur mon lit et éclate en sanglots. Mes épaules tressautent violemment tandis que mon visage se couvre de larmes. Mes boosters me demandent ce qui m'arrive. Ils commentent mon chagrin avec leurs mots rudimentaires. Ils insultent le liquide qui sort de mes yeux. Je leur dis de la fermer, que je ne veux plus les entendre pour l'instant. La queue basse, ils se réfugient dans les recoins de mon ADN. Je perçois leur tristesse de m'avoir déçue. Ils ne comprennent pas pourquoi je suis en colère contre eux.

Mes parents et mon petit frère me manquent. Paris me manque. Je n'imaginais pas comme ça ma vie de super-héroïne.

Avant d'en être pleinement consciente, je compose le numéro de Lisa sur mon téléphone. Dès que j'entends sa voix, la nostalgie et la tristesse me figent sur place.

— *Anna ? C'est toi ?*

— Lisa...

J'éclate à nouveau en pleurs avant d'avoir pu dire un mot de plus.

— *Anna ? Qu'est-ce qu'y a ? Ça ne va pas ?*

Pendant le quart d'heure qui suit, je résume la situation à Lisa au milieu de gros sanglots et de reniflements. Malgré mon état, je n'oublie pas les mises en garde de Roland à propos de mon téléphone qui pourrait être sur écoute. Mais bon, même en me limitant à la version officielle, j'ai déjà largement de quoi m'apitoyer sur mon propre sort.

— *Ah la vache !* conclut Lisa. *Je ne pensais pas que ça allait aussi mal pour toi.*

— J'en peux plus, j'te jure... Ch'ais pas comment j'vais faire pour m'en sortir.

— *Mais j'y comprends rien ! Ici, on te voit partout en train d'être applaudie par toute la police de New York.*

Y a plein de flics en uniforme qui disent qu'ils sont carrément fans de toi. Et maintenant tu me dis que tu vas te faire virer ? Je m'en veux à mort de ne pas t'avoir appelée avant ! Je regarde tes exploits à la télé et j'achète tous les magazines avec des photos de toi. Tes pubs pour le parfum, je peux te dire qu'on les voit partout. T'es carrément sexy sur les affiches. Tout avait l'air super pour toi !

Je me mouche bruyamment tout en continuant à pleurer, ce qui n'est ni simple ni agréable.

– *Hé ! Ho !* me dit Lisa dans le téléphone. *Il faut que tu te reprennes, Anna !*

– J'y... j'y arrive pas...

Je continue de me moucher, de pleurer, tout ça en même temps. Dans le téléphone de Lisa, à Paris, je dois ressembler à une grosse éponge dépressive qu'on essore en direct.

– *C'est bon*, me dit-elle, *je réserve tout de suite mon billet pour New York.*

– Mais... mais non !

– *La dernière fois que je t'ai vue dans cet état, c'est quand ton chien Ernest s'est fait écraser sous une bagnole. Je sais que tu as besoin de moi. C'est pas tes superpouvoirs qui vont te remonter le moral.*

Après une nouvelle série de sanglots et de reniflements, je lui dis :

– D'accord... Oui, je veux bien que tu viennes... Merci Lisa.

– *Bon ben c'est parti. À tout de suite. Bises.*

Elle raccroche immédiatement car elle veut se mettre à la recherche d'un avion sans perdre une minute.

J'éteins mon téléphone pour ne plus recevoir de coups de fil. Mon besoin de sommeil est devenu plus important que tout le reste.

Je veux juste fermer les yeux et dormir, dormir, dormir. Dormir.

CHAPITRE 34

Quand je me réveille le lendemain matin, ma première sensation est d'avoir couru le marathon pendant toute la nuit. Aller et retour. Et sans l'aide de mes super-pouvoirs. Je suis en sueur, comme si j'avais de la fièvre, et je me sens complètement à plat, vidée. Mon réveil indique pourtant que j'ai dormi pendant plus de onze heures. Enfin, si on peut appeler ça dormir. J'ai fait les rêves les plus pénibles de toute ma vie, à base de grenades dégoupillées et de bébé en chute libre.

Je prends une douche pour m'éclaircir les idées, mais l'angoisse qui m'a saisie dès mon réveil refuse de me lâcher. Par la fenêtre, je contemple la ville sous le soleil de la fin de matinée. J'ai l'impression très nette que quelque chose ne va pas, mais je ne sais pas quoi exactement. Comme si je ne voyais pas un éléphant qui se trouverait juste là, devant mes yeux.

En m'installant au salon pour petit-déjeuner, je remarque enfin mon téléphone éteint que j'ai laissé tomber hier sur le canapé. Aussitôt je comprends ce que mon cerveau tente de me dire depuis tout à l'heure. Aaron a dû essayer de m'appeler. Max a probablement fini de travailler sur son gobeur endommagé. Soit il a pu récupérer le contenu, soit tout est perdu. Dans tous les cas ils ont dû vouloir me prévenir, c'est sûr.

Dès que mon téléphone reprend vie, il émet le petit son familier m'indiquant qu'un message m'attend sur mon répondeur. La voix d'Aaron, venue de quelque part au milieu de la nuit, résonne dans mon oreille :

« Anna, Max a réussi à récupérer les données. Il a trouvé un dossier, le vrai rapport d'autopsie de Jason Baker, c'est... c'est carrément énorme ! Je ne peux même pas vous expliquer au téléphone, c'est trop... c'est trop hallucinant. Écoutez, on doit absolument le rendre public sur le Net mais, après ça, je ne sais même pas si le Power Club continuera à exister. Et je ne peux pas balancer le rapport sur Internet sans votre accord. Parce que vous voyez, là, on tient vraiment un truc qui va tout changer. Rappelez-moi dès que vous avez ce message, s'il vous plaît. »

Avant que j'aie eu le temps de composer son numéro, mon téléphone se met à sonner. Une voix masculine inconnue me demande :

– *Anna Granville ?*

– Oui, c'est moi.

– *Je suis le lieutenant Wilson de la police de New York. Je me trouve actuellement dans la maison de monsieur Maximilien Minkowski. J'ai besoin que vous veniez ici le plus vite possible.*

– Qu'est-ce qui se passe ? Il est arrivé quelque chose ?

– *Je ne peux rien vous dire par téléphone.*

– Dites-moi au moins si Aaron et Max vont bien !

– *Rejoignez-moi le plus rapidement possible au domicile de monsieur Minkowski. Je vous expliquerai tout sur place.*

– Très bien, lieutenant. J'arrive.

Je raccroche et reste un moment pensive, avec le téléphone dans la main. On dirait que l'éléphant que je ne voyais pas vient de me marcher dessus de tout son poids.

*

Même vue d'en haut, dans la lumière éblouissante du matin, la maison de Max a un aspect sinistre. Trois voitures de police sont garées devant l'entrée. Cinq policiers en uniforme font respecter un périmètre de sécurité aux curieux qui pointent le bout de leur nez. Je me pose sur la pelouse qui sépare la maison du trottoir. Un homme en costume-cravate se protège les yeux du soleil en suivant ma trajectoire, des nuages jusqu'au sol.

– Bonjour, mademoiselle, je suis le lieutenant Wilson. Je vous attendais.

– Qu'est-ce qui se passe ? lui dis-je sans chercher à dissimuler l'angoisse qui me tord le ventre.

– Veuillez entrer avec moi dans la maison, je vous prie, mademoiselle Granville.

– Vous ne voulez pas me dire si Aaron va bien ?

Il me précède à l'intérieur sans rien ajouter, jusque dans la cuisine où une vision d'horreur me coupe le souffle. Max est allongé sur le dos dans une mare de sang. Un couteau est profondément enfoncé dans sa poitrine.

Le choc est si terrible que je recule comme sous l'effet d'un coup de poing en pleine figure. Pour me rattraper, je pose la main sur le mur mais, comme je suis trop perturbée pour calmer mes boosters, ils en profitent pour arracher une partie de la cloison. Le regard du lieutenant Wilson se fige devant cette démonstration involontaire de force.

— Je suis désolée... Où est Aaron ? Il est... Lui aussi il est... ?

— Nous ne savons pas où se trouve Aaron Freeman. Pouvez-vous nous renseigner à ce sujet ?

— Moi ? Mais non, je croyais qu'il était ici, avec...

Je me tais dès que je comprends que, si je ne fais pas attention, ils risquent de se servir de tout ce que je pourrai dire contre Aaron.

— Continuez, me dit le lieutenant Wilson, vous alliez dire qu'il était ici avec Max, c'est ça ? Ils étaient tous les deux seuls dans cette maison la dernière fois que vous les avez vus ?

Je fais lentement oui de la tête. Malgré moi, je jette un regard rapide du côté de la cuisine. D'où je suis, seules les chaussures de Max me sont visibles. Elles suffisent pour m'évoquer avec force le petit bonhomme savant et facétieux.

— Est-ce qu'il a... souffert ?

– La lame du couteau a traversé sa cage thoracique et a pénétré droit dans son cœur. Ça s'est passé très vite.

– Vous pensez qu'Aaron a pu être assassiné lui aussi ? Ou bien qu'on l'a enlevé ?

– À l'heure actuelle, mademoiselle Granville, je ne dispose que d'un corps et de rien d'autre. Il n'y a aucune trace de lutte ou d'effraction. Et il semblerait, selon ce que vous venez de me dire, que monsieur Freeman soit la dernière personne à avoir vu la victime en vie. Avez-vous assisté à une dispute entre eux avant de les quitter ? Étaient-ils en mauvais termes ?

– Quoi ? Mais non ! Pas du tout ! Max était son meilleur ami, Aaron n'aurait jamais pu faire ça !

Les larmes me montent aussitôt aux yeux. J'ai l'impression de ne pas être sortie des cauchemars de la nuit. Visiblement, la police a trouvé en Aaron son suspect principal. Si elle savait la vérité sur la mort de Jason, elle comprendrait que le Power Club est le seul à profiter de cet assassinat.

– Est-ce que vous avez interrogé la directrice du Power Club ?

Le policier reste un instant muet, surpris par ma question inattendue.

– Pour quelle raison ? Qu'est-ce que le Power Club vient faire dans cette histoire ?

– Elizabeth Foster est en conflit avec Aaron et Max, elle... elle n'aime pas que les gens lui désobéissent. Vous savez, elle a pu... Je ne sais pas... Vous devriez lui parler, c'est tout. Vous allez découvrir des tas de choses si vous cherchez bien.

À son regard, je comprends aussitôt que je viens de faire une erreur. Il ne croit pas un mot de ce que je viens de dire. Je dois même paraître encore plus désespérée en utilisant un argument aussi ridicule pour défendre mon ami.

— Est-ce que vous insinuez que madame Foster est impliquée dans ce meurtre ?

— J'en sais rien ! Je dis juste qu'Aaron n'est pas coupable, j'en suis sûre !

— Mademoiselle Granville, votre statut de super-héros vous amène à croiser le chemin de la police, mais vous devez laisser les enquêteurs professionnels faire leur travail. Les accusations que vous portez sont extrêmement graves. Nous tirerons les conclusions nécessaires quand notre travail d'investigation sera fini. Nous n'avons pas besoin de vous pour nous dire ce qu'il faut penser d'une scène de crime.

— Mais non, bien sûr, je ne voulais pas dire ça. C'est juste que...

Il me coupe une fois de plus la parole pour me déclarer d'un ton sec :

— Vous allez m'accompagner jusqu'au commissariat. Je vais prendre votre déposition.

— Maintenant ? Mais il faut que je retrouve Aaron ! Je peux survoler la ville, les recherches iront beaucoup plus vite.

– Non, me dit le lieutenant Wilson, vous devez venir avec moi. En apprenant la nouvelle de la mort de monsieur Minkowski, la directrice du Power Club nous a contactés spontanément pour nous signaler que vous connaissiez la victime et le suspect. Elle a fait preuve d'une grande coopération. Ce qui, au passage, contredit vos accusations fantaisistes à son sujet. Maintenant, il est indispensable que je prenne votre témoignage. Si vous refusez d'obtempérer, cela sera considéré comme une volonté de votre part de perturber le bon déroulement d'une enquête criminelle. Avec de lourdes conséquences pour vous.

Je maudis en silence Elizabeth Foster qui continue son travail de dénigrement contre moi. Elle ne laisse passer aucune chance de m'enfoncer un peu plus.

Le regard du policier sonde mes intentions. Il fait tout ce qu'il peut pour le cacher, mais il déplace légèrement le poids de son corps sur sa jambe droite. Il est prêt à bondir à l'abri si jamais il prenait à la jeune fille superpuissante que je suis l'envie de s'envoler en pulvérisant le toit de la maison.

– D'accord, lui dis-je avec résignation, je viens avec vous.

– Très bien. Nous partons tout de suite.

Je monte en silence dans la voiture du lieutenant Wilson. Il n'ouvre pas la bouche lui non plus pendant le trajet. En volant, j'aurais pu couvrir la même distance en un rien de temps.

*

Mon arrivée au poste de police est beaucoup moins discrète que j'avais pu l'espérer. Une meute de journalistes m'attend devant la porte. Ils occupent entièrement le trottoir et se grimpent quasiment les uns sur les autres pour pouvoir prendre mon image. Pour ne rien arranger, le lieutenant Wilson gare la voiture juste devant l'entrée, là où toutes les caméras auront la meilleure vue possible de ma sortie du véhicule escortée par un policier.

Avant même que je pose le pied par terre, je suis assaillie de questions. Les voix des journalistes forment un brouhaha indistinct tandis qu'une armée de micros est pointée en direction de mon visage. La violence de leur assaut est telle que je dois tranquilliser mes boosters sur-le-champ. Si j'écoutais ces petites bestioles caractérielles, je balayerais la foule avec le bras en cassant quelques os au passage. L'idée est tentante quand je vois cet amas de visages affamés. Avec les images de moi qu'ils volent et les mots qu'ils espèrent m'arracher, c'est comme s'ils voulaient me dévorer vivante.

Le lieutenant Wilson tente de les repousser pour que nous puissions accéder à l'entrée. Mais la foule est si compacte et si excitée que ses efforts ne servent à rien. De toute façon, s'il avait vraiment voulu les éviter, il ne se serait pas arrêté pile devant eux.

Comme nous n'avançons pas d'un millimètre, je saisis le policier sous les bras et m'envole en le portant dans les airs. Les caméras suivent notre ascension tandis que le lieutenant Wilson pousse un petit cri de surprise et de frayeur. Je pense que j'aurai plaisir à regarder son air ahuri ce soir à la télé.

— Mademoiselle Granville, reposez-moi tout de suite ! C'est un... un enlèvement !

— Ne soyez pas ridicule ! Qu'est-ce que vous voulez que je fasse de vous ?

Je l'emporte jusque sur le toit où je le dépose en douceur. Il titube sur ses jambes en lissant son costume et en redressant sa cravate.

— C'est inqualifiable ! me dit-il. Je porterai plainte !

— Je vous ai seulement aidé à atteindre votre bureau, lieutenant Wilson. Je croyais que ma déposition devait être prise rapidement. Parce que là, avec la foule en bas, nous n'étions pas près d'arriver.

Il me lance un regard noir puis, sans un mot, se dirige vers la porte donnant sur les escaliers.

Quand nous arrivons à l'étage du bureau des inspecteurs, les policiers présents chambrent le lieutenant Wilson en l'interpellant au passage.

— Alors, Andy, ton vol s'est bien passé ? Pas trop eu le mal de l'air ?

— T'étais trop mignon là-haut, Wilson. On aurait dit un jeune marié porté par sa fiancée !

Le lieutenant fait semblant de les ignorer mais ses joues rouge écarlate le trahissent. Il ouvre la porte d'une salle d'interrogatoire et me fait signe d'entrer.

— Asseyez-vous.

Je lui obéis docilement. J'ai l'impression de revivre exactement la même scène qu'avec Warren dans les bureaux du Power Club. On dirait que le cercle de l'enfer dans lequel je suis coincée consiste à subir une série éternelle d'interrogatoires.

Tandis qu'il s'installe en face de moi, je lui fais remarquer :

— Je vois qu'Elizabeth Foster n'a pas perdu son temps.

— Que voulez-vous dire ?

— C'est bien elle qui a prévenu les journalistes, non ?

— Comment voulez-vous que je le sache ?

— Vous n'avez pas eu l'air surpris en les voyant tous agglutinés devant l'entrée. Vous vous êtes même arrêté devant eux. À moins que vous n'aimiez beaucoup les journalistes, je ne sais pas.

— Mademoiselle Granville, me dit-il avec mauvaise humeur, est-ce que vous avez quelque chose à me reprocher ? Vous êtes ici pour répondre à mes questions, et non l'inverse. Ce n'est pas la peine d'essayer de détourner l'attention en lançant des accusations en l'air.

En m'envoyant les journalistes, Elizabeth Foster a eu les images qu'elle voulait. Mon arrivée dans un commissariat fera rapidement oublier la libération des otages. Jusqu'à aujourd'hui, aucun super-héros n'a été mêlé à une affaire judiciaire. Les télévisions doivent tourner en boucle sur ce sujet. Tout le monde est en train de dire tout et n'importe quoi. Moins les gens savent de choses et plus ils donnent leur opinion.

Le lieutenant Wilson met en marche le micro pour enregistrer l'interrogatoire.

– Mademoiselle Granville, commence-t-il, comment connaissez-vous la victime, monsieur Maximilien Minkowski ?

– Je l'ai rencontré par l'intermédiaire d'Aaron Freeman. Ils travaillaient ensemble. D'après ce que je sais, Max aidait Aaron dans ses enquêtes.

– De quelle manière exactement ?

J'hésite à lui révéler que le journaliste a fait embaucher Max au Power Club pour espionner de l'intérieur. Tout ce qu'il apprendra de moi sera utilisé contre Aaron. Je lui réponds donc avec un air innocent :

– Je ne sais pas. Je ne connais pas les détails de leur travail.

Mentir à la police devient une mauvaise habitude chez moi. La fille de bonne famille très bien élevée que j'étais avant les superpouvoirs semble ne pas avoir survécu à la transformation. Enfin, encore un peu tout de même, puisque je parviens à rester polie face à ce type qui ne cache pas son mépris pour moi.

– Pouvez-vous m'expliquer les raisons qui vous ont poussée à entrer en relation avec ces deux hommes ?

Je reste silencieuse un instant, le temps de soupeser ma réponse. Jusqu'où puis-je dire la vérité sans que cela se retourne contre moi ou Aaron ? Mon hésitation à être franche est d'autant plus grande que je suis persuadée que le lieutenant Wilson fait partie de la zone d'influence d'Elizabeth Foster. En fait, je me demande si elle n'a pas rédigé elle-même les questions qu'il me pose. J'ai vraiment été idiote en lui parlant de mes soupçons sur le Power Club.

Mon téléphone portable se met à sonner juste à ce moment. Sous le regard exaspéré du policier, je prends l'appel.

– *Anna, c'est Roland. Je viens de voir à la télé que tu as été emmenée dans un commissariat. Je suppose qu'un policier est en train de t'interroger, non?*

– Oui, c'est ça.

– *Tu ne dis plus rien et tu me passes l'officier, s'il te plaît.*

Je tends mon téléphone au lieutenant Wilson en lui disant:

– Mon avocat veut vous parler.

Avec une grimace dégoûtée, il colle le téléphone contre son oreille. Pendant qu'il écoute Roland lui sortir tous les arguments nécessaires pour me laisser partir d'ici sur-le-champ, je m'amuse à observer son visage passer de la frustration à la colère la plus froide.

– Très bien, j'en prends note, finit-il par répondre au bout d'un moment.

Il me rend mon téléphone en me disant:

– Vous pouvez partir. Mais vous devez rester à New York, nous reprendrons cette conversation plus tard.

Quand je sors de la salle d'interrogatoire, une foule de policiers m'observent comme une bête curieuse. Eux aussi sont très étonnés de voir un super-héros du Power Club dans leurs locaux. Quelques-uns lèvent le pouce dans ma direction. Leur façon à eux de me féliciter pour le sauvetage des otages au centre commercial.

Le lieutenant Wilson m'accompagne en direction de la sortie. Son intention est sûrement d'être filmé par les caméras du monde entier à côté de moi, l'air professionnel et intraitable. Il veut rétablir son autorité après avoir été arraché du sol par une gamine de dix-sept ans. Mais je n'ai aucune envie de l'aider à retrouver sa dignité.

— Moi je m'en vais par le toit. Il y a beaucoup trop de monde à mon goût devant votre porte.

Je lui tourne le dos et marche jusqu'aux ascenseurs. Les policiers me fixent jusqu'à la dernière seconde. Quand les portes se referment sur moi, le bureau des inspecteurs de la criminelle n'a pas encore retrouvé son activité habituelle. Les super-héros paraissent si éloignés du monde normal que les voir de près est toujours un choc. Nous avons l'air si banals, si inoffensifs. Jusqu'au moment où nous décollons du sol. Ou quand nous écrabouillons du métal entre nos mains.

Sur le toit, je découvre un hélicoptère d'une chaîne de télévision qui se maintient en vol stationnaire, une trentaine de mètres au-dessus de moi. Deux caméras sont pointées dans ma direction.

Mes boosters inondent l'intérieur de mes jambes. Je les sens affluer furieusement, aussi impatients que des chevaux de course sur la ligne de départ, attendant le signal. Je les libère en les autorisant à repousser le monde loin de moi. Mon décollage vertical est si puissant que le déplacement d'air de mon corps agite légèrement l'hélicoptère. L'appareil tente de me suivre tandis que je monte dans le ciel, mais c'est peine perdue pour lui. Il bourdonne loin derrière moi comme un gros moustique maladroit, empêtré dans la lourde mécanique qui lui permet de voler.

CHAPITRE 35

M on attachée de presse m'appelle avec une voix d'outre-tombe. Je me demande quel est le prochain désastre qui va me tomber dessus.

— *Harmony résilie le contrat*, m'annonce gravement Karen. *Ils font jouer la clause de moralité. Selon eux, ton interrogatoire dans un commissariat est préjudiciable à l'image de leur société.*

Je viens tout juste de quitter le commissariat et déjà la nouvelle a été diffusée partout, commentée, digérée et analysée. Plus personne ne prend le temps de réfléchir pendant plus de trente secondes. J'imagine sans mal les commerciaux de la marque horrifiés de voir leur égérie si chèrement payée en compagnie d'un policier sur le trottoir devant un commissariat. Une image pareille équivaut à une condamnation publique. La plupart des gens ne pourront s'empêcher de penser que j'ai forcément fait quelque chose de mal pour me retrouver dans cette situation. Ces mêmes gens qui pensaient, en me voyant sur les affiches :

« Hum… Cette fille est drôlement mignonne. Je m'achète-rais bien ce parfum pour sentir bon comme elle ! »

Je fais remarquer à Karen, sur un ton très agacé :

– Vous avez dit à ces imbéciles que je suis seulement témoin dans cette affaire ? Pas accusée ?

– *L'image est dévastatrice et, pour eux, c'est tout ce qui compte. Le monde entier t'a vue être emmenée par ce policier. C'est suffisant pour créer le doute.*

– Le doute à propos de quoi ? je lui demande en m'éner-vant un peu. Je ne me suis pas fait arrêter !

Je pousse un long soupir exaspéré. Si Elizabeth Foster continue à détruire ma réputation de façon si efficace, mon témoignage contre le club va perdre toute sa crédibi-lité. On dira que je veux me venger de la directrice qui m'a exclue. Il a suffi que je prenne contact avec Aaron et que je me libère de la puce espion pour qu'elle me considère aussitôt comme une adversaire à abattre.

– D'accord, Karen, ce n'est pas grave, vous avez fait ce que vous pouviez.

– *Je suis désolée de tout ce qui t'arrive.*

– Merci.

Je me suis posée au sommet du pont de Brooklyn pour répondre à l'appel de mon ex-attachée de presse. Sans que je m'en aperçoive, ma présence a commencé à créer un attroupement. Je fais un signe aux gens en bas qui me visent avec leurs appareils photo. Sont-ils eux aussi au courant de ma déchéance ? Prennent-ils ma photo par admiration ou par répulsion ? D'où je suis, la différence est impossible à faire.

Je dois absolument retrouver Aaron avant la police. Il ne fait aucun doute dans mon esprit qu'il aura une bonne explication à me donner. Dès mon arrivée chez moi, j'appellerai Roland pour lui demander conseil. Peut-être même qu'il acceptera de le prendre comme client. Avec ses revenus de journaliste, Aaron n'a aucune chance de pouvoir se payer un avocat aussi bon que le mien.

Mon esprit tente de trouver un sens à ce que j'ai vécu ces dernières heures, mais les différents événements tournent en boucle dans ma tête, dans le désordre le plus total. L'image de Max, mort et ensanglanté, me revient sans cesse. Si Aaron a été le témoin de sa mort, il doit être dévasté par le chagrin.

Je survole quelques blocs d'immeubles lorsqu'une silhouette rapide me fait sursauter en apparaissant à côté de moi.

Je tourne la tête et découvre Francesca qui me fixe en fronçant les sourcils. Nous nous faisons face, en suspension dans l'air, des dizaines de mètres au-dessus des rues de New York.

— Anna, me dit-elle, il faut que tu viennes avec moi, tout de suite.

— Maintenant ? Je suis désolée, Francesca, mais c'est impossible. Je dois retrouver... Enfin j'ai un truc très important à faire.

— Tu feras ce que tu as à faire après, insiste-t-elle. Tu fais partie du Power Club, tu es obligée de venir quand il y a une réunion de tous les membres. Surtout que c'est toi le sujet du jour. Les autres m'ont envoyée te chercher, ils nous attendent dans l'immeuble du club.

— Mais tu ne comprends pas, Francesca, c'est une question de vie ou de mort, je n'exagère pas ! Tu sais, c'est en lien avec mon interrogatoire au poste de police.

— Tu viens, Anna, et tout de suite.

L'attitude de Francesca est presque menaçante. Pendant une seconde, je crois qu'elle va m'attaquer. Mes boosters réagissent aussitôt à ce qu'ils perçoivent comme un danger potentiel. Le fait que ma supposée adversaire possède elle aussi des boosters ne semble pas les intimider un seul instant. Au contraire, on dirait même qu'ils sont pressés de voir ce qu'ils valent dans un combat en face à face avec leurs semblables. Mais je m'empresse de les calmer en cédant à Francesca.

— D'accord, je te suis.

D'en bas, nous devons ressembler à deux déesses adolescentes traversant le ciel de New York.

*

Le Power Club au grand complet m'attend dans une vaste salle de réunion située au dernier étage de l'immeuble. La pièce a été visiblement conçue pour en mettre plein les yeux. Une imposante table ronde trône au centre. La référence au roi Arthur et à ses chevaliers n'est pas très subtile. Le logo du Power Club couvre la totalité du mur du fond.

Adam Linkford préside en bout de table. Bobby Mulligan est à sa droite, avec son petit sourire en coin.

Puis viennent Kirsten, Brian Pierce, Stanislav et enfin Dominic, qui semble très mal à l'aise.

Francesca s'assoit à sa place tout en me désignant la dernière chaise vide. Tous me fixent, à part Dominic qui garde la tête baissée. Que cela me plaise ou non, cette mise en scène ressemble beaucoup à un tribunal. Pour alléger un peu mon stress, je leur dis :

– C'est la réunion de la Ligue des Justiciers ? Batman a encore fait une connerie ?

Bobby éclate d'un rire gras :

– J'vous avais dit que cette poulette était rigolote !

Adam le fait taire en le fusillant du regard. Bobby pouffe encore une fois ou deux, mais il se tient à carreau.

– Tu ne devrais pas plaisanter, me dit Adam de sa voix grave et posée. Elizabeth Foster nous a fait savoir personnellement qu'elle engageait une procédure d'exclusion à ton encontre. C'est une première dans l'histoire du club et nous vivons de tristes heures. Et puis, comme si cela ne suffisait pas, nous avons assisté à la télévision à ton arrestation par un policier. Tout cela pose au club dans son entier de gros problèmes de...

Je lui coupe tout de suite la parole :

– Non.

– Quoi, non ? me demande-t-il avec surprise.

– Non, je n'ai pas été arrêtée. J'ai accompagné de mon plein gré un policier qui voulait prendre ma déposition. Cela n'a rien à voir.

Adam se tait quelques secondes pour digérer mon intervention, puis il reprend :

— Mais tu as été emmenée dans un poste de police, non ?

— Oui, pour donner mon témoignage.

— Au poste de police ?

— Ben oui ! Au poste de police !

— Voilà, c'est ce que je disais, continue-t-il. Aucun super-héros ici n'a jamais mis les pieds dans un poste de police. Même pour donner son témoignage.

— Adam, lui dis-je en tentant de garder mon calme, avec le nombre de dégâts, de blessés et de morts provoqués par le Power Club depuis sa création, je suis très étonnée que cela ne soit jamais arrivé.

Une rumeur de désapprobation parcourt la table ronde. Seul Dominic ne dit rien. Il se contente de faire doucement non de la tête, en silence, comme s'il savait déjà comment tout cela allait finir.

— Vois-tu, reprend Adam, c'est à ce genre d'attitude que tu dois de te retrouver dans une telle situation aujourd'hui.

— Quelle attitude ? Tu veux dire celle qui consiste à regarder la vérité en face ?

Bobby, qui ne doit plus du tout me trouver rigolote, se lève d'un coup de sa chaise.

— Laisse-moi lui fermer sa gueule à cette petite conne !

— Bobby, assieds-toi ! lui dit fermement Adam. Ce n'est pas un langage qu'on tient en ma présence !

Adam assume son rôle de boy-scout même quand il n'y a pas de caméras. Il aime tellement son rôle qu'il doit dormir enroulé dans un drapeau américain, la main sur le cœur.

Francesca se penche vers moi puis me dit d'une voix qui se veut compréhensive (alors qu'elle est juste très crispante) :

— Qu'est-ce qui t'arrive, Anna ? Je ne te reconnais plus. On a failli devenir de super-amies toutes les deux. J'étais tellement fière d'être ta marraine !

Je hausse les épaules sans répondre. Ce serait trop long à expliquer et je sens que ça énerverait encore plus tout le monde.

Adam reprend la parole avec solennité.

— Anna, tu dois comprendre que par ton comportement tu mets en danger l'image et la réputation du Power Club. Le public nous voit comme des héros, nous avons l'obligation morale d'être irréprochables.

Dominic continue de garder la tête basse. Visiblement, il préférerait ne pas participer à cette farce pathétique.

— Nous avons donc décidé de ne plus nous montrer en public avec toi. Pour préserver l'image du Power Club, se justifie Adam. Nous te demandons de ne plus venir à des fêtes en notre présence, de ne plus participer à des galas de charité où le nom du club est engagé. Nous devons rester des exemples pour les enfants du monde entier.

Dans le silence qui suit, j'hésite entre exploser de rire ou éclater en sanglots. Les deux options me semblent tout à fait valables. Les visages tournés vers moi, sauf celui de Dominic toujours en pleine observation de la table, expriment un mélange de probité surjouée, d'indignation outrée et de bêtise la plus crasse. Ils sont tellement sûrs de leur bon droit que je ne peux me retenir de leur dire ce que je pense.

— Vous ne vous rendez compte de rien, hein ? Il suffit qu'Elizabeth Foster sorte son baratin et vous, vous ressortez ça mot pour mot, sans poser de questions ! La directrice vous utilise comme des marionnettes. Essayez de penser par vous-mêmes, vous verrez la différence !

Kirsten prend la parole.

— Tu sais, Anna, même si je réfléchis par moi-même, je vois toujours une Française arrogante qui crache dans la soupe. Et puis qui reproche ensuite aux autres de ne rien comprendre.

— C'est vrai, ça ! s'exclame Brian avec son bronzage de Californien toujours impeccable. Qu'est-ce que tu trafiquais avec ce sale journaliste ? Ce type est un jaloux et un parasite. Il ne cherche qu'à se faire un nom en salissant le club.

— Tu fais honte à ton pays, me dit Stanislav. En tant qu'étrangers, nous avons encore plus de responsabilités que les Américains du club. À cause de toi, on nous regarde de travers.

Bobby se lève à nouveau en faisant claquer ses deux mains à plat sur la table.

— Puisqu'y a personne qui ose, moi j'vais la poser, la seule vraie bonne question ! Est-ce que c'est toi qui as tué ce type, là, qui travaillait avec le journaliste ?

La situation dérape au-delà de tout ce que j'avais pu imaginer. L'hostilité de tous les membres du Power

Club arrive jusqu'à moi comme une immense vague qui me recouvre et me coupe le souffle. Je sens des larmes inonder mes yeux et je ne peux rien faire pour les retenir.

— Mais... mais comment tu peux me demander ça, Bobby ? C'est... c'est vraiment... Tu crois que je suis une meurtrière ?

Bobby parcourt l'assemblée du regard.

— Vous remarquerez qu'elle ne dit pas non, conclut-il avec son sourire en coin.

— Bon maintenant ferme ta grande gueule, Bobby.

Tous les regards se tournent vers Dominic qui vient de parler. Il garde toujours son visage penché au-dessus de la table.

— Tu m'as dit quoi, le rosbif ?

Cette fois-ci, Dominic relève la tête et fixe Bobby droit dans les yeux.

— Je t'ai dit de la fermer. Et je le répète.

— Allez, on se calme, déclare Adam, un peu dépassé par les événements.

— Ta gueule toi-même, saloperie d'Anglais ! dit Bobby en agitant son poing en direction de Dominic.

J'interviens à mon tour pour faire retomber la tension.

— Ne vous disputez pas à cause de moi. Elizabeth Foster n'attend que ça, vous ne comprenez pas ?

— Tout ça, c'est de ta faute ! me dit Francesca avec des éclairs rageurs dans les yeux. On était très bien sans toi. Tu devrais démissionner tout de suite et retourner dans ton pays.

Dominic se lève à son tour.

— Mais vous êtes devenus cinglés ou quoi ? dit-il en haussant la voix. On doit tous soutenir Anna, on doit l'aider ! Vous n'étiez pas là pour la prise d'otages ! Personne n'a répondu à mon appel parce que vous étiez trop occupés à faire la fête. Vous n'avez pas vu ce qu'Anna a fait. Elle les a tous sauvés ! Tous ! Même les preneurs d'otages ont survécu.

— Alors ça c'est sûr ! s'exclame Bobby en riant. Elle préfère les criminels aux victimes, ta copine !

— T'es vraiment trop débile, Bobby. Il est temps qu'ils ajoutent un test de QI à l'examen d'entrée au club.

Le mouvement de Bobby est si rapide qu'il nous fige tous sur place. L'air de la pièce est soudain totalement comprimé autour de la table. Une forte aspiration attire mes cheveux vers l'avant. Puis, dans la fraction de seconde suivante, l'air se détend brutalement comme un élastique subitement relâché. Bobby survole la table en un éclair et heurte Dominic de plein fouet. Les deux garçons basculent en arrière et vont s'écraser contre le mur du fond, une dizaine de mètres plus loin. Des morceaux de mur sont propulsés à travers la pièce. Des éclats rebondissent sur mon visage et mes mains. Un nuage gris de poussière se soulève. Nous sommes tous tellement sidérés que personne n'a bougé.

Bobby tient Dominic par le col et le bourre de coups de poing. Les puissantes ondes de choc secouent l'étage entier comme sous l'effet d'un tremblement de terre. Dominic bloque les coups avec ses avant-bras et encaisse. Il riposte en repoussant à deux mains son adversaire. Le corps de Bobby est éjecté jusqu'au mur opposé qu'il traverse avec la force d'un boulet de canon. Le ciel new-yorkais est tout à coup visible. Les rayons du soleil entrent dans la pièce par cette toute nouvelle ouverture.

J'aperçois Bobby au loin qui, arrivé au bout de sa trajectoire, modifie la direction de son mouvement puis fonce droit vers nous. Dominic l'attend en plantant solidement ses jambes dans le sol. La pression exercée par les muscles de ses jambes fissure le carrelage. Si les deux garçons se heurtent de face, la collision va être terrible. Elle pourrait même souffler une partie du sommet de l'immeuble.

À cet instant, la porte de la salle de réunion s'ouvre à la volée et Elizabeth Foster fait une entrée très dramatique. Ses yeux écarquillés ne semblent pas appartenir à son visage d'habitude impassible.

Dès qu'il la voit, Bobby tente de s'arrêter. Il bascule son corps en arrière, comme s'il utilisait ses deux pieds pour freiner sur l'air. Mais son élan continue de le lancer à toute vitesse vers nous. Pour ralentir, il plonge violemment vers le sol, creuse une tranchée sur plusieurs mètres et s'immobilise finalement, recroquevillé au milieu d'un tas de débris de carrelage et d'un gros nuage de poussière.

La directrice contemple les dégâts la bouche béante, l'air complètement ébahie.

— Mais qu'est-ce qu'il se passe ici ? demande-t-elle.

Elizabeth Foster possède de nombreux points forts, mais le don pour la comédie n'en fait pas partie. Elle joue la stupeur avec la subtilité d'un char d'assaut. Pourtant, les autres ont l'air de croire à ses talents d'actrice, puisqu'ils se ratatinent sur leur chaise sans rien dire.

Je suis tellement exaspérée de les voir aussi soumis que je suis sur le point de tout balancer. Mais ce serait le pire moment. Ils ne croiraient pas un mot de ce que je leur dirais. Elizabeth Foster a réussi à décrédibiliser toutes les accusations que je pourrais proférer contre elle.

Adam rejoint la directrice pour la rassurer.

— Tout va bien, madame Foster, la situation est sous contrôle.

— J'ai cru qu'une bombe avait explosé dans l'immeuble !

— C'est à cause d'elle ! s'écrie Bobby en me désignant du doigt.

Warren débarque à son tour. Il est encore moins expressif que sa patronne, mais son regard laisse échapper malgré lui une lueur de satisfaction. Elizabeth Foster se tourne vers moi en s'assurant que personne n'en perde une miette. Si elle avait une cape à sa disposition, elle s'enroulerait dedans, sauterait sur la table à pieds joints et déclamerait son texte en levant le bras au ciel.

— Mademoiselle Granville, je ne veux plus vous voir ici ! L'accès à l'immeuble vous est désormais interdit. Avant votre venue, le Power Club était un endroit calme et honorable. Vous êtes le déshonneur de cette institution.

Je me lève de ma chaise et regarde Dominic.

— Je suis désolée. Merci de m'avoir soutenue.

Je me tourne ensuite vers les autres pour leur dire :

— Je m'en vais. Je ne veux pas que vous vous battiez à cause de moi.

Avant que quelqu'un dise quoi que ce soit, je m'envole en passant par le trou dans le mur. L'air qui me porte sous l'action des boosters ne parvient pas à alléger ma tristesse. Je devrais me sentir libre mais je n'éprouve rien d'autre qu'une immense impuissance.

Je reste un instant en suspension dans le ciel au-dessus de New York. Je ne sais même pas par où commencer pour retrouver Aaron. Survoler la ville en faisant des cercles ne me sera pas très utile. Je me sens petite et fragile, seule dans le vent et le soleil, suspendue dans le vide comme un insecte punaisé contre un mur.

*

Je trouve Lisa sur le palier de mon appartement, et rien n'aurait pu me faire plus plaisir. Avant qu'elle ait le temps d'ouvrir la bouche, je tombe dans ses bras en pleurant à chaudes larmes.

– Houlà, me dit Lisa, je vois que ça ne va pas fort.

Revoir mon amie me donne l'impression d'être revenue chez moi. Je lui demande des nouvelles de tout le monde, de Paris, de la France. Même de Joris. Tout cela me paraît extrêmement loin, dans l'espace et dans le temps. Je me sens aussi isolée et nostalgique qu'un astronaute dérivant seul dans le cosmos depuis des dizaines d'années.

Lisa comprend tout de suite que j'ai besoin de me changer les idées et je lui suis très reconnaissante de ne pas me poser de questions. Au lieu de ça, elle se prête au jeu des ragots à propos de nos amis. Je suis même sûre qu'elle en rajoute un peu pour me faire rire. Et ça marche. La soirée avance doucement pendant que nous discutons.

J'essaie de ne pas trop penser à Aaron. Pour l'instant je ne peux rien faire pour lui. En fait, j'ignore même s'il est encore en vie. Tout ce que je sais, c'est que j'ai besoin de cette soirée avec Lisa pour me remettre les idées en place. Si je laisse mon angoisse et ma colère prendre le dessus, je vais vraiment péter les plombs.

Lisa me confirme ce que je craignais. Sur Internet, les gens racontent tout et n'importe quoi à propos de moi. Mon arrivée au commissariat escortée par un policier sert de base à toutes les inventions, même les plus débiles. J'aurais tué quelqu'un. J'aurais tenté d'assassiner le président des États-Unis. Je serais même accusée d'agression sexuelle contre un autre membre du club. Des centaines de forums de discussion sont consacrés à mon affaire. Les gens parlent, écrivent, inventent, déforment, rapportent et commentent. Un nouvel océan numérique s'est créé en quelques heures.

Pour me changer les idées, je regarde des films avec Lisa. Nous restons vautrées sur le canapé en commentant tout ce que nous voyons. La première moitié de la nuit se déroule de cette façon, jusqu'à ce que nous commencions à somnoler, l'une à côté de l'autre. Notre conversation devient de plus en plus décousue, avec de grands moments de silence.

Cela faisait longtemps que je n'avais pas partagé avec quelqu'un de moment aussi intime et agréable. Je sens le corps de Lisa devenir plus lourd à côté de moi au fur et à mesure qu'elle s'endort. Même mes boosters ne sont pas aussi agités que d'habitude. Ils ont l'air d'apprécier cet instant de tranquillité. Ils tournent en rond comme des chiens sur leur coussin, et se lovent dans les recoins de mon organisme pour dormir. Ils rêvent de moi dans leur sommeil. Quand je m'endors à mon tour, j'ai la douce impression de me laisser couler au fond d'une mer chaude.

Je ne sais pas combien de temps j'ai dormi. Il fait toujours nuit dehors. Le petit bruit qui m'a réveillée se fait entendre à nouveau. Matthew Banks est là, debout dans le vide devant ma fenêtre fermée. Je ne dois pas avoir l'air bien réveillée car il frappe une fois de plus au carreau.

Je bondis du canapé et mon mouvement brusque réveille Lisa.

— Hein ? Quoi ? Qu'est-ce qu'y a ? demande-t-elle en sursautant, un filet de salive au coin des lèvres.

J'ouvre la fenêtre. Matt me regarde d'un air grave.

— Aaron est caché chez moi, me dit-il. Il veut te voir.

CHAPITRE 36

Quand j'enjambe la fenêtre pour suivre Matt, Lisa s'accroche à mon bras.

— Je viens avec vous !

— Pas question, Lisa ! C'est carrément pas une bonne idée de te mêler à ça !

— Si, si, je viens ! Tu crois que j'ai fait le voyage jusqu'à New York pour poireauter dans ton appart ? Tu rêves !

Je la regarde sévèrement, mais ma désapprobation n'a aucun effet sur elle.

— Vas-y, envole-toi, me dit-elle, je pars avec toi de toute façon.

Malgré la gravité de la situation, Matt sourit devant l'entêtement de Lisa.

— Tu peux l'emmener, me dit-il avec amusement.

Je soulève Lisa de terre pour la prendre dans mes bras. Quand je saute avec elle par la fenêtre, elle s'agrippe à mon cou comme un marin tombé en mer à sa bouée.

Nous volons jusqu'à l'appartement en terrasse de Matthew Banks. Aaron nous attend près de la grande baie vitrée, le visage défait et l'air complètement abattu.

— Je suis content de te voir, dit-il en me serrant dans ses bras.

— Qu'est-ce qu'il s'est passé, Aaron ? Qui a tué Max ?

— Viens là, je vais tout te raconter.

Aaron se tourne vers Lisa en prenant un air interrogateur.

— Je suis Lisa, lui explique-t-elle, j'étais avec Anna quand on a surpris les sales secrets du Power Club.

— Vous savez qu'en restant avec nous vous risquez les pires problèmes de la Terre ?

— Ben oui, répond-elle sans se démonter. Je ne vois pas comment j'aurais pu rater ça.

Nous nous installons dans le salon. Aaron est au centre de tous les regards.

— Bon, commence-t-il, Max a bossé toute la nuit sur le gobeur endommagé. Moi, je somnolais dans un fauteuil. Ma participation au travail en cours se résumait à fournir un flot constant de tasses de café. Vers trois heures du matin, le gobeur a enfin accepté de rendre son précieux chargement. Max a trié tout un tas de dossiers sans intérêt, des budgets, des courriers, tout le fonctionnement quotidien et normal du Power Club. Un fichier a spécialement attiré son attention. Il me l'a fait lire et je n'en ai pas cru mes yeux. Je vais vous le montrer.

Aaron se dirige vers son ordinateur. Lisa et moi nous

plaçons derrière lui pour regarder sur l'écran. Matt se tient à l'écart, il sait déjà ce que nous allons découvrir.

– Et voilà, nous dit Aaron, le vrai rapport d'autopsie de Jason Baker.

Il descend le long du document en faisant défiler les différentes cases remplies d'annotations.

– Je vous épargne les descriptions des blessures faites par le médecin légiste, commente Aaron. La ligne la plus importante est celle-ci.

Il pose le doigt sur son écran, et ce que je lis manque de me faire tomber à la renverse. J'ai tellement de mal à le croire que je suis obligée de le formuler à voix haute :

– Il a été... il a été tué par balle ?

– D'après ce qui est écrit là, il n'y a aucun doute sur ce point.

– Mais comment... ? Comment c'est possible ? On est... J'veux dire, il était invulnérable ! Comme moi ! On m'a déjà tiré dessus plein de fois et les balles ne m'ont jamais blessée ! C'est juste pas possible !

– On comprend mieux si on lit l'annexe qui accompagne le rapport d'autopsie. Il s'agit de l'analyse de la balle retrouvée dans le corps de Jason Baker.

Les scientifiques du Power Club ont découvert de la très haute technologie dans le projectile mortel. Plusieurs milliers de boosters étaient contenus à l'intérieur. Et pas n'importe lesquels. Exactement les mêmes que ceux injectés dans l'organisme du jeune homme, avec un échantillon de son ADN. Cette correspondance explique pourquoi la balle a pu traverser sa peau normalement invulnérable.

Les boosters censés protéger Jason depuis l'intérieur de son corps n'ont pas analysé cette balle comme une menace. Au contraire. Ils ont cru qu'elle faisait partie d'eux et ils se sont empressés de l'absorber, précipitant ainsi un peu plus la mort du garçon.

Il existe donc un moyen de tuer les super-héros, et quelqu'un s'en est servi.

— Le Power Club possède le seul laboratoire au monde qui maîtrise la technologie des boosters, dit Aaron. La balle qui a tué Jason n'a pas pu être fabriquée ailleurs. Ce qui explique la raison pour laquelle Elizabeth Foster a menti. Si ses riches clients apprenaient que le meurtrier fait partie du club, ils sortiraient leurs enfants de là sans attendre. Ses mensonges ne servent qu'à détourner l'attention de l'endroit où se trouvent les réponses, à l'intérieur même du Power Club.

— Bon, là il faut que je m'asseye, dis-je en me laissant tomber dans un fauteuil.

Lisa s'accroupit devant moi en posant ses deux mains sur mes genoux.

— Anna, ça va ? T'es toute blanche, là.

— J'comprends plus rien ! Qu'est-ce que ça veut dire, tout ça ? Pourquoi le Power Club voudrait tuer ses super-héros ?

— Je ne pense pas qu'Elizabeth Foster soit responsable de la mort de Jason, fait remarquer Matt. Elle aussi cherche à comprendre ce qui est arrivé, sinon elle n'aurait pas un rapport d'autopsie caché dans son ordinateur. Maintenant, elle veut tout faire pour mettre la main sur le meurtrier avant la police, afin d'étouffer l'affaire.

Elle a déjà commencé en racontant des bobards sur les boosters. Elle gagne du temps.

— Et Max ? Comment elle a pu savoir qu'il avait trouvé quelque chose ?

— C'est sûrement à cause de moi, répond Aaron avec tristesse. Le club a dû mettre ton téléphone sur écoute. Je ne pouvais pas tout balancer sur Internet sans avoir ton accord, c'était trop important. Je t'ai laissé un message mais, comme tu ne me rappelais pas, j'ai décidé d'aller directement à ton appartement. Max est resté chez lui, il était épuisé. Je n'ai même pas eu le temps de faire la moitié du chemin. Il m'a prévenu que des hommes armés étaient en train d'encercler sa maison. La communication a été coupée tout de suite après. La directrice a paniqué. Elle a envoyé ses hommes pour faire le ménage, mais ils n'ont trouvé que lui. Il a payé pour nous deux.

Le chagrin lui coupe la parole pendant quelques secondes. Cela suffit à ramener devant mes yeux l'image de Max étendu mort dans sa cuisine. Je ne peux pas m'empêcher de ressentir de l'admiration pour ce petit bonhomme qui, mine de rien, a joué un sacré tour au Power Club.

— Après, conclut Aaron, j'ai foncé directement chez Matthew pour lui demander de l'aide. Il est allé voir sur place, sans se faire repérer. Il m'a dit que Max était mort et que les hommes du Power Club occupaient les lieux. Depuis, je me planque ici. J'ai pu récupérer le rapport d'autopsie grâce à la copie faite par Max. Il sauvegardait systématiquement toutes ses données dans le *cloud*.

Une fois son histoire terminée, Aaron pousse un long soupir en contemplant l'écran de son ordinateur.

– Anna, me dit-il avec gravité, je veux publier ce rapport, sous mon nom. Le monde doit savoir qui lance cette accusation. En temps voulu, je suis prêt à répondre à la justice. Je leur dirai comment j'ai eu le document, c'est le seul moyen de prouver son authenticité et ma bonne foi. Mais si je dis la vérité, tu es forcément impliquée. Je prendrai sur moi le plus gros de l'accusation, c'est moi qui t'ai demandé de voler le contenu de l'ordinateur d'Elizabeth Foster, mais tu seras accusée toi aussi, c'est certain. Alors ? Qu'est-ce que tu veux que je fasse ?

Lisa me regarde avec inquiétude. Elle n'avait pas réalisé les conséquences judiciaires de mes actes. Moi non plus d'ailleurs. Mais je ne vois pas comment je pourrais reculer maintenant. Max est mort pour que la vérité soit montrée au monde.

– Alors ? répète Lisa en me regardant. Tu décides quoi ?

– À ton avis ? On balance tout sur Internet. Et on admire le feu d'artifice.

*

En fait de feu d'artifice, j'aurais mieux fait de parler de bombe atomique. L'information, diffusée à travers le monde par l'intermédiaire de l'index d'Aaron appuyant sur un bouton, mobilise immédiatement tous les médias de la planète. Les télévisions, radios, journaux, magazines, blogs, tweets, forums, tout ce qu'on peut imaginer comme moyens de communication, tout, absolument tout, parle du rapport d'autopsie de Jason Baker. Les ondes et les câbles en fibre optique crépitent de tous les questionnements soulevés par ce nouvel éclairage d'un événement qui avait déjà, en son temps, occupé beaucoup de monde.

Aaron a publié le vrai rapport d'autopsie sur son blog. Jusqu'à ce jour, son quota de visiteurs n'avait jamais été très important. Les témoignages des victimes collatérales du Power Club n'intéressaient pas les foules. Quand vous naviguez sur un océan aussi vaste qu'Internet, il est quasiment impossible de repérer la goutte d'eau qui dit la vérité.

Mais cette fois-ci, la goutte d'eau n'est pas passée inaperçue.

En envoyant un lien à tous les médias, Aaron a réussi à aiguillonner leur curiosité. Les premiers visiteurs pensaient sûrement trouver un farfelu de plus qu'ils pourraient ridiculiser pour passer le temps. Une petite info rigolote pour détendre l'atmosphère. Le dingo du mois. Mais le document a une telle force qu'il s'impose de lui-même. Les conséquences d'une telle révélation sont si énormes qu'elles refusent de se laisser écarter comme si de rien n'était.

Dès que l'affaire fait trop de bruit pour qu'elle puisse l'ignorer, c'est-à-dire seulement six heures plus tard, Elizabeth Foster annonce qu'elle fera une conférence de presse en fin d'après-midi.

Nous passons le reste de la journée dans l'appartement de Matt à attendre la déclaration de la directrice du Power Club. L'ambiance n'est pas gaie et personne ne dit rien. Tous les sujets de conversation importants fini- raient par nous rappeler à quel point nous sommes mal barrés. Aaron est accusé de meurtre. Je vais être exclue du club, contrainte de rendre mes pouvoirs. Matt était déjà considéré comme un moins-que-rien avant, alors maintenant qu'il héberge un suspect en fuite, il vient de tomber encore un peu plus bas dans l'échelle du type infréquentable.

Pendant les heures où nous regardons en silence la télévision et Internet, les seuls sons humains que nous échangeons sont produits par nos soupirs acca- blés, qui passent de l'un à l'autre comme s'ils étaient contagieux.

Lisa nous regarde déprimer puis décide tout à coup de nous remonter le moral.

– Bon ! déclare-t-elle en claquant des mains. Je vais vous faire un bon repas ! En France, quand tout va mal, il nous reste encore la bouffe ! Vous verrez qu'après vous aurez retrouvé la pêche, pas vrai, Anna ?

Sans attendre, mon amie se lève d'un bond et déboule dans la cuisine.

– Matt, qu'est-ce que t'as dans tes réserves ? Je suis capable de me débrouiller avec n'importe quoi. Nous les Français, on est comme ça, question nourriture on fait de l'or avec presque rien.

Elle fouille bruyamment dans les placards, ouvre le frigo avec la furieuse détermination d'un cuistot psycho- pathe. Malheureusement, son énergie retombe vite.

– Mais y a rien ici! s'exclame-t-elle en direction de Matt. Tu manges quoi? Y a que des paquets de céréales et du café!

– En fait, je sors beaucoup, se justifie-t-il avec embarras.

Lisa vient nous rejoindre au salon en traînant les pieds. Elle se laisse lourdement tomber sur le canapé à côté de moi, en disant:

– Bon ben j'ai rien dit.

CHAPITRE 37

Q uand Elizabeth Foster s'avance sur l'estrade, le monde entier retient son souffle. Son sang-froid est impressionnant. Elle lance un regard glacial à la mêlée de journalistes qui pointent sur elle micros, caméras et projecteurs.

— Ce matin, commence-t-elle en prononçant soigneusement chacun de ses mots, un prétendu authentique rapport d'autopsie concernant Jason Baker a été rendu public. Ce document est un faux. Il a été créé de toutes pièces par Aaron Freeman, un journaliste raté qui cherche depuis des années à se faire un nom en salissant le Power Club.

En oratrice expérimentée, la directrice marque une petite pause pour accentuer son effet. Le Power Club sali reste ainsi quelques secondes en l'air, comme pour permettre à chacun de bien mesurer l'étendue de l'indignité commise.

— Les super-héros font généralement ressortir le meilleur qui est en nous, reprend-elle avec un léger étranglement dans la voix. Ce n'est malheureusement pas toujours le cas. Les envieux, les mesquins ont toujours existé et existeront toujours. Avec Internet, ces gens méprisables ont trouvé un formidable moyen d'expression. Leurs rancœurs peuvent être propagées à travers le monde entier. Les injures qu'ils répandent finissent toujours par trouver un écho, notamment chez leurs semblables qui les reprennent, les amplifient, et en profitent pour déverser leur propre haine. Le seul mérite que j'accorde à Aaron Freeman est d'avoir signé de son vrai nom. Mais cela prouve simplement son désir désespéré de se faire connaître. Je suis personnellement atterrée de constater que tous les médias sérieux de ce pays et à l'étranger s'abaissent à reprendre une telle mystification.

Une fois encore, la directrice marque un petit arrêt, le temps pour elle de balayer l'assistance de son regard outré, rempli de fierté et d'indignation.

– Le Power Club va engager des poursuites judiciaires à l'encontre de monsieur Aaron Freeman. La famille de Jason Baker portera plainte également de son côté. Nous ne doutons pas un instant que la justice de notre pays saura rétablir la vérité, et réservera à cet individu nuisible le sort qu'il mérite.

Elle reprend son souffle pour asséner ses derniers mots.

– Pour finir, je veux vous informer que l'homme dont vous vous faites les porte-paroles et dont vous relayez complaisamment les accusations est actuellement recherché par la police. Aaron Freeman est le suspect principal du meurtre de monsieur Maximilien Minkowski, son complice. Il s'agit vraisemblablement d'un règlement de comptes. Vous conviendrez avec moi que cette précision jette un éclairage pour le moins douteux sur la moralité de ses actes.

Le dernier mot de la directrice du Power Club déchaîne un vacarme de questions posées toutes en même temps. Elizabeth Foster se détourne de la foule beuglante avec dédain, et sort tranquillement de scène.

*

Nous assistons au spectacle de la directrice tournant le dos à la caméra dans un silence pesant. Une fois encore, elle ne s'est pas laissé démonter. Elizabeth Foster fait partie de ces gens pour qui la vérité est une donnée variable qui s'ajuste à ses besoins.

— Elle va vraiment se contenter de dire ça ? s'interroge Matt.

Aaron fixe l'écran avec un méchant sourire.

— Cette fois elle est fichue, commente-t-il avec satisfaction. J'ai tout le contenu de son ordinateur, des milliers de documents faciles à authentifier, cela prouvera que ma source est bonne. Ils pourront m'accuser de vol, mais moi j'accuse le Power Club d'avoir menti au monde entier et à la famille de Jason Baker sur les vraies conditions du premier meurtre d'un super-héros.

— Oui, mais on ne sait toujours pas qui a fait ça, intervient Lisa. Si le Power Club a découvert le coupable, il va essayer de l'enterrer discrètement avec le reste.

— Je connais quelqu'un qui pourra nous aider à avoir des infos, intervient Matt. Après mon exclusion du club, tout le monde m'a rejeté du jour au lendemain, même mes meilleurs amis. Mais j'ai gardé de bonnes relations avec Shane Andrews.

— C'est qui, ça ? demande Lisa en se tournant vers moi.

— Je l'ai rencontré quand il m'a donné la montre GPS. C'est lui qui dirige le laboratoire du club. Il m'a fait signer son livre d'or, une plaque métallique accrochée au mur. Il avait l'air bouleversé par la mort de Jason.

— Toutes les études sur la création des superpouvoirs sont pilotées par lui, explique Matt. Shane est probablement la personne au monde qui connaît le mieux la technologie du club. Il saura forcément quelque chose sur ce qui s'est passé et d'où peut venir la balle tueuse de super-héros.

Tous les regards se concentrent sur Matt tandis qu'il compose le numéro de Shane Andrews.

— Il ne répond pas, dit-il au bout de quelques secondes.

Quand le répondeur se met en route, Matt laisse un message lui demandant de le rappeler de toute urgence.

La même scène se reproduit un peu plus tard. La sonnerie dans le vide, le répondeur qui se déclenche, Matt qui laisse le même message.

Le téléphone demeure désespérément muet. Nous restons tous assis à nous regarder les uns les autres comme si nous étions dans une salle d'attente. De temps en temps, Matt pose le doigt sur l'écran de son téléphone pour vérifier qu'il est bien allumé.

— Ce n'est pas normal, dit Matt en fixant son téléphone avec méfiance. D'habitude, Shane n'attend pas aussi longtemps pour me rappeler, je suis sûr qu'il y a un problème. Dès que la nuit sera tombée, j'irai voir chez lui.

Matt fait quelques pas en direction de sa terrasse, le regard au loin, comme si une part de lui était déjà en route. Je le rejoins rapidement en disant :

— Je viendrai avec toi.

— Anna, je ne sais pas ce que je vais trouver là-bas.

— Je sais, j'ai bien compris. Mais je veux venir.

— Si on te voit avec moi, ça ne va pas arranger tes affaires.

— J'ai une idée ! s'exclame Lisa.

Nous nous retournons vers elle et son grand sourire enthousiaste.

— Vous êtes des super-héros, pas vrai ? Il vous faut un costume !

— Lisa, lui dis-je, t'es gentille, mais j'ai vraiment pas envie de rigoler, là.

— Mais c'est pas une blague ! Vous n'avez qu'à vous habiller tout en noir, pour la discrétion, mettre une capuche, et puis voilà ! Si on ne vous reconnaît pas formellement, vous pourrez toujours nier ! Vous n'aurez qu'à dire que c'était Bobby par exemple, ou un autre, n'importe lequel ! Dans votre situation, un peu de présomption d'innocence ne peut pas faire de mal, non ?

Je jette à Matt un regard embarrassé pour lui demander d'excuser les propos délirants de ma meilleure copine, mais son petit sourire m'indique qu'il ne trouve pas son idée si stupide.

—On peut essayer, me dit-il. J'ai tout un stock de chemises, de sweats et de pantalons noirs.

Il conclut en haussant les épaules :

—Et puis ça peut être marrant.

Un quart d'heure plus tard, Matt et moi nous tenons debout au centre de son salon, vêtus de noir de la tête aux pieds. Nous ressemblons à deux ninjas qui s'équiperaient avec des fringues de haute couture. Lisa est si excitée qu'elle ne tient pas en place.

—Vous avez une allure démente ! nous dit-elle en tournant autour de nous comme une mouche sous caféine. Mettez vos capuches maintenant.

Nous lui obéissons avec un parfait ensemble. Cette fois-ci, elle applaudit toute seule en rebondissant sur la pointe des pieds.

—C'est top ! C'est carrément top ! s'exclame-t-elle.

Je m'aperçois qu'Aaron est resté à l'écart. La mort de Max est encore trop récente pour qu'il puisse penser à autre chose. En le voyant dans cet état, je murmure à l'oreille de Lisa :

—Occupe-toi un peu d'Aaron, d'accord ? Sois sympa avec lui, parlez tous les deux, il a besoin de vider son sac.

Lisa prend son air le plus solennel pour me signifier qu'elle est prête à assumer sa mission. Mais son regard est encore pétillant d'excitation. Visiblement, elle n'en revient pas d'avoir habillé deux super-héros du Power Club, même déchus. Elle nous couve du regard comme si nous étions ses deux jouets préférés, tout juste déballés sous le sapin de Noël.

CHAPITRE 38

Nous guettons le déclin du soleil qui bascule lentement de l'autre côté du globe. L'obscurité donne l'impression de monter du sol tandis que les sommets des gratte-ciel se découpent sur un ciel bleu sombre. Au bout d'un moment, Matt se lève de sa chaise et sort sur la terrasse. Je le suis sans dire un mot et, accompagnant son mouvement, j'ordonne avec douceur à mes boosters de me soulever de terre.

Nous planons côte à côte en silence au-dessus des rues étincelantes de New York. Avec les capuches rabattues, nos deux silhouettes noires doivent être plutôt inquiétantes. Les super-héros du Power Club n'ont pas l'habitude de se cacher. Ce ne serait pas bon pour les annonceurs qui payent si cher le droit d'associer leur marque à leur visage.

Matt tend sa main gantée de noir en direction d'un grand immeuble en bordure de Central Park. Nous passons rapidement au-dessus de la cime des arbres. Le souffle de notre déplacement fait bruisser les feuilles dans notre sillage. Alors que nous ne sommes plus qu'à une centaine de mètres de l'immeuble, Matt s'immobilise soudain et me retient au passage.

– Qu'est-ce qu'il y a ? je lui demande.

– L'immeuble de Shane est surveillé par les chiens de garde du Power Club.

Matt m'attire un peu plus bas pour que nous dissimulions nos silhouettes derrière les branches les plus hautes d'un grand arbre.

– Sur le toit, me dit-il.

Au début je ne vois rien puis, peu à peu, au fur et à mesure que mes boosters alimentent mes yeux avec leur puissance gigantesque, je finis par distinguer deux hommes avec des fusils, accoudés au rebord.

– Et en bas aussi.

Deux autres hommes attendent côte à côte dans une voiture. Ils ont exactement la même allure que ceux sur le toit, le même visage déterminé et froid de ceux pour qui l'usage de la violence n'est qu'un moyen comme un autre d'accomplir leur travail.

– Qu'est-ce qu'on fait, Matt ? On y va quand même ?

– Attends, j'écoute. L'appartement de Shane est au huitième étage, troisième fenêtre en partant de la droite.

Le visage de Matt sous la cagoule reste concentré et immobile en direction de l'immeuble. Suivant ses indications, j'utilise mes pouvoirs pour entendre à mon tour. Mes boosters font le tri parmi la multitude de bruits qui remplissent la nuit new-yorkaise. Ils laissent de côté les klaxons, la rumeur de la circulation, les sirènes et tous les autres sons produits par l'activité des rues. Ils choisissent exclusivement les vibrations de l'air qui résonnent derrière les murs qui m'intéressent. Et je n'entends rien.

– L'appartement est vide, conclut Matt.

– Peut-être qu'il dort ?

– On l'entendrait respirer si c'était le cas. Non, il n'y a personne. Je pensais que le Power Club était là pour le protéger mais on dirait que non. J'ai plutôt l'impression qu'ils l'attendent.

– Pourquoi ils feraient ça ? Ils ne savent pas où il est ?

– Bonne question, mais sans réponse pour l'instant. Allez, dégageons d'ici avant de nous faire repérer.

Nous volons entre les arbres puis, quand nous sommes assez éloignés, nous reprenons de l'altitude en montant droit vers le ciel. Matt s'immobilise loin au-dessus de Manhattan. Je lui demande en le rejoignant :

– Tu connais un autre endroit où il peut être ?

– Non. Mais j'ai rencontré son frère une fois, dans une fête. Il est DJ dans une boîte à Chelsea. À cette heure-ci, il devrait y être. Il pourra peut-être nous dire où trouver Shane.

– D'accord, on y va.

Mais, au lieu de repartir, Matt se contente de fixer mon visage sous ma capuche.

– Tu sais que t'es vachement mignonne comme ça, tout en noir ? me dit-il en souriant.

– Sans déconner ? T'es en train de me draguer en plein ciel ? Là ? Maintenant ?

– Tu préfères que je te drague à quel moment ?

– Mais c'est pas la question ! Et puis... et puis t'as trente ans, et moi... moi j'ai dix-sept ans ! Ce n'est pas du détournement de mineure, ça ?

Matt se détourne en ronchonnant. Je l'entends bougonner dans sa barbe :

– Les Françaises ne sont plus ce qu'elles étaient...

*

Une petite file d'attente s'est formée à l'entrée de la boîte de nuit. Nous nous posons sur le sol une rue plus loin pour ne pas attirer l'attention. Matt marche avec détermination en direction de l'imposant videur qui bloque l'entrée avec son corps massif. Arrivé près de lui, il enlève sa capuche. Un grand sourire illumine le visage du videur.

– Matthew Banks ! Enchanté, mec, j'suis fan !

Ils se serrent la main avec chaleur.

– Tu nous fais entrer ? lui demande Matt. Cette fille est avec moi.

– Pas de problème, vieux. C'est un honneur pour nous de te recevoir.

Nous entrons sous les regards envieux des fêtards recalés pour la nuit.

La boîte est bourrée à craquer, personne ne fait attention à nous. Matt se dirige vers un coin sombre à l'écart de la foule dansante. Il me montre un jeune gars derrière la console, l'écouteur d'un casque plaqué contre son oreille, tandis que son autre main tripote fébrilement une série de boutons.

– C'est lui, me dit Matt.

Au bout de quelques instants, une jeune femme vient prendre le relais derrière la console. Elle échange quelques mots avec le frère de Shane, puis coiffe le casque à sa place. Nous suivons des yeux le jeune homme qui descend de la petite estrade. Matt se dirige vers lui pour l'intercepter en route.

Mais deux hommes le devancent et saisissent fermement le frère de Shane par les bras. Leur allure dégage la même impression de menace que celle des hommes en planque autour de l'immeuble. Cette scène déclenche aussitôt la mobilisation générale de mes boosters, brusquement exaltés et frénétiques. L'adrénaline est comme une drogue pour eux.

Le frère de Shane proteste, mais la musique assourdissante couvre sa voix. Les deux hommes le maintiennent si solidement qu'il ne peut qu'agiter la tête de droite à gauche, et remuer vainement les épaules. Matt échange avec moi un regard entendu et nous leur emboîtons le pas.

Les deux hommes nous précèdent d'une vingtaine de mètres. Ils sortent rapidement de la boîte. Le frère de Shane semble paralysé de peur. Il ne dit rien, ne tente même pas d'alerter le videur en passant à côté de lui.

– Salut, Miles, lui lance ce dernier en le voyant sortir. Tu t'en vas déjà ?

Miles est emmené de force, serré de près par les deux hommes qui avancent à grands pas. Nous sortons à notre tour en accélérant. Les hommes s'approchent d'un van noir aux fenêtres fumées. La porte arrière coulissante du véhicule s'ouvre et Warren en descend. Il n'y a donc plus maintenant aucun doute, tous ces gens font bien partie du Power Club.

Le chef de la sécurité est un professionnel, cela ne lui ressemble pas de prendre le risque d'enlever quelqu'un devant témoins. Si Elizabeth Foster l'a envoyé ici, c'est qu'elle considère qu'elle n'a plus rien à perdre. Elle doit être vraiment désespérée.

Warren ne nous voit pas tout de suite. Son attention se porte d'abord sur le frère de Shane qui lui demande avec angoisse :

— Mais vous êtes qui, vous ? Vous me voulez quoi ?

Matt remet sa capuche pour couvrir son visage. Je l'imite aussitôt. Nous sommes maintenant tout près du van et Warren nous remarque enfin.

— Dégagez d'ici, les gosses, retournez vous amuser si vous ne voulez pas avoir de problèmes.

Pour souligner son propos, trois autres hommes descendent du van derrière lui, prêts à intervenir. Matt saisit l'un des types qui tiennent Miles et, sans effort, le projette violemment en l'air. Warren ouvre de grands yeux surpris, et réagit en parlant dans un petit micro fixé sur son épaule.

— Nous avons un code 6 ! Je répète : code 6 !

Pas besoin de traduction pour comprendre qu'il signale à son équipe qu'il fait face à des adversaires dotés de superpouvoirs. Les renforts ne se font pas attendre. Deux autres vans débouchent à chaque bout de la rue en faisant crisser leurs pneus. Matt se débarrasse du deuxième kidnappeur en lui faisant suivre la même trajectoire en cloche que le premier, par-dessus le toit du van.

Warren disparaît à l'intérieur du véhicule au moment où les trois hommes restants sortent des pistolets-mitrailleurs. Un déluge de balles nous arrive dessus.

Mes vêtements sont déchirés, mis en pièces par les projectiles que je sens rebondir sur ma peau. La fusillade n'est pas plus dérangeante pour moi qu'une forte pluie poussée par une rafale de vent.

Le frère de Shane plonge à l'abri sur le sol en couvrant sa tête avec ses mains. Matt attrape le pistolet-mitrailleur qui le vise et le balance loin derrière lui. L'homme qui se retrouve les mains vides affiche pendant une seconde un air parfaitement idiot. Du moins, jusqu'à ce que Matt lui allonge une gifle qui le décolle du sol.

Je neutralise les deux autres tireurs en les frappant moi aussi avec le plat de la main. J'ai toutes les peines du monde à retenir mes boosters qui me supplient de les laisser se déchaîner.

– Attention ! me crie Matt.

Je tourne la tête juste à temps pour voir un des hommes appelés à la rescousse par Warren pointer sur moi un lance-roquettes. Le choc est terrible. Mon corps est emporté en arrière comme une plume. L'explosion m'assourdit, le flash lumineux m'aveugle, et, le temps de plusieurs battements de cœur affolés, je ne sais plus où je suis.

Mes boosters absorbent l'impact en déformant la réalité autour d'eux. Ils modifient, déconstruisent et réarrangent les atomes et les molécules. Tout ça pour moi, pour me protéger et me maintenir en vie. L'invulnérabilité n'est rien d'autre que l'asservissement des lois de la physique à la volonté humaine.

Quand je retrouve mon équilibre, je constate que Matt protège le frère de Shane. Une voiture flambe à côté de moi, et une partie de la chaussée a fondu sous mes pieds.

D'autres hommes sont descendus du deuxième van venu en renfort. Ils sont armés de lance-flammes et d'armes de guerre. Le code 6 annoncé par Warren ne fait pas dans la dentelle.

Une deuxième roquette file droit sur moi, mais cette fois-ci je suis prête. Mes boosters la stoppent en plein vol au creux de mes mains, absorbent la déflagration et célèbrent ma gloire en comprimant l'air autour de moi pour le rendre aussi doux et moelleux qu'un coussin.

L'homme qui vient de tenter par deux fois de me tuer me lance un regard interloqué. Je m'aperçois à cet instant que je sens le vent de la nuit sur mon ventre, dans mon dos et sur mes cuisses. Les vêtements prêtés par Matt n'ont pas résisté à deux explosions de roquettes. Ils pendent sur moi en lambeaux noircis. La présomption d'innocence de Lisa vient de finir en morceaux de tissu cramé. Pour une raison inconnue, seule la capuche a résisté au choc.

Donc, en gros, le type en face de moi a devant les yeux une fille de dix-sept ans quasiment à poil, en suspension dans l'air, entourée de flammes et de fumée. Soit je vais occuper ses rêves érotiques jusqu'à la fin de sa vie, soit, au contraire, il ne pourra plus jamais s'approcher d'une femme nue. Pourquoi est-ce qu'il faut toujours que ça m'arrive à moi, ce genre de galère ? Les gens vont finir par croire que je le fais exprès.

Warren émerge à nouveau du van. Il n'a pas l'air sensible du tout à mon allure provocante. Il tient dans la main une arme qui ressemble plus à un jouet en plastique coloré qu'à un vrai revolver. Après avoir encaissé sans égratignure deux tirs de roquettes, ce n'est certainement pas son petit machin rouge et bleu qui va me faire du mal.

Pourtant une impression désagréable me dit que je devrais me méfier.

Les boosters à l'intérieur de moi s'agitent d'une façon étrange. Je les sens qui dirigent toute leur attention vers l'arme de Warren. Contrairement à d'habitude, ils ne se tiennent pas du tout prêts à combattre. Au contraire, ils baissent leur garde et attendent avec joie la balle qui va être tirée. Ces imbéciles vont me faire tuer si je ne bouge pas d'ici.

J'ordonne à mes boosters de me propulser à toute allure vers le haut, mais ils ne réagissent pas. Ils sont comme hypnotisés par le revolver pointé sur moi, par le doigt qui commence à appuyer sur la détente. Puisque cette arme les attire tant, je fais la seule chose qui puisse encore me sauver. Je leur commande de me projeter sur elle à grande vitesse. Ils me remercient et s'exécutent.

Warren ouvre de grands yeux en me voyant arriver comme un boulet de canon. Il tire un premier coup de feu qui m'érafle le sommet du crâne en emportant une mèche de cheveux. Son deuxième tir passe largement à côté parce que j'ai saisi son poignet. Je l'arrache du sol et l'entraîne avec moi dans l'air de la nuit. Warren hurle de douleur au bout de mon bras tendu. La violence de mon décollage lui a déboîté l'épaule et, comme je l'agrippe toujours par le poignet, l'ascension n'est pas une partie de plaisir pour lui.

Matt me rattrape avec Miles dans ses bras. Il se stabilise à côté de moi et me dévore du regard, ce qui me fait rougir.

— Je suppose que ce n'est toujours pas le bon moment pour te draguer ? me demande-t-il avec son sourire désarmant.

*

Nous nous posons au sommet d'un grand building, à l'abri des regards. Dès que je lâche Warren sur le sol, il se recroqueville en serrant son bras contre lui. Matt me donne son sweat-shirt noir pour remplacer le mien qui, même pour servir de serpillière, serait considéré comme inutilisable. Comme il est beaucoup plus grand que moi, je suis couverte par son vêtement jusqu'à mi-cuisses. Ma dignité est sauve. Même si le clin d'œil amusé de Matt m'indique qu'il a apprécié le spectacle.

Miles se tient dans un coin, prostré. Il vient de survivre à un enlèvement et à deux explosions de roquettes, ça fait beaucoup pour la soirée. Pour l'instant, Warren est celui qui nous intéresse le plus. Matt saisit son bras et donne un coup sec qui lui arrache un cri de douleur.

— Voilà, lui dit Matt, le bras est remis en place.

Warren reste assis sur le sol, en sueur et à bout de souffle. L'arme rouge et bleu que je lui ai prise semble vibrer dans ma main. Mes boosters gigotent comme des fous à l'intérieur de mes doigts. Ils me racontent n'importe quoi. Je les écoute me dire qu'ils voudraient que je mange l'arme, que je la fasse passer à l'intérieur de mon corps. Ces imbéciles sont persuadés qu'elle est un bout d'eux-mêmes. J'ignore leur discours délirant et m'approche de Warren.

— Qu'est-ce que c'est que ce truc ? Pourquoi est-ce que je sens au fond de moi que ce machin pourrait me faire du mal ?

— Mais non, tu ne crains rien, tu es invulnérable, me répond-il avec un méchant sourire. Rends-moi mon arme, on va essayer si tu veux.

Je l'attrape brutalement par le col.

— Je ne suis pas d'humeur à rigoler, Warren. Matt a remis ton épaule d'aplomb mais si tu me cherches, je peux m'occuper de l'autre bras.

Ma détermination le fait douter. Jusqu'où cette gamine est-elle capable d'aller ? se demande-t-il. Il garde néanmoins les dents serrées, comme le bon petit soldat qu'il est. De toute façon, le comportement irrationnel de mes boosters m'a déjà donné la réponse.

— Cette arme contient des balles avec des boosters et mon ADN, non ? Comme celle qui a tué Jason. Vous en avez fabriqué une pour chaque super-héros, c'est ça ?

Cette fois je réussis à le déstabiliser. Pendant une seconde, une lueur d'inquiétude traverse son regard. Il la chasse très vite, et la colère revient aussitôt dans ses yeux. N'importe quel homme brutalisé par une gamine de dix-sept ans, même dotée de pouvoirs, se sentirait humilié. Mais pour un spécimen de son genre, viril et inflexible comme un roc, c'est carrément un supplice. Il se reprend en me ricanant au visage.

— Vous êtes tous si stupides, dans ce club ! Des super-héros ? Une belle bande de crétins, voilà ce que vous êtes.

Je pulvérise l'arme rouge et bleu. Les balles mortelles pour moi explosent en une fine poussière dorée qui forme un petit tas dans mes paumes. Mes boosters se lamentent de cette perte. Il a fallu que je parlemente et insiste pour qu'ils acceptent d'affluer dans mes doigts. J'incline mes mains en direction du sol et, tandis que la poussière glisse doucement sur le toit de l'immeuble, je demande à Warren :

— Pourquoi vous avez voulu enlever le frère de Shane Andrews ?

— Ce n'est pas moi qu'ils cherchent, intervient Miles. C'est mon frère qu'ils veulent.

Il se met debout tant bien que mal, s'approche de Warren et lui lance avec rage :

— Mon frère n'est pas un assassin ! Son boulot, c'est de créer des superpouvoirs pour sauver les gens, pas pour les tuer !

— Attends, de quoi tu parles ? lui demande Matt.

Miles se prend la tête dans les mains.

— Dire que j'ai même pas voulu le croire quand il m'a dit qu'il était en danger ! Il m'a prévenu pourtant, il m'a dit de rester planqué. Et moi, comme un abruti, je suis allé bosser comme d'habitude !

Il donne un furieux coup de pied dans le mur. Matt le saisit fermement par le bras.

– Miles, tu m'expliques un peu, là ?

Après avoir poussé un long soupir, Miles pose les mains sur ses hanches et baisse la tête vers le sol. De façon inattendue, la réponse nous vient de Warren.

– Shane Andrews a tué Jason Baker. Voilà ce qu'il n'arrive pas à dire.

– J'y crois pas ! crie Miles. J'y crois pas une seconde !

– Ton frère a assassiné un super-héros de sang-froid, déclare Warren en le narguant. Et avec préméditation.

– Pourquoi Shane aurait voulu tuer un super-héros ? s'écrie Miles. C'est ridicule !

– Je n'en sais rien moi non plus, admet Warren, mais il l'a fait. Sa carte magnétique a permis de suivre ses déplacements dans le labo. Il n'a même pas réussi à masquer ses traces le jour où il a volé la balle pour tuer Jason Baker. Andrews est peut-être un génie, mais comme délinquant il ne tiendrait pas deux minutes dans la rue.

La panique d'Elizabeth Foster s'explique parfaitement. L'utilisation de boosters était la preuve que le tueur venait de l'intérieur. Warren a dû passer en revue tous les employés possibles, jusqu'à ce que son enquête le mène, après avoir perdu beaucoup de temps, à celui dont il se méfiait le moins. La deuxième personne la plus importante après la directrice.

Je comprends mieux pourquoi Shane était aussi mal le jour où il m'a remis le GPS. J'avais devant moi le meurtrier de Jason Baker.

J'aurais adoré voir la tête d'Elizabeth Foster apprenant que son homme de confiance venait de flinguer un de ses investissements. Et que, pour compléter le tableau, le meurtrier avait disparu dans la nature. Encore une chose qu'elle n'a pas maîtrisée. La directrice du Power Club doit se sentir actuellement dans la peau du capitaine du *Titanic*.

Deux hélicoptères apparaissent dans le ciel. Ils foncent dans notre direction. L'équipe de Warren a retrouvé son chef, semble-t-il. Les appareils allument leurs projecteurs sur nous.

— Anna, me dit Matt, on ferait mieux d'y aller.

Je me penche sur Warren et lui demande :

— Pourquoi vous avez tué Max ?

Warren soutient mon regard, mais je le sens reculer légèrement. Il ne faudrait pas que, sous le coup de la colère, je perde le contrôle de mes boosters. Le chef de la sécurité connaît trop bien les dégâts que ces merveilles technologiques sont capables d'infliger à un corps humain. Je ne peux donc que reconnaître son courage quand il me réplique :

— Max Minkowski est mort par ta faute, Anna. Tu as joué avec le feu, mais tu ne risques pas de te brûler, toi. Tout le monde n'est pas invulnérable.

Mes boosters me supplient de lui écraser le visage. Ils tentent de me convaincre avec des mots doux.

« Laisse-nous faire, me disent-ils. Nous sommes ta colère juste et digne. Nous ne laisserons qu'une flaque de sang et un amas de viande écrasée à la place de ce méchant homme. » Leurs petites voix espiègles ont un rythme lent et hypnotique. Je dois me concentrer pour ne pas succomber.

Warren doit lire mon conflit intérieur dans mes yeux car, cette fois-ci, il recule vraiment en prenant appui sur ses mains. Le rebord du toit bloque son mouvement.

— Elizabeth Foster en a donné l'ordre, c'est tout ce que je peux dire, déclare-t-il en espérant diriger ma colère contre la directrice.

Les hélicoptères sont tout près maintenant. Le bruit de leur moteur emplit la nuit, tandis que le vent soulevé par leurs hélices fait tourbillonner la poussière sur le toit. Matt pose la main sur mon bras.

— Anna, on y va maintenant !

Matt soulève Miles de terre et nous sautons dans le vide. Les hélicoptères tentent d'accompagner notre mouvement mais nous traçons des boucles dans l'air qu'il leur est impossible de suivre. Nous les distançons rapidement après avoir plongé entre deux immeubles, puis tourné à angle droit plusieurs fois de suite.

Même si nous sommes déjà loin, mes boosters captent néanmoins la voix de Warren qui dit dans un téléphone :

— Madame Foster ? Nous avons un gros problème.

CHAPITRE 39

Q uand le ciel new-yorkais est complètement dégagé
derrière nous, sans aucun hélicoptère dans notre
sillage, Matt descend jusqu'au toit d'un grand immeuble
de bureaux aux fenêtres obscures. Je le rejoins au moment
où Miles, les deux pieds à peine posés sur le sol, se met
à vomir violemment.

– Oh ! dit Matt en faisant un petit bond en arrière pour
protéger ses chaussures. Tu ne te sens pas bien ?

Miles garde la tête penchée vers l'avant, les deux mains
posées sur ses cuisses.

– Deux minutes, dit-il en essuyant sa bouche.

Nous le regardons reprendre peu à peu des couleurs.

– Je ne sais pas comment vous supportez ça, nous dit-il.
J'ai le mal de l'air, je n'aime déjà pas tellement l'avion,
alors ça !

Le « ça » désignant Matt et moi, comme si nous étions
deux moyens de locomotion totalement inadaptés à
l'espèce humaine.

— On doit retrouver Shane avant eux, lui rappelle Matt, ça urge.

— Tu n'as pas la moindre idée de l'endroit où il pourrait se cacher ? je lui demande. Des amis, une maison de famille, quelque chose dans ce genre.

— S'il était dans un endroit comme ça, Warren aurait fini par le localiser, me fait remarquer Matt. Il a forcément fait le tour des planques les plus évidentes.

Miles nous regarde d'un air complètement abattu. J'insiste :

— Qu'est-ce que t'a dit Shane ?

— Franchement, j'ai rien compris à ce qu'il m'a raconté. C'était n'importe quoi ! Il m'a sorti qu'il avait tué Jason Baker et que les mecs du Power Club voulaient le buter. J'ai pensé qu'il avait bu ou bien fumé un truc. Mon frère est très fragile psychologiquement. Quand il est en pleine crise de déprime, il délire complètement. Vous savez, quand Emily a eu son accident, il a complètement pété les plombs. À dix ans, il a passé trois mois dans un hôpital psychiatrique.

Le prénom me ramène à la photo de la fillette sur le bureau de Shane. Cette petite fille que je m'étais promis d'aller voir au moins une fois.

— Attends, je ne comprends pas. C'est qui cette Emily ?

— Notre petite sœur. Elle est morte quand elle avait sept ans. Un accident stupide dans la rue, un échafaudage qui s'est écroulé.

— Vous aviez une sœur ? s'étonne Matt. Mais pourquoi il ne m'a jamais rien dit ?

– Il ne peut pas, c'est trop dur pour lui. Même à moi, il n'en parle jamais.

Cela explique pourquoi, parmi toutes les lettres de fans, celle de la petite fille a ému Shane aussi profondément. En portant le prénom de sa sœur disparue, elle a attiré immédiatement sa sympathie.

– J'suis désolé, les gars, nous dit Miles, j'peux pas vous aider. J'espère vraiment que vous le trouverez avant eux. Je ne veux pas que ces salauds fassent du mal à mon frère.

– Tu as intérêt à rester discret pendant les jours qui viennent, le prévient Matt. Tu veux qu'on te dépose dans un endroit précis ?

Miles montre ses deux mains ouvertes face à nous, dans un geste de défense.

– Non, non, non ! J'irai squatter chez un pote, mais là je vais descendre à pied !

– Laisse-moi au moins te ramener dans la rue. L'immeuble est fermé, tout est éteint, tu es bloqué ici.

Miles pousse un long soupir douloureux de résignation.

– Bon, d'accord. Vous n'avez pas un sac en papier, au moins ?

*

Dès que nous revenons à l'appartement de Matt, Lisa et Aaron n'attendent même pas que nos pieds touchent le sol pour poser leurs questions.

– Qu'est-ce qui s'est passé ? me demande Lisa. Qu'est-ce que vous avez fait avec mes costumes ? Pourquoi t'es encore à moitié à poil, Anna ?

– Vous l'avez trouvé ? Qu'est-ce qu'il a dit ? nous lance Aaron de son côté.

Matt leur fait un résumé rapide, et leurs yeux s'agrandissent au fur et à mesure de son explication. Ils en arrivent toutefois à la même conclusion que nous.

– Qu'est-ce qu'on fait maintenant, si on ne sait pas où il est ?

À ce moment-là, j'aperçois le GPS du Power Club posé sur la table du salon. Et là, tout à coup, le dernier élément se met en place.

– Attendez ! Je crois que je sais où Shane s'est caché.

J'installe le GPS sur mon poignet et le mets en marche. Dans le menu, je reviens au trajet programmé par défaut. *Passez dire bonjour à Emily,* s'inscrit sur l'écran.

– Shane a programmé un parcours d'entraînement sur le GPS. Le trajet conduit jusqu'à la maison d'une petite fille. Il voulait que chaque super-héros lui rende visite au moins une fois.

– Quel est le rapport ? me demande Matt.

– Elle s'appelle Emily, comme sa petite sœur. Je sais, ce n'est pas un indice très consistant, mais je sens qu'il est là. J'ai l'impression que ça lui ressemble.

– De toute façon, fait remarquer Aaron, nous n'avons aucune autre idée à proposer.

Comme personne n'ajoute rien, il conclut en disant :

– Bon, alors espérons que celle-ci sera la bonne.

Après que j'ai renouvelé ma garde-robe cramée à coups de lance-roquettes, nous repartons immédiatement.

J'accompagne Matt qui s'élève dans le ciel au moment où le soleil commence à émerger derrière les gratte-ciel. Mon GPS affiche le parcours d'entraînement conduisant à la maison d'une petite fille qui rêvait de voir des super-héros. Il est grand temps que j'aille saluer cette Emily.

*

Nous arrivons bientôt au-dessus d'un petit pavillon de banlieue qui ne paye pas de mine. Matt se pose en premier sur la pelouse de devant. Après m'avoir lancé un regard interrogateur, comme s'il hésitait à arracher la porte de ses gonds, il se contente de faire comme tout le monde et appuie sur la sonnette.

Un couple d'une quarantaine d'années nous ouvre la porte. Ils tentent de sourire mais leurs efforts ne cachent pas l'angoisse qui se lit dans leurs yeux.

— Bonjour, leur dit Matt avec une voix douce. Nous cherchons Shane Andrews.

Le nom suffit à les faire tressaillir. Ils ont peur, vraiment peur.

— Vous ne risquez rien avec nous, les rassure Matt. Je suis Matthew Banks et voici Anna Granville.

Ils acquiescent pour montrer que, oui, ils savent très bien qui nous sommes.

— Vous n'avez pas à avoir peur de nous, leur dis-je à nouveau. Nous ne sommes pas ici au nom du Power Club. C'est même le contraire.

Matt incline la tête sur le côté, comme s'il écoutait quelque chose.

— Il y a quelqu'un dans la cave, me dit-il. Je l'entends respirer.

— Partez d'ici, nous ordonne la femme d'une voix tremblante. Vous n'avez pas le droit d'entrer chez nous.

La fillette apparaît derrière le couple. Je suis très surprise en la découvrant. Contrairement à la photo que j'ai vue d'elle dans le labo, sur laquelle on la voyait courir sur une plage, Emily se déplace aujourd'hui en fauteuil roulant.

— Je vous reconnais, vous êtes des super-héros ! nous dit-elle avec un grand sourire. Vous êtes Matthew Banks et la nouvelle du Power Club, Anna Granville !

L'enthousiasme de la fillette contraste avec l'anxiété de ses parents. Apparemment, ils ne lui ont pas expliqué la vraie raison de la présence de Shane dans leur maison. Emily doit penser que son ami du Power Club est venu habiter chez elle pendant quelque temps pour le plaisir de la voir, rien de plus.

Le père se penche vers sa fille avec inquiétude.

— Emily ! Retourne dans ta chambre, ma chérie. Dépêche-toi.

— Nous sommes venus pour aider Shane, explique Matt. Il ne s'en sortira pas tout seul, vous le savez très bien.

Puis il ajoute en haussant la voix pour être entendu jusque dans la cave :

— Shane ! C'est Matt ! Allez, mon vieux, sors de ta cachette !

Une porte s'ouvre un peu plus loin dans la maison. Nous regardons tous en direction de Shane qui émerge dans le couloir, et se dirige lentement vers nous. Depuis que je l'ai vu la première fois, son visage s'est amaigri et creusé de rides. Il se plante devant nous sans rien dire, l'air égaré.

Au bout d'un instant, Matt lui demande avec un sourire triste :

— Shane, mon vieux, dans quelle galère tu t'es mis ?

*

Les parents nous laissent discuter seuls avec Shane dans leur salon. Des larmes plein les yeux, la mère ajoute un mot pour que nous ne le jugions pas trop durement :

— Shane a fait ça pour Emily, pour lui rendre justice, vous comprenez ?

Sans attendre de réponse, elle referme la porte derrière elle pour nous laisser tranquilles.

Shane s'assoit sur une chaise en se tortillant les mains de nervosité.

— On a eu beaucoup de mal à te retrouver, lui dit Matt sur un ton de reproche. Tu ne m'avais jamais parlé de cette petite fille.

— Emily a écrit au Power Club, avec tout son cœur et sa naïveté, c'est comme ça que je l'ai rencontrée. Elle est fascinée par les super-héros. J'ai beaucoup discuté avec elle et ses parents. Je leur ai raconté des anecdotes sur Adam, Brian, Kirsten et tous les autres. Je me sentais bien avec eux, comme si je faisais partie de la famille.

— Alors c'est vrai, ce que nous a dit Warren ? lui demande Matt. Tu as vraiment tué Jason Baker ?

Shane fait oui de la tête, plusieurs fois de suite, le regard perdu dans la contemplation de ses mains.

— Je ne pouvais pas le laisser s'en sortir comme ça, explique-t-il sur un ton brusque, comme si la réponse allait de soi.

— Comment tu as pu faire une chose pareille ? Qu'est-ce qu'il s'est passé ?

— Tu sais, parfois on croit bien faire, et puis tout se retourne contre toi. J'ai donné plusieurs gadgets du Power Club à Emily, pour sa collection. Parmi eux, il y avait une application pour ordinateurs et téléphones qui permet de localiser les super-héros, grâce à leur puce intégrée. C'était un secret entre nous parce que, normalement, seuls certains employés du club y ont accès. J'ai pensé que grâce à ça, depuis sa chambre, elle pourrait suivre les déplacements de ses idoles. J'étais sûr que ça l'amuserait. Mais un jour, alors qu'elle était en ville avec sa mère, Emily a vu sur son portable que Jason se trouvait tout près d'elles. Elle a insisté pour qu'elles aillent le voir. Jason était en train de poursuivre des braqueurs qui fuyaient en voiture. Il leur a balancé un camion sur la tête. Le boulot normal du super-héros, quoi ! Sauf que l'impact a été extrêmement violent. La rue a éclaté en morceaux. Emily était sur le trottoir. Sa mère n'a pas été blessée mais la petite, elle... Un éclat a sectionné sa colonne vertébrale. Elle ne peut plus marcher maintenant.

Shane reste muet pendant un instant. Je pose mes doigts sur sa main en lui disant :

— C'est horrible, Shane. Je suis vraiment désolée pour elle.

Il retire sa main pour la mettre dans sa poche en prenant un air buté, comme un petit garçon.

— Miles nous a parlé de votre petite sœur Emily, lui confie Matt. Celle qui est... Enfin bref, tu vois ce que je veux dire.

Shane encaisse le coup mais fait semblant de ne pas entendre. Sa petite sœur disparue reste un sujet tabou pour lui. Il fixe son regard au loin et préfère se concentrer sur sa colère.

— Les gens sont tellement cyniques ! Ils ne pensent qu'à faire de l'argent, à exploiter leur célébrité. Avocats, super-héros ou publicitaires, ils sont tous les mêmes ! Mais les enfants continuent d'y croire. Ils n'attendent rien, eux. Ils donnent juste leur amour sans compter. Et il a fallu que cet abruti lui casse le dos. Il l'a fait sans même s'en rendre compte. Ce n'était pas un détail pour lui, c'était juste... rien.

Shane me lance un regard désespéré. Ses grands yeux cherchent à me convaincre qu'il n'a pas eu d'autre choix.

— J'en ai parlé à Jason, mais il n'a absolument pas compris où était le problème. Il m'a dit qu'il passerait voir Emily à l'hôpital pour lui signer un autographe. Comme si ça pouvait remplacer ses jambes ! Cet imbécile pensait qu'elle serait fière de le rencontrer.

– Alors tu l'as tué ? intervient Matt. C'était ça ta solution ?

– Mais non ! Je n'ai jamais voulu le tuer ! Je voulais juste le blesser. Pour qu'il souffre, pour qu'il prenne un peu conscience de ce qu'il fait subir aux autres. Pour lui rappeler simplement ce que ça fait d'être vulnérable. Je lui ai donné rendez-vous en dehors de la ville, en prétendant qu'Emily serait avec moi. Il a débarqué comme une fleur, en volant. Il a fait un looping et s'est posé juste devant moi en me disant : « Alors, elle est où, la gamine ? » Et je lui ai tiré une balle dans le ventre.

– Et cette balle ? je lui demande. C'est toi qui l'avais fabriquée exprès pour lui ?

Shane me regarde droit dans les yeux.

– Ben oui. Je me suis servi dans le stock.

– Il y a donc plusieurs balles, comme je le pensais ? Une pour chaque super-héros ?

Mon air ébahi réussit à lui arracher un petit sourire attristé, comme si je lui faisais de la peine.

– Dès le début du Power Club, Elizabeth Foster voulait concevoir un système permettant de neutraliser un possesseur de boosters. Elle appelait ça un plan de secours. Juste au cas où. Moi, j'étais contre au début. Je n'aimais pas que, d'un côté, on me demande de rendre des gens superpuissants et que, de l'autre, on veuille que je trouve le moyen de les abattre. Elizabeth Foster a insisté, elle m'en parlait tous les jours. Elle est venue me voir dans mon labo avec un militaire, un type très haut gradé. Ils s'y sont mis à deux pour me convaincre. Comme quoi ce serait un massacre si un super-héros pétait les plombs. Ils m'ont demandé de m'imaginer à quoi pourrait ressembler un super-héros tueur en série. Terrifiant, non ? Enfin bref, ils ont voulu me faire croire qu'ils se préoccupaient des gens, mais ce qui les angoissait le plus, c'était de perdre le contrôle. L'armée des États-Unis n'avait pas envie de se retrouver déc!assée sur son propre territoire par une bande de gamins.

— Tu as fourni à la directrice son système personnel d'euthanasie ? s'indigne Matt.

— Tu crois que j'avais le choix ? Quelqu'un d'autre l'aurait fait, de toute façon ! Et puis tu veux que je te dise ? Au bout du compte, j'étais d'accord avec eux ! Je pensais que ce ne serait pas plus mal de pouvoir protéger les gens normaux des excès du Power Club, tu comprends ? Mais je n'avais pas prévu de tuer Jason, je te le jure ! J'ai testé ces balles sur des animaux, jamais sur un humain. Ses boosters ont complètement disjoncté, je n'avais pas du tout prévu ça ! La douleur a fait convulser Jason. Il s'est projeté en l'air et a disparu dans le ciel. J'ai su plus tard qu'il avait fini par retomber dans la mer.

La vision de Jason brutalement malmené par ses boosters devenus fous est suffisante pour nous réduire au silence une fois de plus.

— Tu sais ce que tu dois faire maintenant, reprend Matt au bout d'un moment.

— Si je sors de mon trou, le Power Club va me tuer.

— Pas si nous sommes là pour te protéger. Anna et moi, nous allons t'emmener à la police. Une fois que l'enquête officielle sera lancée, Elizabeth Foster ne pourra plus rien tenter contre toi. Les secrets ont assez duré, il faut tout dire maintenant.

— Je ne voulais pas le tuer, répète Shane.

— Je sais, lui répond Matt, mais il est mort.

Shane opine doucement de la tête, l'air pensif, comme si ce drame venait tout juste de lui être annoncé et que, décidément, il n'y croyait toujours pas.

QUATRIÈME PARTIE

« Il peut exister une différence entre ce qui est scientifiquement possible et ce qui devrait être moralement souhaitable. »

Howard Klein, fondateur du Power Club

L' avocat d'Elizabeth Foster marque une pause sur les marches du tribunal. Les journalistes n'attendaient que ça pour s'agglutiner autour de lui. La marée humaine ondule et se déforme avec la souplesse d'un banc de poissons pour trouver la meilleure place.

– Madame Foster, déclare-t-il en fixant tour à tour les différents appareils braqués sur lui, tient à dire que le bien-être des membres du Power Club a toujours été sa principale motivation. Le meurtre de Jason Baker lui a porté un coup terrible. Elle a tout de suite pensé à la protection des enfants qui se trouvaient sous sa responsabilité. Parce que nous avons pris l'habitude de voir les super-héros du Power Club accomplir des prodiges surhumains, nous avons perdu de vue qu'ils étaient avant tout de jeunes gens au début de leur vie. En tant que tels, ils ont besoin d'un cadre sain et rassurant pour devenir des adultes équilibrés et responsables. Le crime commis par Shane Andrews a fortement compromis cet équilibre.

L'avocat continue sur ce ton pendant encore cinq bonnes minutes. Sa conférence de presse improvisée après la mise en accusation d'Elizabeth Foster ne vise qu'à tenter de rétablir un tant soit peu la réputation de sa cliente.

La directrice, le chef de la sécurité et toute la direction du Power Club ont été arrêtés après les aveux de Shane à la police. Elizabeth Foster a été accusée de dissimulation et de falsification de preuves dans une affaire d'homicide, d'avoir commandité le meurtre de Max ainsi que l'enlèvement de Miles Andrews.

Les négociations entre les avocats et le procureur ont conduit les requins à se dévorer entre eux. Les faits ne pouvant pas être contestés, la seule défense possible pour Elizabeth Foster et Warren était de rejeter le maximum de choses sur le dos de l'autre. Warren a vendu son ancienne patronne en révélant qu'elle avait ordonné l'assassinat de Max. Ce qui a eu pour effet collatéral de faire disparaître les soupçons qui pesaient sur Aaron. Il reste à savoir lequel des deux accusés arrivera à convaincre la justice qu'il était sous l'influence néfaste de l'autre. Il ne s'agit plus pour eux d'éviter la prison, mais de limiter les dégâts.

En attendant, l'avocat debout sur les marches du tribunal se dit qu'arranger l'image de sa cliente en la présentant sous les traits d'une pauvre petite chose dépassée par les événements ne peut pas lui faire de mal.

Mais ce rôle ne convient pas du tout à Elizabeth Foster. Ses talents de comédienne n'ont pas progressé depuis la dernière fois. Son regard ne peut retenir un flot de haine dirigé contre tous ceux qui l'observent dans ce moment de faiblesse et d'humiliation. Les caméras qui captent son image au moment où elle sort du tribunal, les menottes aux poignets, traduisent parfaitement sa fureur.

– Elle a vraiment l'air d'avoir les boules, résume Lisa.

Nous sommes tous installés devant la télévision. Mes parents sont venus en toute hâte me rejoindre à New York. L'ambiance est si tendue qu'ils ont préféré laisser Louis à Paris. Roland, par contre, les a accompagnés.

– Ce n'est pas fini, nous explique-t-il. Anna est toujours sous le coup d'un blâme pour utilisation inappropriée des boosters. À cela s'ajoute maintenant la possibilité pour le Power Club d'invoquer le non-respect de la clause de confidentialité.

– Même après ça ? s'exclame ma mère avec colère, en montrant la lettre officielle du club posée sur la table.

La lettre est arrivée il y a deux jours. Les actionnaires et les nouveaux dirigeants du club élus par le conseil d'administration me félicitent et me remercient publiquement. Mon action a permis, selon eux, d'assainir la situation et de rendre au Power Club sa vraie vocation de club de super-héros avec une ligne de conduite digne et morale.

Nora Scott, la directrice nouvellement nommée et ancienne psychologue du club, m'a même écrit personnellement pour me féliciter. Selon elle, mon sens moral fait honneur aux plus hautes vertus défendues par le club.

Tous ces prétendus témoignages d'admiration emploient des termes très officiels et sont aussi chaleureux qu'un mois de décembre en Sibérie.

— La nouvelle directrice du Power Club m'a contacté directement, continue Roland. Elle m'a fait savoir que le club allait porter plainte contre Anna et demander son exclusion définitive.

— Comment peuvent-ils tenir deux discours en même temps ? s'énerve mon père. Tu ne vas pas les laisser faire, hein ?

— La nouvelle directrice s'est beaucoup excusée. Elle m'a dit je ne sais pas combien de fois que c'était injuste, mais elle a surtout insisté sur le fait qu'elle n'avait pas le choix. En volant le rapport d'autopsie dans l'ordinateur, Anna a rompu la clause de confidentialité.

— Mais pour dénoncer un meurtre ! s'indigne mon père. Anna n'a pas vendu des infos intimes sur les super-héros à des magazines people !

— Je le sais bien, Daniel, je ne fais que répéter ce qu'elle m'a dit. Nora Scott prétend que son nouveau statut de directrice l'oblige à faire respecter à tout prix le règlement intérieur du club. Si elle ne le faisait pas, la confidentialité nécessaire à la bonne marche du Power Club n'existerait plus de fait. Enfin bon, ça c'est le baratin officiel.

— C'est carrément dégueulasse ! s'emporte Lisa.

Roland me regarde avec un sourire d'admiration.

— Ma petite Anna, tu les as vraiment énervés. Tu es devenue trop puissante pour eux, trop aimée du public, trop incontrôlable. Trop tout, quoi !

— Mais est-ce qu'on a une chance de gagner un procès contre le Power Club ? demande ma mère. Si Anna ne veut pas rendre les boosters avant ses vingt-cinq ans, pourront-ils l'y obliger ?

– La bataille sera rude, mais tout n'est pas obligatoirement perdu d'avance. Anna est une lanceuse d'alerte. Elle a agi pour le bien du club et de la société entière. Cela se défend.

Je me décide enfin à prendre la parole.

– Non, je préfère arrêter ça tout de suite. Je vais rendre mes boosters s'ils les veulent.

Mon ventre se serre à cette idée. J'entends mon armée intime qui m'implore de la garder avec moi. Mes boosters me disent encore et toujours à quel point ils m'aiment. Ils prétendent que leur amour n'est pas mesurable, qu'il est au-delà des chiffres et de tout ce qui peut servir à mesurer une quelconque quantité. Ils me supplient, ils pleurent.

– Tu en es sûre, Anna ? me demande maman, incapable de cacher son soulagement à cette idée.

– Sûre et certaine. Je n'ai pas envie de supporter un procès interminable. Je suis fatiguée. Je suis épuisée, même ! Je crois que j'ai eu ma dose d'exploits super-héroïques pour le restant de ma vie.

En m'écoutant, mes boosters gémissent de tristesse. Comme ils ne connaissent qu'une seule façon de s'exprimer, ils me supplient de les laisser exercer leurs pouvoirs à pleine puissance. Je suis forcée de les calmer, de les cajoler comme des enfants qui joueraient au foot avec une bombe atomique.

Si mon attention se relâche, ils sont capables de me pousser à bout. Je pourrais réduire un immeuble en poussière rien que pour les soulager. Pour les entendre rire. Pour répondre à leur désir. Ils sont comme de microscopiques amants insatiables pour qui l'acte d'amour ultime serait une gigantesque vague de destruction.

*

Matt est confortablement installé sur sa terrasse, assis dans un transat, un verre à la main. Il a retrouvé son allure de play-boy mondain, comme la première fois où je l'ai vu, caché derrière son rideau. Aaron est avec lui. Ils m'accueillent tous les deux en venant m'embrasser.

Aaron travaille jour et nuit sur son livre. Il va profiter de la publicité autour de l'affaire Jason Baker pour faire entendre les voix de tous les gens dont il a recueilli les témoignages. Un long chapitre rendra hommage à Max.

Nous bavardons tous les trois en profitant du jour qui tombe sur New York. La vue depuis la terrasse est saisissante. Certaines fenêtres brillent en reflétant le soleil couchant. Les ombres s'allongent autour de la terrasse. Un gratte-ciel projette un immense rectangle noir qui, en enjambant une immense avenue, nous recouvre peu à peu.

Au bout d'un moment, Aaron nous abandonne, il a rendez-vous sur un plateau de télévision pour une interview. Comme je l'espérais, je me retrouve seule avec Matt. Mon cœur commence à battre plus rapidement. Mes mains deviennent moites et mes jambes ont du mal à me porter.

Mes boosters s'agitent aussitôt. Ils cherchent frénétiquement à l'intérieur de mon organisme le virus ou la maladie qui provoque mon état. De toute façon, je n'essaie même plus de leur expliquer comment fonctionne un être humain. Cela les dépasse. Les sentiments, les émotions qui nous animent sont beaucoup trop aléatoires et incohérents pour eux.

Ces incroyables bestioles ne font pas la différence entre penser et agir. Il ne leur viendrait pas à l'esprit que leur maîtresse adorée puisse penser une chose, en faire une autre, et en dire encore une troisième. L'humanité reste un mystère pour eux. Ils sont finalement plus proches des dieux que de nous.

Matt finit son verre et le pose à côté de lui en souriant.

— Pourquoi tu me regardes comme ça ? me demande-t-il, amusé.

— Pour rien ! Je te regarde, c'est tout.

Je rougis au point d'avoir les joues brûlantes, ce qui provoque un nouvel affolement des boosters qui pensent que j'ai de la fièvre. « Ne t'inquiète pas, me susurrent-ils, nous veillons sur toi ». « Fermez-la », je leur réponds.

— Dis-moi, Anna, tu ne serais pas en train de me dire que c'est maintenant le bon moment pour te draguer ?

Je hausse les épaules en souriant. Mais Matt n'a pas la réaction espérée. Il pousse un soupir en faisant non de la tête. Je m'affole aussitôt, morte de honte et d'embarras.

— Je suis désolée. J'croyais... J'pensais... Je vais m'en aller.

— Attends !

Matt se lève et vient vers moi.

— Je suis mourant, m'explique-t-il d'une voix douce.
Cela ne se voit pas mais le fait est là. La mort me ronge
de l'intérieur. Les boosters qui occupent mon organisme me tuent progressivement à coups de cancers.
Ils les produisent et les neutralisent en même temps,
à un rythme de plus en plus rapide. Ils font leur petite
tambouille, jusqu'au jour où ils ne pourront plus contenir
leurs propres tendances suicidaires. En cet instant même,
une bombe explose au ralenti à l'intérieur de moi.

Il prend mes mains dans les siennes.

— Mais ne sois pas triste, Anna ! J'ai pris ma décision,
je suis le seul responsable, tu sais. Je ne veux pas me
priver de pouvoir voler. Je veux encore sauver des vies
tout en jouant le héros. Et qu'on m'applaudisse et qu'on
m'aime pour ces raisons !

— Mais comment tu peux dire ça ? Comment tu
peux avoir envie de mourir ? T'es un imbécile ! Et un
irresponsable !

— Imbécile, irresponsable, et tu peux ajouter heureux,
me dit-il en souriant. Tu connais une meilleure façon de
mourir, toi ?

Il m'embrasse sur la bouche. Je le quitte en pleurant,
accompagnée par les voix des boosters qui, incapables
de me réconforter, crient inlassablement leur joie idiote
d'habiter en moi.

CHAPITRE 41

L'opération pour retirer les boosters est rapidement programmée. Roland a négocié un accord avec la nouvelle directrice. Ma volonté de rendre mes pouvoirs sans passer par un procès a facilité les discussions. Mes parents vont récupérer une partie de l'argent versé. De savants calculs ont été faits pour estimer quel pourcentage pouvait être restitué.

Ma rencontre avec la nouvelle directrice est tout juste polie. Pour éviter de me regarder, elle s'adresse principalement à mes parents qui m'ont accompagnée. Roland a tenu à venir lui aussi. Il ne veut pas me laisser seule une seconde avec un membre officiel du Power Club.

Calée dans son grand fauteuil, avec les buildings de Manhattan en vision panoramique dans son dos, la directrice nous sort son discours en souriant. Elle dit encore qu'elle me remercie pour tout ce que j'ai fait, mais elle ment. Elle ment mal et elle le sait. Elle s'en moque d'ailleurs. Nora Scott connaît son texte sur le bout des doigts. Au bon moment, elle prend un air affligé pour me dire combien elle est désolée de ne plus pouvoir me compter parmi les membres du Power Club. Tout cela est tellement dommage, tellement regrettable. Mon père et ma mère ne gobent pas plus que moi son baratin. Roland ne dit rien. Nous nous contentons tous de l'écouter.

Ma visite suivante concerne les avocats du club. Roland m'accompagne seul cette fois-ci. Il a déjà examiné dans les moindres détails le document que je dois signer mais il s'accorde encore un bon moment pour le relire. Le texte n'est pas long, il tient sur trois pages. Chaque mot a été discuté, soupesé, évalué et accepté par les deux parties.

Il est dit que je renonce en mon âme et conscience, avec une parfaite santé mentale et physique, à la technologie du Power Club© (écrit avec le petit © de copyright dans le document) et aux superpouvoirs qui découlent de son utilisation. Il n'est pas fait mention de ma petite escapade dans l'espace et de mon usage inadapté des boosters. Aucune charge n'est retenue contre moi. Les deux parties se quittent en bons termes. Match nul.

Trois jours plus tard, je me retrouve au vingtième étage de l'immeuble du Power Club où se situe son hôpital privé. Je suis assise dans le même lit, installée dans la même chambre qui m'ont vue devenir une super-héroïne. Mes parents et Lisa sont présents. Ils m'encouragent, me réconfortent et m'assurent que je fais le bon choix. Aucun doute à ce sujet. Pas de regrets à avoir.

Mais j'ai du mal à les entendre. Les voix affolées des boosters recouvrent presque tout. Ils ont la prescience de certains animaux qui sentent venir les catastrophes. Je leur dis que je suis désolée, vraiment désolée de les abandonner, et que je les aime moi aussi. Lisa me fait un petit signe de la main.

— Bon, Anna, on va te laisser.

— D'accord, allez-y.

Ma mère m'embrasse, mon père aussi. Je leur dis que je les reverrai tout à l'heure. Ils sortent de la chambre en me lançant un regard rassurant.

Quand je suis seule, je supplie mes boosters de ne pas m'en vouloir. Il faut qu'ils comprennent que je suis obligée de me séparer d'eux. Mon choix n'entre pas en ligne de compte.

— Tout va bien se passer, dis-je à voix haute, bien que je sois toute seule dans la chambre, hantée par le chœur de mes innombrables amoureux.

*

Quand je reprends conscience, le docteur George Lucas est penché sur moi.

— La petite demoiselle revient parmi nous.

Une infirmière vient prendre mon pouls.

— Serrez ma main, s'il vous plaît, me demande le docteur Lucas.

Je lui obéis.

— Mes doigts sont toujours entiers, déclare-t-il en souriant.

Il examine mes yeux avec une petite lampe.

– Vous savez, me confie-t-il en se redressant, il s'est produit un phénomène étonnant pendant l'opération de retrait des boosters. Un incident tout à fait inhabituel. Mais sans danger pour vous, je vous rassure. La machine qui retire les boosters indique la masse enlevée. Bizarrement, le volume était un tout petit peu plus faible que celui injecté la première fois.

– Qu'est-ce que ça veut dire ? je lui demande. Que j'ai encore des boosters en moi ?

Le docteur Lucas rit doucement en ajoutant :

– Non, pas du tout, la machine est formelle sur ce point, il ne reste plus la moindre trace de technologie dans votre organisme. Tous les examens le prouvent. La différence entre les deux chiffres est infinitésimale, elle correspond à la marge d'erreur statistique. Mais c'est la première fois que je la constate. Vous êtes décidément un cas à part !

Comme j'ai besoin de le dire à voix haute pour le comprendre vraiment, je lui demande encore :

– Donc ça y est, vous avez enlevé tous les boosters ? Je suis normale ? Comme tout le monde ?

– Vous n'avez plus de superpouvoirs, Anna, mais, si je peux me permettre, vous n'êtes pas comme tout le monde. Vous en êtes loin, très loin.

Une petite larme coule le long de ma joue. Le docteur Lucas prend un tissu blanc et l'essuie délicatement. Je me rends compte que j'ai froid. Mon corps semble peser une tonne sur le brancard, et dans le même temps il me paraît si fragile, si cassable. Mon poignet gauche me fait mal à cause de la perfusion. L'aiguille enfoncée dans ma veine tire sur ma peau. Tout un ensemble de sensations humaines retrouvent leur place en moi. Ma tête me lance un peu, mes yeux ne veulent pas s'arrêter de se remplir de larmes.

Je me sens complètement vide, sans aucune voix pour résonner en moi. L'impression atroce d'avoir un immense trou à la place de mon corps me fait frissonner de chagrin.

*

Le retour en avion vers Paris est une épreuve affreuse pour moi. Je me sens terriblement vulnérable ! La plus petite turbulence qui secoue l'appareil me provoque des crises d'angoisse. Sans l'armée des boosters pour le protéger, mon cerveau a l'impression qu'il va mourir à chaque instant.

Mes parents ne me quittent pas des yeux. On dirait qu'ils sont prêts à se précipiter vers moi pour le cas où je tomberais en morceaux. C'est d'ailleurs exactement ce que je ressens. Mon corps tout entier est devenu une chose embarrassante. Chaque battement de cœur me fait mal. Respirer est pénible et fatigant. Ma peau me semble si fine que je pourrais la déchirer en respirant trop fort.

Au bout d'un moment, je m'endors, mais la sensation de tomber dans un gouffre me réveille en sursaut plusieurs fois de suite.

Louis nous attend à la maison. Dès que je passe la porte, il se jette contre moi et m'entoure de ses bras en me serrant très fort.

– Anna ! Viens voir !

– Louis, laisse-la arriver ! Anna est fatiguée, il faut qu'elle se repose.

– C'est bon, maman, ça va, je vais bien.

Louis m'entraîne dans sa chambre en me prenant par la main. Les posters des super-héros du Power Club ont été remplacés par une multitude d'images de moi. Les murs en sont recouverts. Je me vois pendant la cérémonie de présentation au monde, debout sur l'estrade avec les autres. Sortant de l'entrepôt avec ma robe déchirée. Posant en vol au-dessus d'une tour Eiffel rajoutée informatiquement pour vendre du parfum. Des images volées me montrent planant entre les gratte-ciel de New York, figée pour l'éternité dans la lumière du soleil qui brille sur mes cheveux.

Je me laisse tomber sur son lit, sonnée par toutes ces versions de moi qui me paraissent totalement étrangères. Louis s'assoit à côté de moi en passant son bras autour de mes épaules.

– Je t'aime toujours, même si t'es normale, me dit-il avec douceur.

Sa petite main me frotte doucement le dos pour me réconforter. Il ajoute à voix basse, avec la même évidence que le jour où, suspendu au-dessus de New York, il volait au bout de mes doigts :

– T'es la meilleure grande sœur du monde.

CHAPITRE 42

Ma vie à Paris reprend avec une facilité étonnante. Enfin, en apparence. Ce que je veux dire, par exemple, c'est que mon corps retrouve son ancienne place dans l'appartement de mes parents, et qu'il marche dans les rues, tout comme avant. Il regarde à droite et à gauche avant de traverser. Il réapprend à faire attention, à savoir se protéger des milliers de menaces qui pèsent sur lui chaque jour, dans tous les lieux où il se trouve.

Mes pieds, mes mains, mes bras et mes jambes connaissent leur rôle d'origine par cœur. Ils me font penser à une troupe de théâtre reprenant la même pièce pour la millième fois. Avec un indéniable savoir-faire, mais sans conviction, sans énergie.

Poser un pied devant l'autre est d'un ennui mortel. Monter des escaliers est épuisant. Avoir chaud, avoir froid, frissonner ou transpirer. Avoir mal à la tête ou la nausée. Tout le catalogue y passe, sans arrêt.

Le Power Club a répertorié les effets secondaires classiques liés au retour d'un organisme humain à sa normalité. La perte de superpouvoirs est d'abord vécue comme un handicap. Quand vous avez pris l'habitude de vous envoler d'une simple pensée, quand vos doigts ont percé des murs, écrabouillé des rochers sans la moindre difficulté, l'usage normal d'un corps humain ressemble à une suite ininterrompue de douleurs, de frustrations et de cruelles impuissances.

La vie quotidienne se résume à une série d'obstacles, tous plus fatigants et ennuyeux les uns que les autres. La porte du frigo qui résiste à son ouverture vous déprime. L'écharde dans votre doigt est un supplice. Le pied du lit contre vos orteils vous donne des envies de suicide.

Comme il s'agit d'une forme de deuil, les étapes classiques sont respectées par l'individu brutalement ramené à sa condition humaine.

Le déni en premier : vous affirmez pouvoir porter cette valise trois fois plus lourde que vous.

Suivi par la colère : vous donnez des coups de pied furieux dans l'objet récalcitrant.

Puis vient le marchandage : vous ôtez deux ou trois choses, mais la valise reste toujours impossible à soulever.

Tout cela conduit à la dépression : vous éclatez en sanglots en contemplant l'objet qui vous résiste.

Et pour finir, l'acceptation : vous demandez à votre père de venir prendre la valise triomphante qui vous a humiliée.

Après avoir eu des superpouvoirs, chaque jour, chaque battement de cœur vous fait revivre plus ou moins vite, plus ou moins douloureusement, toutes ces étapes. Et le lendemain, cela recommence.

Et encore, et encore.

Jusqu'au jour où, après m'être cogné le coude contre une porte, je ne suis plus surprise. Juste en colère. Peut-être un peu déprimée aussi.

Certaines étapes s'attardent, comme des déchets que vous pensiez avoir jetés au large, mais que la mer ramène inlassablement sur le rivage, à vos pieds.

*

Je sais que ce n'est pas bon pour moi, mais je ne peux pas résister.

La télévision diffuse en direct l'intronisation d'un nouveau membre du Power Club. La cérémonie a lieu sur le toit de l'immeuble, comme toujours. Les banderoles des sponsors ont été déployées. La presse du monde entier est là pour glorifier Jiao, la nouvelle venue. La jeune fille chinoise sourit en étalant son bonheur d'être devenue une déesse parmi les hommes.

En contemplant la super-héroïne débutante qui s'envole avec les autres dans le ciel new-yorkais, je me revois vivant la même scène. L'accomplissement total que j'ai ressenti ce jour-là existe toujours un peu, quelque part au fond de moi. Il ne suffit pas de grand-chose pour le faire remonter à la surface. Le prix à payer est la souffrance laissée derrière lui après son départ, quand il retourne dormir dans un coin de ma mémoire.

L'appartenance au club ne me manque pas vraiment. À part Dominic, avec qui j'ai vécu un moment très fort, je ne me suis pas vraiment bien entendue avec les autres membres du Power Club. Je suis heureuse de n'avoir plus à subir l'insistance des attachées de presse pour rentabiliser mon image, les contrats publicitaires, les fêtes sponsorisées, la presse people et les paparazzis.

Mais les boosters me manquent. La nuit, je rêve souvent que j'entends encore leurs voix. Leurs chants d'amour hantent mes pensées.

Avec l'automne et la pluie, mon cafard devient de plus en plus fort. Je suis obligée de m'habiller chaudement pour sortir. Il m'arrive de monter le chauffage au point que cela gêne mes parents. « Tu ne te sens pas bien ? » me demandent-ils. Je leur réponds que si, ça va. Qu'est-ce que je pourrais leur dire d'autre ?

Ma mélancolie s'aggrave avec le froid qui s'installe, avec les gerçures sur mes lèvres et mon nez qui coule. Mon propre corps m'embarrasse. Il est fragile, maladroit, et trouve sans arrêt de nouvelles petites douleurs à s'imposer.

Dans mes rêves, les boosters continuent de me promettre de tordre la réalité pour moi. Ils hurlent leur bonheur de me faire voler. Ils ricanent en pensant aux diamants qu'ils peuvent pulvériser à main nue.

Au réveil, mon corps est vide.

Je dois me couper les ongles. Me laver les cheveux. Prendre une douche et lacer mes chaussures. J'ai une tonne de choses à faire tous les jours pour entretenir ce corps qui se dégrade de seconde en seconde.

*

Lisa fait tout ce qu'elle peut pour m'aider à retrouver le sourire. Elle joue à l'idiote, me raconte sans hésiter les choses les plus humiliantes.

— Je te le jure, m'assure-t-elle, Joris m'a dit qu'il ne m'aimait pas, en fait. Tu crois vraiment que c'est le genre de truc qu'on balance à ce moment-là ? Précisément ? Je veux dire, tu ne peux pas attendre cinq minutes ?

Je lui dis que non, je suis bien d'accord, ça ne se fait pas. Elle éclate de rire. J'essaie de rire à mon tour, mais ça ne marche pas trop bien. Lisa me fixe alors avec un air préoccupé.

Elle réussit toutefois à me traîner dehors, un jour où la neige est tombée sur Paris. Les trottoirs sont glissants. Mes doigts sont gelés au fond de mes gants. Je ne dis rien, je ne me plains pas. Je fais de gros efforts pour considérer tout ça comme une vie parfaitement normale. Ce serait vraiment disproportionné d'avoir envie de mourir parce que je porte un gros anorak, un pull, une écharpe et un bonnet. Il faut rester raisonnable, voilà ce que je me dis.

Une fois dehors, Lisa est encore plus excitée que d'habitude. Elle ricane et fait des petits bonds sur les plaques de verglas que je contourne prudemment. Rien ne la fait tomber. Elle me traîne jusqu'à une petite place sans cesser son manège.

– Lisa, on peut rentrer ?

– Attends, Anna ! Attends encore un peu !

– J'ai froid.

Ces seuls mots, « j'ai froid », sont terribles à dire. Ils regroupent un ensemble de sensations complexes et désagréables. Ma gorge me fait un peu mal quand j'avale ma salive. La peau de mes mains est sèche. Des crevasses le long de mes ongles me font atrocement souffrir.

Tout à coup, Lisa lève les yeux vers le ciel. J'accompagne son regard et découvre le Power Club au grand complet qui descend vers moi. Les super-héros ressemblent à des anges sans ailes, parrainés par les plus grandes marques de couture. Certains sont en tee-shirt, l'hiver n'est pas leur problème. Ils se posent en cercle autour de moi, et m'offrent chacun un bouquet. Lisa m'aide à les porter car je me retrouve vite ensevelie sous les fleurs.

Les passants sur les trottoirs n'en croient pas leurs yeux. Ils dégainent leurs portables et prennent des photos, font des vidéos. Je les entends dire dans les téléphones : « Je te promets, ils sont tous là ! C'est le Power Club ! » Un attroupement se forme vite autour de nous.

Indifférents à l'agitation créée par leur présence, les super-héros me félicitent chaleureusement pour tout ce que j'ai fait. Dominic me serre dans ses bras. Brian, Adam et Stanislav m'embrassent et m'enlacent à leur tour. Francesca et Kirsten ne sont pas en reste avec leurs grands gestes amicaux. Même Bobby a un mot gentil pour moi.

Jiao, la nouvelle, dit tout le respect que je lui inspire. Elle affirme que je suis un exemple pour elle. Selon eux, je suis la seule vraie super-héroïne du club et je resterai pour toujours dans leur cœur.

Les badauds de plus en plus insistants réclament des autographes, en tentant de se faufiler parmi nous. Lisa leur dit d'aller se faire voir ailleurs. Elle veut préserver ce moment pour moi. Ils ont traversé l'océan Atlantique pour venir me voir, moi, et moi seule. Sans qu'ils aient besoin de me le dire, je sais qu'ils en profiteront malgré tout pour rendre visite à quelques annonceurs européens. Leurs attachées de presse ont dû prendre des dizaines de rendez-vous à Paris, à Londres, à Berlin.

Mais je ne leur en veux pas. Cela me fait tellement plaisir de les voir. Ils sont tous là, je n'en reviens pas ! Pendant quelques minutes, j'ai la sensation de faire encore partie de leur groupe. Cela suffit à repousser un peu plus loin ma tristesse.

Personne ne les obligeait à prendre cette peine. Je suis persuadée que Nora Scott aurait préféré qu'ils m'oublient. Mon exemple n'est pas bon pour le club. Avant moi, aucun super-héros n'avait jamais été déchu de son statut de demi-dieu.

Malheureusement, ils doivent repartir rapidement. Le rassemblement de curieux sur les trottoirs autour de nous tourne à l'émeute. Lisa ne suffit plus à les repousser. Elle a beau insulter les gens, leur taper dessus à coups de bouquets de fleurs, les fans viennent se coller contre les super-héros.

Ils s'élèvent à quelques mètres du sol. Les gens applaudissent et sifflent leur joie. Les super-héros s'inclinent vers moi pour me témoigner leur respect. La foule me reconnaît. Certaines personnes me demandent un autographe. Des centaines de photos de moi sont volées en quelques secondes. Dominic redescend à ma hauteur, m'attrape dans ses bras et m'emporte. Je m'accroche à son cou.

– On va boire un coup quelque part ? me demande-t-il.

– D'accord.

– On va se la jouer discret.

Il se pose en douceur dans une petite rue déserte. Sa façon de se tenir droit sur la neige montre toute la puissance des boosters. Ils estiment le danger représenté par la glace recouvrant le sol. Leurs efforts stabilisent le corps de Dominic, et rien, absolument rien au monde ne pourrait le faire tomber.

Nous allons dans un café pour commander des chocolats chauds. Je réchauffe mes mains sur la tasse. Dominic me regarde en souriant.

– Ce n'est pas trop dur ? me demande-t-il. Je veux dire, d'avoir perdu tes superpouvoirs, c'est comment ?

Je lève rapidement les yeux vers lui. Il se méprend sur mon regard et me dit :

– Désolé, je voulais juste savoir. Je comprends, si tu n'as pas envie d'en parler.

– Non, ça va, ça ne me dérange pas. En fait...

Je suis des yeux la fumée fragile qui monte de ma tasse.

– ... En fait, c'est horrible !

Je ris un petit peu, et il est assez sympa pour rire avec moi.

— C'est horrible parce que je n'entends plus leurs voix. Je crois que c'est ça le pire. La solitude qui vient après. Je ne savais même pas que j'étais aussi seule avant.

Dominic me fixe avec un air surpris.

— De quoi tu parles ? Quelles voix ?

— Ben... Celles des boosters !

La stupéfaction ne quitte pas ses yeux.

— Je suis désolé, Anna, mais je ne vois pas de quoi tu parles. Tu as entendu les voix des boosters ? Tes boosters à toi ou d'autres ?

— Les miens évidemment ! Je les entendais constamment. Tu sais bien, leur bavardage comme quoi ils t'aiment et tout ça. Ils sont trop drôles.

— Mais enfin, Anna... personne n'a jamais entendu parler les boosters. Personne ! Ces machines n'ont ni cordes vocales ni aucun autre moyen de communication, comment veux-tu qu'elles parlent ? C'est carrément impossible ! Tu es sûre que tu vas bien ?

L'étonnement dans son regard est instantanément remplacé par de l'inquiétude. Pour le rassurer, je lui dis :

— T'affole pas, je dois faire une sorte de baby blues !

Je ris une fois encore. En réponse, Dominic m'offre un petit sourire guère convaincu.

— Allez, laisse tomber ! Je te jure que je ne suis pas devenue folle !

Je pose mes deux mains sur les siennes. Ses doigts ne sont ni chauds ni froids. J'ai l'impression de toucher une peau qui ne se trouve pas dans un café parisien, avec moi, en hiver. Une peau qui ne serait pas concernée par le monde.

Dominic me raccompagne dehors. Pendant encore un instant, nous sommes dans une bulle anonyme. Dans quelques secondes, les gens vont nous reconnaître. Ils arracheront notre image à coups de téléphones portables. Déjà, autour de nous, des regards s'attardent, deux ou trois personnes ralentissent leur pas pour nous observer.

– On peut se revoir? me demande-t-il. Ça me ferait très plaisir.

– Ça m'étonnerait que la nouvelle directrice soit d'accord, après tous ses efforts pour me mettre dehors. Tu es sûr que c'est une bonne idée?

Le regard qu'il pose sur moi répond à ma question. Il s'approche doucement, sa main touche mon bras, mais il est trop tard, la foule a déjà refermé sa mâchoire avide sur nous. Nous ne sommes plus seuls.

– Anna! Anna! Par ici!

– Dominic! Je t'adore trop!!

– Dominic! J'peux faire un selfie avec toi?

Les gens se massent autour de nous. Je commence à être ballottée dans tous les sens, complètement désarmée sans mes légions de boosters pour me soutenir. Dominic, lui, reste immobile, insensible aux autres.

– Tu devrais partir, je lui dis, ça va dégénérer.

– On va se revoir alors?

– Quand tu veux.

Au moment où il s'élève du sol, un brouhaha assourdissant de cris d'admiration se fait entendre. Dominic redescend légèrement et joue avec la foule pour me donner le temps de m'éclipser. Même si moi aussi je suis devenue une célébrité, la démonstration des superpouvoirs attire irrésistiblement tous les regards. Surtout que, contrairement aux New-Yorkais, les Parisiens n'ont pas souvent l'occasion de voir des super-héros en vrai.

Arrivée au bout de la rue, je regarde une dernière fois dans sa direction. Dominic n'est plus qu'une silhouette suspendue dans le vide. La cohue prend des proportions effrayantes. Des mains se tendent vers lui dans un concert de hurlements hystériques. Les doigts étirés au maximum frôlent ses semelles. Les plus excités sautillent sur place pour le toucher.

Quand Dominic monte enfin droit dans le ciel, la foule reste figée pendant un instant, silencieuse et fascinée de voir l'objet de son désir brutalement disparu.

CHAPITRE 43

Au bout du compte, je suis presque forcée de supplier mes parents de partir. Ils doivent passer la semaine avec Louis à Bruxelles. Mais ils ont tellement peur de me laisser seule que je dois les rassurer constamment. Ma mère me donne une série de numéros à appeler en cas d'urgence. Je lui rappelle que je suis une grande fille.

Quand je les regarde s'éloigner depuis ma fenêtre, nous nous faisons au revoir interminablement. Mon poignet va se décrocher à force de secouer la main de cette façon. L'hiver et le froid entrent dans la pièce. Je referme la fenêtre. Partout dans la ville, la neige est devenue une gadoue collante.

Je dors très mal. Les voix assourdissantes de mes boosters me font sursauter dans mes rêves. Je leur dis de se taire mais je parle au vide, au trou qui me sert de corps.

Quand je me réveille au milieu de la nuit, je me rends compte que je suis brûlante. Est-ce que je suis en train de subir le contrecoup de l'extraction de mes boosters ? Mon corps pense peut-être une fois de plus qu'il est en train de mourir. Peut-être meurt-il vraiment ? Comment faire la différence ?

J'appelle aussitôt Lisa.

— *Il est quelle heure ?* me demande-t-elle avec une voix aussi pâteuse que du beurre de cacahouète.

— Trois heures du mat'. Je me sens très bizarre. J'ai pas envie d'être toute seule pour le reste de la nuit. Tu peux venir ?

— *T'as appelé un médecin ?*

— C'est pas la peine, j'ai juste envie que tu sois là. Si tu veux. Si tu peux.

— *Mais oui, je veux, je peux. Mais si t'es pas bien, appelle un médecin.*

— C'est pas la peine, je t'assure.

Lisa débarque moins de quinze minutes plus tard, en parka et pyjama. J'ai à peine ouvert la porte d'entrée qu'elle pose le dos de sa main sur mon front.

— T'es pas chaude, me dit-elle.

— Ouais, je sais, c'est bizarre.

Elle s'allonge à côté de moi dans mon lit. Nous contemplons le plafond en silence pendant quelques secondes. Lisa pousse un énorme bâillement.

— Tu crois que je suis folle ? je lui demande.

— À ton avis ?

— Ça veut dire oui ?

— À ton avis ?

Lisa se tourne sur le côté, visiblement décidée à rattraper le sommeil perdu.

– Si tu ne vas pas mieux demain, on appelle le toubib, dit-elle.

– D'accord.

Après un instant, elle ajoute :

– Je ne pense pas que tu sois folle.

– Merci.

– T'es juste chiante.

Elle s'endort aussitôt, laissant ces derniers mots résonner agréablement dans l'air, comme la promesse d'une vie normale encore possible pour moi.

*

Le lendemain matin, le soleil brille sur Paris. Les dernières plaques résistantes de neige sur les toits ne passeront pas la journée.

En se réveillant, Lisa me demande aussitôt comment je me sens. Je lui dis que je vais super bien, ce qui est la stricte vérité. Le manque de sommeil ne me perturbe même pas. Je saute du lit avec énergie. Pour la première fois depuis longtemps, mon corps ne me pèse plus. Debout à côté de mon lit, je reste immobile, en prenant un immense plaisir à simplement respirer.

Lisa s'étire, se redresse dans le lit, tourne la tête vers moi et, tout à coup, son regard devient fixe.

– Anna ? dit-elle d'une voix hésitante.

– Quoi ? Qu'est-ce qu'y a ?

Elle soulève sa main droite, tend le doigt et désigne le sol avec lenteur. Je baisse les yeux mais il n'y a rien par terre. Je m'apprête à le lui dire, les mots sont déjà tout prêts dans ma tête, mais je baisse encore un peu le regard et je vois enfin ce qu'elle me montre.

Mes pieds ne touchent pas le sol.

Dès que j'en prends conscience, j'entends les voix des boosters monter en moi et devenir plus fortes à chaque instant. Ils reprennent leur chant d'amour là où ils l'avaient laissé. Ils célèbrent mon triomphe comme si j'étais la chose la plus précieuse et la plus glorieuse au monde.

— Qu'est-ce... qu'est-ce qui se passe ? bredouille Lisa.

Sa voix est presque couverte par celle des boosters.

— Anna, réponds-moi ! Tu te sens bien ?

— Mes pouvoirs sont revenus ! Ils sont là !

— Mais comment ?

Je hausse les épaules, je n'en sais rien. J'ouvre les bras en grand pour montrer à quel point j'ignore ce qui se passe.

Il me vient alors à l'esprit que je n'ai qu'à poser la question à la foule qui vibre en moi. Ils n'attendent que ça de toute façon. Ils meurent d'envie de me parler, de me répondre, d'entendre ma voix. « Qu'est-ce qu'il se passe ? je leur demande. Qu'est-ce que vous fichez là ? » J'évoque les tuyaux que le docteur Lucas a branchés sur moi pour vider mon corps de leur superpuissance. Tout a été fait dans les règles.

Les boosters me racontent avec leur langage rudimentaire, à base de mots d'amour et de poésie primitive, comment ils ont modifié ma biologie interne. Ils ont laissé partir leur ancienne enveloppe vide dans les machines aspirantes du Power Club, comme si l'opération pour m'enlever mes pouvoirs avait provoqué leur mue. Ils ont fait leur nid dans mon ADN, et ne sont plus dissociables désormais de ce que je suis. Personne ne pourra jamais me les enlever. Je suis émue aux larmes en les entendant parler. La solitude qui me pesait, tout le poids du monde qui écrasait mes épaules, tout disparaît en cet instant parfait.

Une part de moi s'inquiète tout de même de la réaction du Power Club. La nouvelle directrice ne va pas apprécier que son premier acte d'autorité soit remis en cause. Par contrat, j'ai l'obligation de rendre mes superpouvoirs. Que va-t-il se passer maintenant qu'ils me sont revenus ? Les gens du Power Club ne sont pas du genre à accepter le fait accompli. Ils vont forcément me le faire payer.

Mais tout en mesurant les problèmes qui s'annoncent, une autre part de moi se contente de sentir la formidable puissance qui alimente mon organisme. L'air qui m'entoure a retrouvé sa densité élastique, il enserre mon corps dans un cocon protecteur soumis à mes désirs. Toutes mes sensations reviennent à une vitesse folle. Mes mains peuvent à nouveau briser les diamants. Je ressens dans mes jambes leur capacité à faire trembler les montagnes.

— Anna ? Qu'est-ce qui t'arrive ? C'est pas normal, ça ! s'écrie Lisa, terrifiée. Tu vas exploser de l'intérieur ?

— Mais non ! Tout va bien. Tout va super bien !

Cette constatation qui s'impose à mon esprit augmente d'un cran l'enthousiasme de mes boosters. Leur excitation les fait crier et s'agiter aussi frénétiquement qu'une bande de gamins après une absorption massive de sucre.

Ils me disent qu'ils chérissent le moindre de mes atomes.

Qu'ils feront plier le ciel et la terre sous la force de mes désirs.

Et qu'ils ne m'abandonneront jamais.

Que je serais folle de croire le contraire.

À SUIVRE...

En juin 2017,

ONDES DE CHOC

En 2018,

UN RÊVE INDESTRUCTIBLE

L'auteur

Alain Gagnol est auteur de romans à la Série Noire, scénariste et réalisateur de dessins animés. Il a réalisé, en collaboration avec Jean-Loup Felicioli, une quinzaine de courts-métrages et deux films pour le cinéma : *Une vie de chat* (2010), nommé pour le meilleur film d'animation aux César 2011 et aux Oscars 2012, et *Phantom Boy* (2015).

Du même auteur

ROMANS JEUNESSE

Aux éditions Magnard Jeunesse

Pire que terrible, 2005
Léon a peur, 2005

Aux éditions Milan Jeunesse

Une vie de chat, 2010, adaptation du film en roman et album

ROMANS ADULTES

Aux éditions Gallimard

M'sieur, « Série Noire », 1995
Les lumières de frigo, « Série Noire », 1997
Est-ce que les aveugles sont plus malheureux que les sourds ?,
« La Noire », 2000

Aux éditions du Cherche Midi

La femme patiente, 2002
Axel et Joséphine, 2004

Aux éditions Le Passeur

Un fantôme dans la tête, 2014

Loi n° 49-956 du 16 juillet 1949
sur les publications destinées à la jeunesse,
modifiée par la loi n° 2011-525 du 17 mai 2011.

Mise en pages : DV Arts Graphiques à La Rochelle
N° éditeur : 10223434 – Dépôt légal : janvier 2017
Achevé d'imprimer en décembre 2016 (138409)
par l'imprimerie CPI Firmin Didot (27650, Mesnil-sur-l'Estrée, France)